KU-344-581

LE MEILLEUR DES
mondes

Cette revue naît de l'ennui, de la solitude, et du malaise croissant de quelques-uns face à une vie publique française qui semble se complaire dans le ressassement de mythes intellectuels usés et de rancœurs politiques impuissantes.
La crise française, que plus personne ici ou à l'étranger ne songe à nier, bien que personne non plus ne s'accorde sur ses causes, est apparue au grand jour lors de la présidentielle de 2002, où la double percée lepéniste et gauchiste du premier tour a entraîné le spectacle tragiquement ridicule d'un président réélu avec plus de 80 % des suffrages, un score jusque-là inédit dans une démocratie occidentale.
L'une des lectures possibles de la crise franco-américaine, dès l'automne suivant, lors du débat sur la guerre en Irak, n'est-elle pas aussi à chercher dans ce chiffre, l'Élysée s'affichant ouvertement face au monde, et non plus seulement face aux électeurs français, comme l'ultime rempart à la violence – une violence non plus lepéniste cette fois mais américaine ? Loin de tenir le rôle d'un allié exigeant mais loyal qui aurait contrebalancé l'unilatéralisme de George W. Bush, la France, gauche et droite confondues, s'est alors abandonnée à ses vieux démons qui l'amènent, depuis longtemps, à se défier de tout changement dès lors qu'il s'accompagne d'une extension de l'influence des États-Unis ou de celle de l'économie de marché, comme ce fut le cas dans une moindre mesure face à la guerre d'Afghanistan ou face aux révolutions démocratiques en Géorgie et en Ukraine, observées avec le même scepticisme que naguère la dissidence anticommuniste en Europe de l'Est.
La confusion qui a suivi a trouvé son illustration la plus remarquable lors des manifestations pacifistes de février-mars 2003. Dans un climat de judéophobie sans précédent depuis la Seconde Guerre mondiale, et alors que l'islamisme militant bénéficiait d'une certaine mansuétude, on vit des cortèges où des Juifs étaient agressés tandis que des militants d'extrême gauche brûlaient drapeaux israéliens et américains au côté d'islamistes exhibant, eux, des portraits de Saddam Hussein. *L'Internationale* se mêlait aux chants de guerre du Hamas avec la bénédiction d'une partie de l'opinion publique : à cette époque, selon un sondage, un tiers des Français souhaitait la victoire de l'Irak.
Certains d'entre nous se sont tus, d'autres ont pris publiquement position contre le pacifisme, d'autres encore ont ouvertement soutenu l'intervention américaine, mais ceux qui se retrouvent aujourd'hui autour du *Meilleur des mondes* ont tous en commun d'avoir considéré cette période d'un œil critique, voire de s'être alors trouvés en situation de rupture.
Quel bilan esquisser aujourd'hui, au troisième anniversaire de la guerre en Irak, et alors que la crise française ne fait que s'approfondir ? Ce premier numéro consacre son grand dossier au Moyen-Orient, et il va de soi que, les passions à peu près calmées, la modestie est, si on peut dire, à la hauteur de l'ambition. D'un côté la complexité des jeux d'alliance, le cynisme de l'Iran, la barbarie de ceux que certains en France continuent d'appeler des « résistants », de l'autre la profondeur insoupçonnée de la crise américaine, les informations parfois désastreuses sur la gestion de la guerre : les trois années écoulées ont fait la peau des convictions les plus ancrées et devraient normalement enseigner la prudence à quiconque souhaite réfléchir. Ainsi l'inquiétante poussée des partis islamistes, symbolisée par la récente victoire du Hamas aux élections palestiniennes, réduit à l'état d'un pari séduisant mais périlleux le projet américain de démocratisation du Moyen-Orient. Elle ne valide pas pour autant – loin de là ! – l'angélisme pacifiste et le rêve fumeux d'un monde multipolaire – qui s'en souvient ? – incarnés par la diplomatie française, où l'affaiblissement de l'Amérique aurait profité à une Europe unie et puissante, entretenant des relations harmonieuses avec le reste du monde.
Alors que le président iranien Ahmadinejad – défiant la communauté des nations avec une morgue qui rappelle Hitler, Mussolini ou Staline – menace le peuple juif d'un holocauste nucléaire et l'Occident démocratique d'une guerre des civilisations, chaque jour qui passe obscurcit un avenir dont nous ne savons rien, sinon qu'il oblige à l'abandon des certitudes.
En moins de deux décennies, le monde a connu des bouleversements technologiques, économiques et politiques sans précédent. Le cadre dans lequel ont grandi les quadragénaires d'aujourd'hui – celui de l'affrontement entre deux blocs, communisme et capitalisme – paraît à une distance abyssale des nouvelles générations. Téléphone portable, Internet et chaînes de télévision satellitaires modifient la géographie et l'appréhension que l'on se fait de l'espace national. Les biotechnologies, le rôle des multinationales dans la privatisation progressive des ▸▸▸

pouvoirs gouvernementaux, la dissémination des armes de destruction massive et la privatisation parallèle de la terreur, l'émergence d'acteurs économiques et politiques neufs comme l'Inde et surtout la Chine ne font encore qu'esquisser le nouveau – et dangereux – XXIe siècle. Pendant ce temps, la France, les poings serrés et la rage au cœur, regarde impuissante sur le bord de la route passer le train de la mondialisation. Comment s'étonner alors que notre pays ait mis l'Europe au point mort à l'issue du référendum sur le traité constitutionnel dont les adversaires comme certains de ses partisans, tel le chef de l'État, rivalisaient dans la même dénonciation du libéralisme et des « Anglo-Saxons » ?
La crise politique et institutionnelle d'avril 2002 et ses suites – les émeutes en banlieue, révélatrices des profondes fractures sociales et culturelles de la société française – est aussi une crise intellectuelle. Bien que la France ait été l'un de ses principaux champs de bataille idéologique, la fin de la guerre froide n'a fait l'objet ici d'aucune pédagogie particulière. Rien ne semble vouloir changer. Sous de nouvelles appellations, altermondialisme d'un côté, souverainisme de l'autre, les cadavres des vieilles idéologies, nationaliste et communiste, continuent d'entretenir de faux clivages. Le libéralisme reste la bête noire responsable de tous les maux de la planète. Et les derniers professionnels de l'anathème renouent avec un langage stalinien qui, il n'y a pas si longtemps, traînait dans la boue Panaït Istrati, George Orwell, Arthur Koestler, Simon Leys ou Danilo Kis, les « néoréacs » de leur époque. Pour autant que les intellectuels, dans les périodes difficiles, aient un rôle à jouer, nous voudrions défendre une culture capable d'interroger la complexité contemporaine, sans dissimuler nécessairement nos propres contradictions et hésitations.
C'est pourquoi, en hommage à Aldous Huxley, *Le Meilleur des mondes* tente de formuler dans ce titre à la fois son ambition et sa modestie : anti-utopique, contre tous les meilleurs des mondes imposés, à l'écoute du meilleur des mondes possibles – le seul qui soit. ■

Le Meilleur des mondes

LE MEILLEUR DES
mondes
Directeur de publication : Olivier Rubinstein
Rédacteur en chef : Michel Taubmann

OUVERTURE

5
ISRAËL ET LES JUIFS
LUCIDITÉ DE MICHEL FOUCAULT
AVEUGLEMENT DE GILLES DELEUZE
ÉRIC MARTY

12
DARFOUR
LES ŒILLÈRES DE LA BONNE CONSCIENCE
JACKY MAMOU

LIGNES DE FRONT

17
MAGADAN « DÉBARCADÈRE DE L'ENFER »
OLIVIER ROLIN

21
UNE PROMENADE À TCHERNOBYL
GALIA ACKERMAN

25
LE MÉMORIAL DES CRIMES COMMUNISTES
STÉPHANE COURTOIS

29
Vous avez dit « négationnisme » ?
Stéphane Courtois

30
RENCONTRE AVEC VÁCLAV HAVEL
RAPHAËL GLUCKSMANN

TWIST AND SHOUT

35
LES PARADOXES DE L'ANTIAMÉRICANISME
PASCAL BRUCKNER

39
Bush et la mauvaise foi
Jean-Michel Perraut

40
LEO STRAUSS ET LES NÉOCONSERVATEURS
LE CONSERVATISME ABANDONNÉ
ANNE NORTON

47
THÉRÈSE DELPECH
L'ENSAUVAGEMENT DU MONDE
ENTRETIEN AVEC MARC WEITZMANN

53
FAUX ET USAGES DE FAUX
PIERRE-ANDRÉ TAGUIEFF

61
Pauvre Voltaire !
Max Lagarrigue

GRAND DOSSIER

64
LA QUESTION CHIITE
RUPTURE DANS L'ISLAM ?
ANTOINE BASBOUS

69
QUEL AVENIR POUR LE PEUPLE KURDE ?
KENDAL NEZAN

70
Oumma.com :
la vitrine légale d'un islamisme décomplexé
Max Lagarrigue

73
FAUT-IL AVOIR PEUR DU PAKISTAN ?
BRUNO TERTRAIS

77
Ne pas confondre résistants et terroristes
Michel Taubmann

78
BRONISLAW GEREMEK
GUERRE ET PAIX
ENTRETIEN AVEC MICHEL TAUBMANN

81
Le rapport Obin enterré par Gilles de Robien ?
Max Lagarrigue

82
MONIQUE CANTO-SPERBER
LA GUERRE JUSTE
ENTRETIEN AVEC MICHEL TAUBMANN

GRAND ENTRETIEN

87
BERNARD KOUCHNER
« REJETER EN BLOC LE LIBÉRALISME,
C'EST ASSURER SON TRIOMPHE »
ENTRETIEN AVEC MICHEL TAUBMANN

LONGITUDES ET LATITUDES

101
CUBA
COMME NEIGE AU SOLEIL
OLIVIER LANGUEPIN

105
MEXIQUE – ÉTATS-UNIS
« J'ÉTAIS ÉTRANGER ET TU M'AS ACCUEILLI »
VIOLAINE DE MARSANGY

110
SOCIALISME & SOCIAL-LIBÉRALISME
LA LUTTE FINALE ?
GÉRARD GRUNBERG

113
L'histoire otage de l'obscurantisme
Barbara Lefebvre

114
LES GAUCHES EUROPÉENNES
EN ORDRE DISPERSÉ
SUSANNA DÖRHAGE

117
11 MARS 2004 À MADRID
UNE DÉMOCRATIE
DANS LES FILETS DES TERRORISTES
JEAN CHALVIDANT

122
11 MARS 2004 À MADRID
LA MÉMOIRE ÉCLATÉE
ANTONIO ELORZA

126
BANLIEUES FRACTURÉES
CLAIRE BRIÈRE-BLANCHET

HISTOIRE

131
KOESTLER,
NOTRE CONTEMPORAIN
MICHEL LAVAL

134
LES LIAISONS DANGEREUSES DE
LA LIGUE DES DROITS DE L'HOMME
MAX LAGARRIGUE

HORS CADRE

141
ICH HABE EINEN TRAUM
YASMINA REZA

142
MUSIQUES D'AUJOURD'HUI :
L'INJONCTION AU MÉTISSAGE
PHILIPPE GUMPLOWICZ

145
DIEU EST DANGEREUX,
SON ABSENCE AUSSI
FLORENCE TAUBMANN

149
KANT À BAGDAD
ANDRÉ GLUCKSMANN

ISRAËL ET LES JUIFS

LUCIDITÉ DE MICHEL FOUCAULT AVEUGLEMENT DE GILLES DELEUZE

ÉRIC MARTY

Pour un intellectuel français, il est de tradition d'être au côté des opprimés. Que penser alors d'Israël ? Faut-il voir dans ce minuscule État l'achèvement d'un rêve émancipateur ou dénoncer une puissance militaire avide de conquêtes ? Michel Foucault et Gilles Deleuze ont apporté à cette question des réponses inconciliables. Étonnant tableau de deux amis séparés par un gouffre d'incompréhension.

En 1976, dans un entretien donné au *Monde*, Michel Foucault dénonçait avec virulence « la honteuse résolution de l'Onu sur le sionisme[1] », c'est-à-dire la résolution 3379, votée par l'assemblée générale le 10 novembre 1975, assimilant le sionisme au racisme.

Cette intervention fut importante à plus d'un titre. D'une part, du fait de sa rareté car je ne sache pas qu'il y ait eu de nombreuses déclarations de ce genre à ce moment précis, à l'exception peut-être de Jean-Paul Sartre et de Simone de Beauvoir. Mais il y a une autre raison de s'y intéresser, c'est sa signification. Quel sens lui donner ? À quoi l'associer ? À quel espace de la doctrine rattacher ce propos ? Sa netteté ?

Peut-être faut-il modestement d'abord faire entrer en résonance cette déclaration avec l'expérience que fit Foucault en 1967 lorsqu'il enseignait à l'université de Tunis. Témoin des manifestations propalestiniennes liées à la guerre des Six-Jours qui dégénérèrent en émeutes antisémites, voici ce qu'il écrit alors au philosophe Georges Canguilhem le 7 juin 1967 : « Ici, il y a eu lundi dernier une journée (une demi-journée) de pogrom. Ce fut bien plus grave que l'a dit *Le Monde* : une bonne cinquantaine d'incendies, cent cinquante ou deux cents boutiques – les plus misérables, bien sûr – mises à sac, spectacle immémorial de la synagogue éventrée, les tapis traînés dans la rue, piétinés et brûlés, des gens courant dans les rues, se réfugiant dans un immeuble auquel la foule veut mettre le feu. Et depuis, le silence, les rideaux de fer baissés, personne ou presque dans le quartier, des enfants qui jouent avec des bibelots cassés. La réaction du gouvernement a été vive, ferme – sincère, semble-t-il. Or c'était manifestement organisé. Tout le monde a compris que depuis des semaines, des mois sans doute, "ça" travaillait en profondeur, à l'insu du gouvernement, contre lui. En tout cas, nationalisme plus racisme, c'est un total bien affreux. Et si on ajoute à cela que les étudiants, par "gauchisme", ont prêté la main (et un peu plus) à tout cela, eh bien, on est assez profondément triste. Et on se demande par quelle étrange ruse (ou stupidité) de l'histoire, le marxisme a pu donner occasion (et vocabulaire) à cela[2]. »

Admirable analyse sur le vif d'une situation historique[3]. Une telle expérience explique peut-être qu'une dizaine d'années plus tard donc, Foucault ne soit pas dupe de l'usage pervers qui est fait du concept de sionisme par les États ou les organisations arabes, et dont on voit hélas aujourd'hui les dégâts qu'il fait en Europe même[4].

Il y a donc l'expérience concrète de ce que Foucault appelle un « pogrom » en terre arabe et l'émotion lucide qu'il suscite, mais il n'y a pas que cela. Cette même année 1976, l'année de cette déclaration sur le sionisme, Foucault donne un cours au Collège de France curieusement intitulé « Il faut défendre la société » qui est pour lui l'occasion de réfléchir sur le concept de racisme et de le disjoindre radicalement de toute la tradition juive, notamment au travers d'un questionnement sur ce qu'il va appeler la « guerre des races », question-

* ÉRIC MARTY *est professeur de littérature française contemporaine à l'université Paris-VII. Il est notamment l'auteur de* Bref séjour à Jérusalem *(Gallimard, 2003).*

nement qui constitue une partie importante de son enseignement cette année-là et dont il va faire, avec un souci de provocation, une forme d'éloge. Il montre, notamment dans sa leçon du 28 janvier 1976, le pouvoir de subversion du texte biblique, de ce qu'il nomme le « discours hébraïque » et qui, selon lui, a, dès le Moyen Âge, déplacé, remodelé et subverti le modèle de souveraineté dominant, le modèle indo-européen du fonctionnement du pouvoir, fondé sur un ordre immuable, en lui opposant une « contre histoire », celle des « servitudes et des exils » qui offre la possibilité d'une rupture prophétique, arme de la misère et de l'insurrection. La Bible est alors définie sur le plan théologico-politique par Foucault comme ce qui offre une forme de discursivité nouvelle à ceux qui vont parler « du côté de l'ombre », à partir de cette ombre, et qui vont inventer et revendiquer des droits méconnus déchirant la société. Il montre également que si la Bible a pu inspirer cette « contre histoire », cette « guerre des races » comme protohistoire d'une lutte des classes, cette conscience historique d'une division de la société, issue de la tradition hébraïque, ne se raccorde en rien au racisme d'État, naissant au XIXe siècle, et se développant au XXe siècle, racisme biologique et centralisé. Ce dernier, au contraire, effaçant précisément toute inspiration judaïque, la retournant en son contraire, et retrouvant alors, dans ce renversement même, le vieux système, le système indo-européen lié à l'organisation des trois ordres au sommet desquels se trouve l'ordre de la souveraineté, accompagné du thème du retour des héros, du chef, du Führer et dont le Reich allemand sera l'organisme le plus radical, calqué sur l'organisation romaine. Rome, la Rome éternelle des César, prenant alors sa revanche sur Jérusalem définie par Foucault comme « objection », « discours d'opposition » objecté « à toutes les Babylone ressuscitées[5] ».

IL EST DIFFICILE DE NE PAS ÉTABLIR UN LIEN entre d'une part la réflexion de Foucault sur le racisme et la question juive cette année-là et d'autre part son refus catégorique d'avaliser l'équation, devenue le nouvel universel, selon laquelle le sionisme est dans son essence un racisme[6]. Ainsi, ce n'est pas seulement l'émotion de l'expérience qui nous permet d'éclairer l'intervention de Foucault. Il y a plus. Au-delà des opinions et des émotions, mais aussi sans doute les traversant, il y a, contemporaine à cette intervention de Foucault dans le champ de la géopolitique internationale, une réflexion profonde sur le concept de « race » et sur la subversion du politique et de la souveraineté contenue dans « l'histoire mythico-religieuse des juifs[7] ».

Il est difficile d'aller beaucoup plus loin pour qui n'est pas un spécialiste de Foucault et de son œuvre, mais sans doute peut-on s'interroger sur l'exception mystérieuse qu'il constitue dans l'univers intellectuel français. Et si je dis mystérieuse, c'est qu'il y a peut-être davantage encore. L'intérêt pour la pensée politique juive s'est en effet poursuivi, notamment lors de son cours de 1978, intitulé « Sécurité, territoire et population », où Foucault médite longuement le thème du « pouvoir pastoral » de la société hébraïque dont il extrait et analyse subtilement l'exception face aux autres formes de souveraineté puisqu'il s'agit, selon lui, « d'un pouvoir qui individualise en accordant, par un paradoxe essentiel, autant de prix à une seule des brebis qu'au troupeau tout entier[8] ».

« Paradoxe essentiel », dit Foucault. Notre objet n'est pas ici de prolonger l'analyse qu'il déploie ; on dira simplement que ce qui est essentiel, c'est la pertinence du regard foucaldien, regard aigu sur cette exception juive, et qui est au cœur même de l'État d'Israël, sa raison suffisante. Ce qui est essentiel, c'est de voir le paradoxe et de le qualifier d'essentiel.

Et puis, à l'entour de cette subtilité particulière qui entraîne Foucault à décrypter des éléments laissés de côté ou honnis par ses contemporains – Israël comme « paradoxe essentiel » –, il y a des faits biographiques sur lesquels on ne s'attardera pas mais qui méritent éventuellement d'être ici mentionnés. Est-ce un hasard si Foucault démissionne du Parti communiste français l'hiver 1952 au moment précisément où Staline conçoit et lance sa première campagne explicitement antisémite sous le prétexte d'un pseudo-complot de médecins juifs à son encontre[9] ? Enfin il y a plus complexe encore, lorsque, sollicité à l'automne 1968 pour être candidat à un poste de professeur à l'université de Paris-X contre la candidature du psychanalyste Pierre Kaufmann, il écrit, dans une nouvelle lettre à Canguilhem, après avoir de nouveau évoqué le pogrom de Tunis contre les Juifs, qu'il veut renoncer à ce poste parce qu'il lui est « insupportable physiquement d'être contre un Juif[10] ».

Sans doute ces petits faits, ces fragments de pensée, ces interventions dans le champ du politique ne sont-ils rien. Rien de véritablement significatif dans l'œuvre de Foucault. Et c'est peut-être tant mieux que tout cela demeure à l'état brut, comme les cailloux dispersés d'une réflexion qui n'a pas désiré en dire plus. D'ailleurs, Foucault a peu prêté attention au conflit du Proche-Orient. De ses acteurs politiques, il écrit simplement ceci : « Ni Begin ni Arafat ne sont des gens auxquels nous nous référons pour penser[11] », et, à propos des massacres de Sabra et Chatila, nulle excitation de sa part ; il écrit simplement : « Du côté des amis d'Israël, mais aussi des propalestiniens, il y a eu une sorte d'angoisse et d'inquiétude symétriques. Il n'y a pas eu de tentative d'esquive [...]. Il y a eu de manière générale, face à ce noyau d'intolérable qu'étaient ces massacres, une réflexion morale assez extraordinaire[12]. » Et en 1978, à propos du Liban, il voit très lucidement la domination totalitaire syrienne et soviétique et non Israël[13]. J'ignore si Foucault a pris d'autres positions, mais il semble qu'il y ait eu de sa part une sorte de silence volontaire et calme à l'égard de cette question, une bienveillance silencieuse, et sans doute à l'écart du politique, vis-à-vis d'Israël. Les années 1978-1979, pendant lesquelles Foucault s'enflamma pour le soulèvement du peuple iranien, font l'objet, on le sait, d'un opprobre silencieux ou du moins qui n'a pas suscité – on se demande pourquoi – une analyse à la hauteur de la faute présumée. Sans doute une analyse approfondie des textes de cette période entraînerait moins une dépréciation de la pensée politique de Foucault qu'elle n'obligerait les spécialistes du philosophe à reconsidérer les analyses et les grilles conceptuelles dans lesquelles ils se sont enfermés. On notera, en tout cas, que, au moins sur un point, Foucault ne fut pas aveugle, en remarquant et signalant (il fut l'un des rares) « l'antisémitisme virulent » des manifestants et des révolutionnaires d'Iran[14].

Foucault fait figure d'exception, même, et surtout si, de cette exception on ne peut rien dire. Juste la noter. Et avancer que, sans doute, cette question-là appartient à ce que Pascal appelait « la pensée de derrière », ces ombres de pensée, cette dialectique muette mais active qui ne se laisse entrevoir que par éclats, que par traces. Foucault est peut-être celui de ses contemporains dont la « pensée de derrière » est la plus dissimulée. C'est sans doute pourquoi les spécialistes nous ont offert un portrait si conventionnel ou si folklorique du philosophe lors des cérémonies qui ont célébré le vingtième anniversaire de sa disparition.

Cette exception a, en tout cas, pour vis-à-vis la norme ou la règle. C'est-à-dire la position de l'intellectuel français qui n'a jamais fait autre chose que de soutenir, contre vents et marées, « la politique arabe » de la France. L'alliance entre l'intellectuel et le pays a vraisemblablement pour origine l'espèce de pacte subtil que de Gaulle sut nouer avec le Parti communiste, le parti des intellectuels, à la fin des années 50, en offrant à la France le rôle de tiers, face aux deux grandes puissances qu'étaient alors l'URSS et les États-Unis. De Gaulle maintenait la fiction – plus ou moins crédible et donc un peu réelle – d'une influence française dans le monde, celle-ci passant fort machiavéliquement par le processus de décolonisation, et se trouvant donc apparemment en phase avec les aspirations historiques d'émancipation du tiers-monde.

Ce rôle de tiers, de Gaulle l'a parfaitement incarné, parvenant avec une grande virtuosité, et avec l'aide tactique des intellectuels communistes, à associer la tradition d'influence française à une politique libératrice ou progressiste, jouant ainsi à l'extrême sur les possibles universalisants du vieux projet français de répandre sur le monde ses lumières et sa langue. Si de nombreux intellectuels ou enseignants, au-delà même du Parti communiste, ont donc toujours appuyé de Gaulle sur sa gauche – sur sa politique extérieure –, c'est sans doute aussi que cette fiction puérile, mi-réelle mi-imaginaire, pouvait faire croire à bon nombre d'entre eux qu'ils pourraient jouer encore, avant de prendre leur retraite de l'Éducation nationale, les Voltaire, les Rousseau, les Diderot de l'univers, et leur faisait espérer que le temps de la pensée française n'était pas tout à fait clos.

Cette sainte alliance a si bien fonctionné qu'elle a été à l'œuvre bien après la disparition de de Gaulle, et même après la fin de la guerre froide qui en était le prétexte, comme on l'a vu tout récemment lors de la deuxième guerre d'Irak et même, de manière un peu différente, lors des guerres civiles qui ont déchiré l'ex-Yougoslavie, où peu nombreux, au fond, furent ceux qui réellement combattirent la politique proserbe de la France de François Mitterrand et comprirent les aspirations à la liberté des Croates, des Bosniaques, des Kosovars et des Serbes eux-mêmes. La gauche intellectuelle française fut passive ou bien, de Régis Debray à Alain Badiou, fit preuve de compréhension à l'égard de la domination serbe.

L'indifférence générale en France, à droite comme à gauche, au drame que vécurent les peuples d'Europe centrale confirme le consensus où, là encore, et notamment à l'égard de la Pologne, si méprisée aujourd'hui par les élites françaises comme on a pu s'en apercevoir lors de la campagne sur la Constitution européenne, Foucault fit exception.

Foucault fait figure d'exception, même, et surtout si, de cette exception on ne peut rien dire. Juste la noter.

Il y a donc les indifférences concrètes, des oublis, des lâchetés de l'intelligentsia, par exemple sur la présence militaire française en Afrique noire, sur le régime semi-colonial aux Antilles, sa fascination postnapoléonienne ou sa compréhension pour les tyrans « éclairés », de Fidel Castro à Nasser. J'imagine souvent que, symétrique à la main droite de l'intellectuel sévère qui sur un petit calepin comptabilise le nombre d'arpents de terre qu'un « colon » juif de Gaza, de Judée ou de Samarie possède pour y cultiver des salades et des melons ou pour prier, il y a une main gauche, qui, à l'aide d'un chiffon humide et doux, efface de son esprit les champs pétrolifères du Gabon que possède Total ou les forêts du Cameroun et les plantations de la Côte-d'Ivoire exploitées par telle compagnie forestière. Il me semble qu'il est toujours difficile pour un intellectuel contemporain d'imaginer que ces pays ne tirent pas malgré tout un petit profit de la présence néocoloniale française. Sinon, comment expliquer le silence et l'oubli ?

Au-delà de tout cela, ce qui réunit la France, c'est l'antiaméricanisme, seule politique qui reste à sa disposition. Mais si l'axe antiaméricain a été hégémonique pendant des décennies, il a été progressivement accompagné par un axe, d'abord secondaire, et qui peu à peu est devenu majeur, Israël, minuscule pays qui cristallise sur lui la vigilance sourcilleuse et satisfaite des intellectuels.

Peut-on dater le moment où Israël a commencé de jouer ce rôle dans le théâtre politique et intellectuel français ?

Il semble que le mouvement ait été très progressif. Par exemple, en 1967, lors de la guerre des Six-Jours, peu d'intellectuels importants, je crois, se rallièrent à la politique très dure de de Gaulle à l'égard d'Israël, d'embargo sur les armes, et à ses mots, émanés sans doute de son éducation maurrassienne, sur le « peuple d'élite, sûr de lui-même et dominateur ». L'intellectuel français, qui n'avait pas la rapidité d'esprit de de Gaulle, était encore préoccupé par des vieilles histoires de guérillas et de pronunciamientos en Amérique du Sud et par la guerre du Vietnam. C'est peu à peu, et notamment à partir de 1973, avec le progressif effondrement de l'illusion soviétique et celui de l'illusion tiers-mondiste du mythique « Sud » (Asie, Amérique latine, Afrique), que les cerveaux désormais vides et donc disponibles des intellectuels pivotèrent vers l'Orient, cet Orient que l'on baptisa Sud pour ne pas perdre des années d'investissement symbolique.

POUR ÉCLAIRER CE PHÉNOMÈNE, je voudrais prendre comme exemple de la contagion du consensus français un intellectuel que tout aurait dû épargner, son intelligence comme son éloignement idéologique du Parti communiste, qui, ne l'oublions pas, fut le creuset indispensable à la propagation du symptôme français : Gilles Deleuze.
Les seuls titres de ses articles sur Israël sont éloquents : « Les Indiens de Palestine » (*Libération*, 8-9 mai 1982) ou, plus imprudent encore : « Grandeur de Yasser Arafat » (*Revue d'études palestiniennes*, hiver 1984[15]). La métaphore indienne est caractéristique du consensus français et de son sens commun. Elle est obsédante chez Deleuze : « L'histoire du sionisme et d'Israël comme celle de l'Amérique est passée par là : comment faire le vide, comment vider un peuple ? » et l'image des « Peaux-Rouges » revient sans cesse, de sorte que l'on peut se demander si Deleuze, grand connaisseur du cinéma[16], n'a pas élaboré sa thèse dans l'obscurité de la Cinémathèque en visionnant des westerns plutôt qu'en étudiant l'histoire ou en se rendant sur place. Il écrit ainsi : « Repousser les limites, c'était l'acte du capitalisme américain, du rêve américain, repris par Israël et son rêve du Grand Israël sur le territoire arabe, sur le dos des Arabes[17]. » Tant de naïveté dans la superposition de la conquête de l'Ouest sur les trois grandes guerres (1948, 1967, 1973) où Israël eut affaire à une coalition de quatre à cinq pays, soutenus et armés, pour les deux dernières, par l'Union soviétique, a de quoi faire rêver. Tout comme fait rêver l'incroyable violence et ignorance, les deux font la paire, dans la dénonciation des atrocités propres au sionisme, qui, dans la logique du sens commun, après avoir été identifiées aux massacres des westerns, le sont aux crimes nazis : « On dit que ce n'est pas un génocide. Et pourtant c'est une histoire qui comporte beaucoup d'Oradour, depuis le début. Le terrorisme sioniste ne s'exerçait pas seulement contre les Anglais, mais sur des villages arabes qui devaient disparaître. L'Irgoun [Deleuze savait-il ce qu'était l'Irgoun ?] fut très active à cet égard (Deir Yassin)[18]. » Il y a plus excessif et surtout plus incompréhensible dans la logique même du propos : « L'extermination physique, qu'elle soit ou non confiée à des mercenaires, est parfaitement présente. Mais ce n'est pas un génocide, dit-on, puisqu'elle n'est pas le "but final" : en effet, c'est un moyen parmi d'autres[19]. »
À vrai dire, il est probable que Deleuze ne fasse ici que répéter ce que les militants palestiniens lui ont dit, comme ce fut toujours le cas dans de telles circonstances et, en ce sens, Deleuze n'est sans doute pas plus léger ou coupable que ceux qui avalèrent et régurgitèrent la propagande coréenne, cambodgienne, cubaine, soviétique, libyenne, ou chinoise, par exemple, lors de la Révolution culturelle. Tel n'est donc pas l'essentiel.
L'essentiel, c'est quand Gilles Deleuze semble parler tout seul, de sa propre voix. Et voilà ce qu'écrit Deleuze lorsqu'il cesse de faire des métaphores à partir de souvenirs cinématographiques ou de répéter des énormités : « À la formule orgueilleuse d'Israël : "Nous ne sommes pas un peuple comme les autres", n'a cessé de répondre le cri des Palestiniens [...] : "Nous sommes un peuple comme les autres, nous ne voulons être que cela..."[20] » Stupéfaction de trouver ici la redite du propos de de Gaulle sur le « peuple d'élite » sous la plume de l'auteur de *L'Anti-Œdipe*, de *Différence et Répétition* et surtout d'un magnifique *Nietzsche et la philosophie*.
Ici, c'est dans son essence minoritaire même que Deleuze condamne Israël et qu'il appelle à sa disparition. Et cela au nom de quoi ? Au nom d'une mythique osmose entre le « Nous » du peuple palestinien et de ses « cris » avec le leitmotiv de l'universel républicain français dont l'axiome est celui de l'uniformité ontologique des peuples sur le modèle d'une abstraction vide : être « comme les autres ».
On s'étonne deux fois de la naïveté de Deleuze. La première fois de le voir croire que le peuple palestinien serait à ce point francisé (comme peut-être les intellectuels palestiniens francophones l'en ont persuadé), une seconde fois de le voir défendre, avec la ténacité d'un instituteur de la IIIe République, le slogan qui servit d'alibi à toutes les entreprises coloniales.

TOUT CELA NE SERAIT PEUT-ÊTRE RIEN si ces écrits ne s'accompagnaient, comme toujours en ce cas, d'une très étrange complaisance à l'égard de l'antisémitisme européen, tel que cela apparaît dans un texte un peu antérieur, intitulé « Le Juif riche[21] », défendant le film de Daniel Schmid, *L'Ombre des anges*, attaqué alors pour ses profondes ambiguïtés. Film qui adaptait au cinéma la pièce de Fassbinder *Les Ordures, le Vide et la Mort*[22].
Notons simplement que, dans cette pièce, le « Juif riche » est le seul personnage à ne pas avoir de nom et à n'être désigné que par ces deux stigmates raciaux et économiques : « A. le Juif riche ». Ce personnage est tout à la fois proxénète en compagnie d'un ancien nazi et promoteur immobilier. Il est, à ce titre, responsable de la spéculation

et de la destruction urbaine. Il finira par étrangler la prostituée qu'il protège en s'arrangeant pour que Franz, le nazi, qui est par ailleurs homosexuel, soit accusé du crime.
Deleuze, donc, défend le film en réfutant tout soupçon sur l'ambiguïté du propos et cela avec une maladresse étrange et même une forme de bêtise assumée. Son principal argument repose sur une évidence totalement déconnectée de l'œuvre en question. En effet, il répète, scandalisé, que l'usage du mot « juif » est tout à fait légitime et qu'il n'y a que les antisémites qui ne l'emploient pas (ils disent « israélites[23] » selon lui). Ainsi, ajoute-t-il triomphant, il est tout à fait normal, par exemple, de dire que Spinoza était juif. Deleuze alors feint de croire, en s'en scandalisant, que « la ligue contre l'antisémitisme déclare antisémites tous ceux qui prononcent le mot "juif"[24] ». Le terme de « Juif riche » n'est donc pas antisémite. CQFD.
Étrange et même stupéfiant argument : comme si c'était le seul usage du mot « juif » qui était en cause, comme s'il n'y avait pas, pour Fassbinder, d'autres possibilités de nommer son personnage autrement que par son appartenance « ethnique » (on n'ose pas dire raciale) et économique. Plus stupéfiant – comme une glissade interminable sur le lac gelé de la dénégation –, cette étrange question qui en découle : « Que dire d'un Juif qui n'est pas israélite, ni israélien, ni même sioniste[25] ? » Question plus saugrenue que le raisonnement alambiqué et absurde qu'on vient de résumer, car que vient faire ici le qualificatif de « sioniste » ? Pourquoi Deleuze l'importe-t-il dans un débat touchant à la représentation du Juif européen, sous les traits exacts de la propagande nazie, qui le stigmatise comme « juif » et comme « riche » alliant par là les deux qualificatifs en synonymie – juif et riche –, vieille synonymie et qui a pour effet de priver alors le personnage de ce qui le situe comme personne humaine en le distinguant : le nom propre ?
Le discours de Deleuze achève sa glissade par une chute malencontreuse qui, comme souvent dans ce cas-là, découvre ce qu'on pourrait appeler son « derrière ». En effet, tout le dernier paragraphe de son article est consacré à l'idée qu'il faut évacuer de notre réel politique le fascisme des années 30 – celui qui, à nos yeux, inspire précisément la représentation du « Juif riche » –, devenu « ancien fascisme » et pur folklore, et qu'il faut, à la place, produire, comme seul réel politique, le concept de ce qu'il appelle le « néofascisme » dans lequel il n'est pas difficile de reconnaître la caricature traditionnelle des États-Unis : « Le néofascisme est une entente mondiale pour la sécurité, pour la gestion d'une "paix" non moins terrible [que la guerre], avec organisation concertée de toutes les petites peurs, de toutes les petites angoisses qui font de nous autant de microfascistes, chargés d'étouffer chaque chose, chaque visage, chaque parole un peu forte, dans sa rue, son quartier, sa salle de cinéma[26]. »
Quel est le sens de ce long développement final ? Quel lien a-t-il avec l'argumentaire de défense d'un film, celui de Schmid ? Le seul sens qu'on peut lui donner est le suivant : la nuisance produite par la représentation du Juif dans cette œuvre, quand bien même serait-elle fasciste, n'est rien à l'égard de la nuisance du néofascisme contemporain dicté par l'empire américain qui règne sur nos corps et sur nos âmes.
Mais évidemment, ce nouvel argument contraint Deleuze à se couper, et à faire l'aveu (ou à le mal dissimuler) de l'inspiration fasciste à l'œuvre derrière la figure du « Juif riche » de Fassbinder. Car autrement à quoi servirait cette déligitimation, cette neutralisation de l'antifascisme traditionnel si elles ne venaient pas, en effet, au secours du film dont ce texte est censé être la défense ? Cet aveu involontaire contredit l'essentiel de ce qui le précède puisque les deux premiers tiers du texte de Deleuze sont consacrés à nier par tous les moyens (et on a vu par quels pauvres moyens !) qu'il y ait dans le film la moindre trace d'antisémitisme, c'est-à-dire « d'ancien fascisme ».

Le discours de Deleuze achève sa glissade par une chute malencontreuse.

Mais dans le même temps, Deleuze ne se contredit qu'en apparence. Cette conclusion est comme plaquée sans que rien ne vienne la relier de près ou de loin à ce à quoi elle succède. En rhétorique (pauvre ruse que la rhétorique), on appelle cela une parataxe. Cette parataxe, cette absence de liens logiques et verbaux entre le déni de l'antisémitisme du film et le rejet, hors de notre réel politique, de la nocivité de « l'ancien fascisme », produit alors un propos réellement clivé dont voici le clair schéma : 1) le film de Schmid n'est pas antisémite car employer le mot « juif » n'est en aucune manière une preuve d'antisémitisme ; 2) l'antisémitisme (dont le nom euphémisé est donc « ancien fascisme ») n'est en rien un problème actuel, mieux, il n'est pas de l'ordre du « réel », le seul fascisme qui nous concerne est le fascisme américain.
On peut alors conclure que l'antisémitisme aux yeux de Deleuze n'existe tout simplement pas, n'est pas de l'ordre du réel et on comprend alors qu'en effet, cette non-existence-là explique qu'il ne le voie pas dans le film, exactement comme un daltonien ne verrait pas le vert face à une prairie ou le rouge lors d'un défilé du Parti communiste. On comprend enfin que ce qui nous est apparu comme une faiblesse stupéfiante d'argumentation n'est en rien surprenante. Voir dans l'usage exclusif et systématique de l'expression « Juif riche » quelque chose d'équivalent à l'innocent qualificatif applicable par exemple à Baruch Spinoza, philosophe « juif », n'est rien d'autre qu'une asymbolie (c'est-à-dire l'incapacité à percevoir du symbole) consécutive à une décision philosophique et politique d'exclure du réel l'existence même de l'antisémitisme (ou « ancien fascisme »).

Ainsi la parataxe, l'absence apparente de lien entre la fin du texte et son commencement, remplit bien son rôle structurant : produire un type de liaison nouveau, fondé sur une déliaison apparente, susciter un type de corrélation, construit sur l'après-coup, ou ce que l'on appellera, en faisant encore appel à la rhétorique, la métalepse, autrement dit l'art de renverser les liens de cause à effet, d'antériorité et de postériorité, et de rendre insaisissable la logique profonde du propos.

Pourtant ce propos crève les yeux et il est le suivant : si le film de Schmid n'est pas antisémite c'est parce que l'antisémitisme n'est pas.

On pourrait aller plus loin encore dans l'exégèse du propos de Deleuze, aller jusqu'au bout de cette logique et comprendre alors que, peut-être, il y a pour Deleuze, clairement ou obscurément, un lien entre le « Juif riche » et le « néofascisme » : comme le néofascisme, le Juif riche est riche et, comme le néofascisme, par son activité de promoteur, le Juif riche détruit chaque chose, chaque visage, chaque parole, chaque rue, chaque quartier, chaque cinéma. On pourrait aller si loin que l'on n'ira pas.

Bien entendu – et ceci n'est pas de ma part un trait de rhétorique –, je ne tiens pas Gilles Deleuze pour un antisémite ni même pour un négationniste, quand bien même son discours en déploie l'essence. Et c'est bien le drame.

« L'histoire des hommes est la longue succession des synonymes d'un même vocable. Y contredire est un devoir. »

Ajoutons que ce texte de Deleuze, « Le Juif riche », n'altère pas mon admiration pour la puissance merveilleuse de livres comme *La Logique du sens* ou *Proust et les signes*. S'il y a lien entre le « Juif riche » et ces grands livres, il ne peut être que si ténu, si mince que l'on ne doit pas en tirer de conclusion infamante[27]. Le seul lien que l'on peut établir, c'est celui qui relie, chez Deleuze même, les textes propalestiniens, en tant qu'ils sont noués à une condamnation d'Israël dans son essence – dans l'orgueil de sa Parole – et ce texte fondé sur la pure dénégation de l'antisémitisme. Ce trait discursif est une sorte de fatalité que l'on trouve partout et toujours, et pour en donner un exemple plus médiocre, le même phénomène apparaît chez Étienne Balibar multipliant de stupéfiantes diatribes sur Israël qui affame, qui tue etc., et qui, simultanément, euphémise, pour ne pas dire nie, l'antisémitisme du philosophe nazi Carl Schmitt (faux homonyme du Schmid de Deleuze) en le définissant comme « un antijudaïsme théologique inhérent à la philosophie de l'histoire[28] ».

Et au fond, on est tenté, à propos de Deleuze, et comme pour Foucault, mais cette fois-ci en symétrie inverse, de ne rien conclure. Une conclusion ne serait-elle pas forcément en deçà de ce que l'on a mis à découvert ?

Il faut pourtant toujours conclure. Alors on conclura par une méditation interrogative. Elle porte sur une épigraphe de René Char que Michel Foucault a placée au revers de ses deux derniers livres, les tomes II et III de son *Histoire de la sexualité*, épigraphe sur laquelle un très bel article de Jean-Claude Milner a attiré mon attention[29].

La citation de René Char qui m'avait arrêté et requis lors de mes travaux sur le poète est extraite de *L'Âge cassant* : « L'histoire des hommes est la longue succession des synonymes d'un même vocable. Y contredire est un devoir. »

J'ai convoqué précédemment une synonymie, celle qui est souterrainement à l'œuvre dans le texte de Fassbinder du « Juif riche », du « Juif » et du « riche » et dans laquelle Deleuze ne voyait qu'innocence. J'ai également fait allusion à une autre synonymie, celle établie un jour, puis abolie, entre « sionisme » et « racisme ». Or, qu'avons-nous vu ? Deleuze a approuvé la première, avalisant ainsi la perte du nom propre pour le Juif qui n'a plus alors pour être nommé qu'une simple lettre A. : A. le Juif riche. Foucault, de son côté, suivant le précepte éthique de Char, a, lui, contredit à la seconde des synonymies : celle qui faisait du sionisme un synonyme du racisme.

Le devoir de contredire à la synonymie est un devoir bien mystérieux et je renvoie à la très belle exégèse de Milner, mais ce mystère semble tout d'un coup s'évaporer lorsqu'on trouve chez « les hommes » deux illustrations concrètes et contradictoires de l'aphorisme.

Il y a plus, car si le « même vocable » dont l'histoire des hommes est la « longue succession des synonymes » est le mot « homme », alors la critique d'Israël par Deleuze résonne aussi contradictoirement par rapport à l'aphorisme de Char. L'orgueilleuse parole d'Israël dont Deleuze restitue maladroitement (en français) le propos, « nous ne sommes pas un peuple comme les autres », semble alors être le mode originaire de contredire à la synonymie à laquelle Deleuze paraît, en revanche, adhérer hypnotiquement au travers du cri palestinien « nous sommes un peuple comme les autres ».

Faut-il pour contredire à la synonymie sortir de l'histoire des hommes ? Ou simplement s'écarter de la succession des synonymes, c'est-à-dire de l'héritage ? La série successive ? Pourquoi cette histoire est-elle si longue ? Pourquoi être las de cette longueur et de la synonymie ? En quoi l'exception face à la synonymie parce qu'elle se déploie dans l'ordre pur du langage ne peut-elle être une parole de domination ? Israël est-il l'unique signifiant qui contredirait à la synonymie ? Que nous vaudrait, à nous hommes, ce privilège du signifiant d'Israël ? La possibilité de l'exception ? Ce privilège est-il la condition de notre liberté ?

Qu'Israël soit un *signe de contradiction* au milieu des nations, dans l'histoire des hommes, c'est ce que la parole d'Israël affirme sans cesse dans ses textes ; qu'Israël soit le refus des synonymies, c'est l'essence même de son mes-

sage depuis Abraham. Sans doute peut-on ne pas entendre cette parole ou ne pas y croire, mais comment ne pas en trouver la preuve négative dans l'antisémitisme, c'est-à-dire dans une doctrine qui passionnément hait en Israël le fait qu'Israël contredise à la synonymie ?
Car ce qui est sûr, c'est que si Israël est l'un des noms de la contradiction, de la contradiction au règne de la synonymie, alors, en effet, on comprend à quelle source inépuisable s'abreuve depuis toujours et pour toujours l'antisémitisme : y contredire est un devoir. ■

1. *Le Monde*, 17-18 octobre 1976, repris dans Michel Foucault, *Dits et Écrits*, Gallimard, 2001, t. 2, p. 96.
2. Cité dans Didier Éribon, *Michel Foucault*, Flammarion, 1989, p. 205.
3. Cette expérience douloureuse ne conduisit nullement Foucault à une défiance à l'égard des peuples arabes ou à un quelconque jugement de mépris. Les témoignages qu'il a donnés par ailleurs de son séjour en Tunisie insistent au contraire sur la profondeur spirituelle des peuples du tiers-monde, ce dont il se souviendra un peu plus tard lors de l'épisode iranien.
4. L'antisionisme – nouvel universel de l'intelligentsia française – n'a pas d'autres soubassements objectifs et n'est porté par aucune autre force réelle d'un point de vue historique que l'antisémitisme, même si, bien sûr, dans la conscience de ses propagateurs parisiens il s'assimile à un innocent « anti-impérialisme ». L'idéologie ne se définit pas par les idées plus ou moins obscures, plus ou moins subjectives ou capricieuses de ses porte-parole, elle est l'expression de forces historiques réelles qui sont le cadre même de son accomplissement historique et qui la fondent en structure. L'antisionisme réel, à la source des antisionismes plus ou moins rationalisés de l'Europe, est un antisémitisme. À ses yeux, tout est complot sioniste : complot sioniste que l'homosexualité des jeunes Égyptiens condamnés pour cela lors d'un procès récent au Caire, complot sioniste que l'infection par le sida de jeunes enfants libyens, complot sioniste que les attentats du 11 septembre, complot sioniste qu'est toute figure de liberté, notamment féminine comme cette journaliste tunisienne, Sihem Bensedrine, porte-parole du Conseil national pour les libertés (Florence Beaugé, « En Tunisie, une journaliste cible d'une campagne de haine », *Le Monde*, 28 mai 2005). Le terme sioniste ne cède alors en rien à la violence du lexique antisémite de l'Allemagne nazie ou encore au terme de « cosmopolite » dans l'URSS stalinienne des années 50 où les Juifs sont l'ennemi.
5. Michel Foucault, *Il faut défendre la société*, cours du Collège de France 1975-1976, édition établie par Mauro Bertani et Allessandro Fontana, Seuil, 1997, notamment p. 57-73.
6. Cette résolution qui n'avait pas été votée par la France fut annulée en 1991.
7. Michel Foucault, *Il faut défendre la société*, *op. cit.*, p. 62.
8. *Cf.* le résumé de ce cours dans Michel Foucault, *Dits et Écrits*, *op. cit.*, t. 2, p. 719 et dans Michel Foucault, « Omnes et singulatim : vers une critique de la raison politique » (1979 et 1981) (*Dits et Écrits*, *op. cit.*, t. 2, p. 955-980).
9. *Cf.* à ce propos son entretien de 1980, repris dans Michel Foucault, *Dits et Écrits*, *op. cit.*, t. 2, p. 869.
10. Cité dans Didier Éribon, *op. cit.*, p. 209.
11. Michel Foucault, « L'expérience morale et sociale des Polonais ne peut plus être effacée » (1982) dans *Dits et Écrits*, *op. cit.*, t. 2, p. 1168.
12. *Ibid.*
13. « À quoi rêvent les Iraniens ? » (octobre 1978) dans *Dits et Écrits*, *op. cit.*, t. 2, p. 688.
14. Michel Foucault, *Dits et Écrits*, *op. cit.*, t. 2, p. 753.
15. Ces deux articles et d'autres encore ont été publiés dans Gilles Deleuze, *Deux régimes de fous*, Minuit, 2003.
16. Voir à ce propos ses considérables livres *Cinéma I* et *Cinéma II*, Minuit, 1983 et 1985. Il y a dans le premier volume deux chapitres intéressants sur le western à propos de Ford et de Hawks et Mann. Mais ce que Deleuze apparemment ne voit pas, c'est que les emprunts par la mythologie américaine à la Bible, et notamment à la question de la loi et de l'espace, ne peuvent pas, réciproquement, faire du projet juif un décalque du « rêve américain ». Deleuze, de par l'excès de sa culture cinématographique et le déficit de sa culture historique, inverse la généalogie.
17. Gilles Deleuze, *Deux régimes de fous*, *op. cit.*, p. 223.
18. *Ibid.*, p. 221. Les combats de Deir Yassin eurent lieu le 9 avril 1948 et firent du côté palestinien deux cent cinquante victimes en grande majorité civiles, mais il est faux de dire que ce fut un Oradour car il y eut des combats, de nombreux soldats irakiens, syriens et des combattants arabes étaient présents et il y eut des morts et des blessés du côté des assaillants qui appartenaient à l'Irgoun et au groupe Stern. Mais notons surtout que les meurtres de civils liés aux combats et qui se transformèrent de fait en massacre inacceptable, ne furent pas l'œuvre de la Haganah, c'est-à-dire l'armée naissante sioniste, mais de groupes en très violente opposition avec Ben Gourion et que les deux groupes responsables de ces assassinats furent dissous cette même année.
19. *Ibid.*, p. 223. L'assimilation d'Israël à l'Allemagne hitlérienne procède comme à propos des Peaux-Rouges par « sauts » aberrants. Ainsi, à propos de l'opération d'Israël au Sud-Liban, il écrit : « On se trouve dans une situation analogue à celle de la guerre d'Espagne, lorsque l'Espagne servit de laboratoire et d'expérimentation pour un avenir plus terrible encore. » (*Ibid.*, p. 148) Rien de tout ce qu'écrit Deleuze sur Israël ne peut être pris au sérieux après un tel propos.
20. *Ibid.*, p. 224.
21. Le texte de Deleuze a paru dans *Le Monde* du 18 février 1977, Claude Lanzmann lui répondit dans le même journal le 23 février avec un texte d'une très grande force intitulé « Nuit et brouillard ».
22. La pièce de Fassbinder a été reprise à Paris en juin 2003 au théâtre de la Bastille dans une mise en scène de Pierre Maillet, voir le très intéressant compte rendu de Brigitte Salino dans *Le Monde* (Brigitte Salino, « La création des *Ordures* en France relance l'affaire Fassbinder », *Le Monde*, 19 juin 2003).
23. Lanzmann dans son article notait que dans le texte de Fassbinder, il n'est jamais question que du « Jud » et non du « Jude », c'est-à-dire du « youpin » et non du « juif ».
24. Gilles Deleuze, *Deux régimes de fous*, *op. cit.*, p. 125.
25. *Ibid.*
26. *Ibid.* Ce texte est aussi intéressant par l'espèce de paranoïa petite-bourgeoise qu'il véhicule doublement autour d'un complot (entente mondiale, organisation concertée) et de l'idée de « sécurité » assimilée à un fascisme individualisé, idées tellement répandues aujourd'hui qu'elles sont au cœur de toute la littérature néogauchiste présente sur Internet ou dans celle d'Agamben (voir à ce propos Éric Marty, « Agamben et les tâches de l'intellectuel. À propos d'*État d'exception* », *Les Temps modernes*, décembre 2003).
27. Cette hypothèse se confirme lorsqu'on lit les textes catastrophiques de Deleuze sur la psychanalyse qui sont très en deçà de *L'Anti-Œdipe* pour l'intelligence mais très au-delà pour la violence et la vulgarité du propos. Par exemple : « Parmi les pages les plus grotesques de Freud, il y a celles sur la *fellatio* : comment le pénis vaut ici pour un pis de vache et le pis de vache pour le sein maternel. En d'autres termes, la *fellatio*, c'est quand on n'a pas de vache sous la main, ou qu'on n'a plus de mère ou qu'elle n'a plus de lait. » « Quatre propositions sur la psychanalyse » dans Gilles Deleuze, *Deux régimes de fous*, *op. cit.*, p. 73. On se demande pourquoi les auteurs du récent *Livre noir de la psychanalyse* (Les Arènes, 2005) n'ont pas publié ces pages dans leur épais volume.
28. « Une lettre d'Étienne Balibar », *Le Monde*, 20 décembre 2002.
29. Jean-Claude Milner, « Michel Foucault ou le devoir aux rives du temps », *La Règle du jeu*, avril 2005.

DARFOUR
LES ŒILLÈRES DE LA BONNE CONSCIENCE

JACKY MAMOU

À la corbeille de la compassion médiatique, la cote du Darfour semble bien basse. Pourtant en quelques mois trois cent mille civils ont été massacrés dans cette région de l'ouest du Soudan. Ces victimes sont noires et musulmanes. Leurs bourreaux sont des miliciens arabes et islamistes. Aurait-il fallu qu'ils fussent américains pour que des voix s'élèvent afin de dénoncer ces crimes ?

Depuis février 2003, le Soudan est aux prises avec une guerre à l'ouest de son territoire dans la région du Darfour. Cette province, aussi grande que la France, est peuplée pour une bonne moitié de cultivateurs issus essentiellement des tribus Four, Massalit et Zaghawa, fiers de leur langue et de leurs traditions. L'autre moitié est composée de pasteurs et de nomades majoritairement arabophones qui se revendiquent comme arabes. La sécheresse, la pression démographique, les manipulations du voisin Kadhafi ont aiguisé la lutte pour la possession des terres. Si tous sont musulmans, leur cohabitation a souvent été émaillée d'incidents, en particulier ces dernières années.

Le groupe arabo-islamiste qui a pris le pouvoir en 1989 à la faveur d'un coup d'État favorise ou laisse faire les tribus arabes. Loin du « centre utile » de la région de Khartoum où se concentrent tous les pouvoirs, à distance des richesses pétrolières, les habitants du Darfour sont les oubliés du Soudan. À peine fini le conflit pluridécennal entre le Nord musulman et le Sud chrétien et animiste, une rébellion armée issue des populations africaines est apparue, pour réclamer non pas l'indépendance mais une meilleure prise en compte des besoins de la région.

La réaction de Khartoum a été d'une folle violence contre les populations civiles africaines. Les Janjaweed, des milices issues de certaines tribus de nomades arabes, manipulées par l'armée soudanaise, ont mené une politique de « nettoyage ethnique », pillant, tuant, violant et réduisant en esclavage des jeunes gens. En quelques mois trois cent mille civils ont été tués et deux cent dix mille autres se sont réfugiés au Tchad voisin. Deux millions trois cent mille personnes survivent de l'aide internationale dans des camps de déplacés tandis qu'un million d'autres errent et se cachent dans la région.

La dimension ethnique du conflit est évidente. Les islamistes au pouvoir ont toujours excellé dans l'instrumentalisation des antagonismes ethniques, déjà expérimentée avec succès durant la guerre contre les sudistes chrétiens et animistes, à qui ils voulaient imposer la charia. Et ils ont appelé au djihad pour liquider plusieurs centaines de milliers de Nouba vivant sur des terres riches en pétrole. Les gesticulations diplomatiques (résolutions onusiennes...) et opérationnelles (envoi de quelques milliers de soldats de l'Union africaine en observateurs) n'ont pas empêché les massacres de continuer. Qui s'en soucie ? Pas grand monde, malheureusement. Pourtant nous avons tous entendu le couplet « Plus jamais ça ! » après le Rwanda. Si d'autres situations sont aussi dramatiques, comme en République démocratique du Congo, aucune ne révèle aussi limpidement la responsabilité d'un pouvoir fort, reconnu internationalement et qui a même été désigné par ses pairs pour siéger à la commission des Droits de l'homme des Nations unies.

DES DROITS DE L'HOMME À GÉOGRAPHIE VARIABLE Dès le 2 avril 2004, pourtant Human Rights Watch, la dynamique organisation de défense des droits

* JACKY MAMOU *est ancien président de Médecins du Monde.*

de l'homme basée à New York, publie un rapport accablant de quarante-neuf pages : « Le Darfour en flammes ». Les exactions des milices Janjaweed soutenues par le gouvernement soudanais y sont qualifiées de crimes de guerre et de crimes contre l'humanité. Quelques jours plus tard, dans un long document rendu public à Londres, Amnesty International formule les mêmes accusations contre le gouvernement soudanais. Ces incriminations sont à prendre très au sérieux car elles émanent d'organisations qui jouissent d'une grande crédibilité. La question est alors posée : faut-il traduire les dirigeants soudanais devant une juridiction du type de la Cour pénale internationale ?

La nécessité d'une intervention militaire pour protéger les civils est évoquée par l'International Crisis Group (ICG). Ce groupe d'analystes parmi les plus prestigieux demande le renforcement immédiat par des soldats de l'Otan des maigres troupes de l'Union africaine servant d'observateurs et la modification de leur mandat afin qu'elles puissent protéger *manu militari* les civils.

En France, dans la « patrie des droits de l'homme », si certains se sont mobilisés, d'ailleurs avec un impact limité[1], la tragédie du Darfour se heurte à une indifférence quasi générale. La Fédération internationale des droits de l'homme (FIDH), dont le siège est à Paris, a adopté une étrange attitude. Elle n'a consacré aucun rapport d'enquête à la situation au Darfour. Elle s'est contentée le 13 avril 2004 de publier un simple communiqué, sous forme d'article, intitulé « Situation des droits de l'homme alarmante et grave crise humanitaire au Darfour ». Ce texte évoque des violations des droits de l'homme et du droit international humanitaire. La FIDH craint que « la campagne massive de terreur ne vise à évacuer les tribus africaines » et redoute « que ces attaques ne soient une tactique de la terre brûlée et une campagne coordonnée de purification ethnique [...] comme l'ont affirmé de hauts représentants des Nations unies ».

Pour les initiés du langage droits-de-l'hommiste, une évidence saute aux yeux : ce texte ne contient aucune qualification juridique des violations, ce qui est un comble pour une ONG composée de juristes. Le concept de purification ethnique, cité en s'abritant derrière les Nations unies, n'existe pas en droit international : joli tour de passe-passe !

Néanmoins le 8 mai 2004 le haut-commissariat aux Droits de l'homme des Nations unies accuse officiellement Khartoum de crimes de guerre et de crimes contre l'humanité. Dès lors la FIDH va se trouver obligée de citer les conclusions du haut-commissariat dans son rapport sur l'ensemble de la situation au Soudan intitulé : « Un pas en avant, plusieurs pas en arrière[2] ».

En France, dans la « patrie des droits de l'homme », la tragédie du Darfour se heurte à une indifférence quasi générale.

La FIDH ne fait pourtant pas toujours preuve de la même réserve dans la défense des droits de l'homme. Cette même année 2004, elle lance un appel « à la création d'une force internationale de protection ayant pour mandat d'empêcher la continuation des violences ». Mais il s'agit cette fois de... la bande de Gaza, où l'intervention israélienne de septembre a fait quatre-vingt-dix-sept morts palestiniens. Les habitants du Darfour ne seront pas l'objet de cette sollicitude. On ne comptait parmi eux « que » soixante-dix mille morts, cent trente mille réfugiés, un million de déplacés et le compteur macabre tournait à dix mille morts par mois. Sur les vingt-quatre résolutions adoptées au trente-cinquième congrès de la FIDH de Quito en mars 2004, aucune ne concernait le Soudan[3]... On appelle cela une préoccupation pour les droits humains à géographie variable ! Elle est partagée par la Ligue des droits de l'homme, section française de la FIDH. Sur son site web de nombreux textes font référence à la situation internationale. Aucun n'évoque le drame du Darfour[4]. Autre adversaire sourcilleux de toute discrimination, le Mouvement contre le racisme et pour l'amitié entre les peuples (Mrap) ignore complètement ce conflit. L'honneur des organisations antiracistes est heureusement sauvé par les actions militantes de SOS Racisme et de la Ligue contre le racisme et l'antisémitisme (Licra) en faveur des populations civiles du Darfour.

LES HUMANITAIRES : TRAVAIL VALEUREUX...

L'attitude des associations humanitaires est plus équilibrée. En effet, contrairement aux ONG de défense des droits de l'homme, elles sont sur le terrain et portent assistance aux populations en danger. Au Soudan, elles travaillent dans des conditions très difficiles : harcèlement administratif, entraves à l'acheminement de l'aide, arrestations d'expatriés, menaces et assassinats de membres du personnel local... Les déplacements auprès des populations dans les zones sous influence de la guérilla sont impossibles. C'est donc un travail humanitaire très contrôlé. La présence vitale des ONG permet cependant la distribution de l'aide alimentaire et la dispensation de soins médicaux dans les camps de déplacés. La pression de la « communauté internationale », en particulier aux États-Unis et en Europe, a permis un minimum d'assistance humanitaire malgré l'obstruction systématique du gouvernement soudanais.

À ce titre, il faut saluer la section néerlandaise de Médecins sans frontières (MSF) qui a publié un rapport édifiant sur les viols utilisés comme arme de terreur contre les populations africaines [5]...

... ET DISCOURS AMBIGUS En revanche, d'autres prises de position sont plus contestables. Ainsi certains occultant la dimension ethnique parlent « d'un conflit économico-politique qui a fait cent quatre-vingt mille morts »... sans mentionner les crimes commis sur une grande échelle par les milices arabes et l'armée gouvernementale. Quant aux recommandations, elles laissent perplexes. Outre des mesures légitimes concernant l'accès à l'aide humanitaire, elles exigent « de faire respecter » le cessez-le-feu constamment violé. Parfait ! Mais pour appliquer de telles mesures personne n'envisage le recours à un contingent de casques bleus... Ont-ils oublié ? En 1994, lors des massacres au Rwanda, les humanitaires avaient clamé : « On n'arrête pas un génocide avec des stéthoscopes ! »
Génocide ? Vous avez dit génocide ? Après que Colin Powell, alors secrétaire d'État américain, eut accusé le 8 septembre 2004 le gouvernement soudanais de « commettre un génocide », le président de la section française de MSF, dans un point de vue publié par *Le Monde*, contesta l'existence d'un génocide au motif que la notion de « race » n'était pas pertinente dans le cas des victimes du Darfour. L'était-elle plus dans celui des Juifs, des Arméniens et des Tutsi du Rwanda ? Pour Gérard Prunier, éminent spécialiste de l'Afrique, en revanche, il s'agit bien d'une « guerre de races », cette notion ayant au Soudan une pertinence non pas biologique mais politique et culturelle [6].
Juridiquement, la notion de génocide dépend, d'après les textes internationaux, de l'intentionnalité affichée du massacre de tout ou partie d'un peuple. Elle serait absente des discours officiels des dirigeants soudanais, expliquent curieusement beaucoup de militants humanitaires. Ignorent-ils que la conférence de Wansee, où les nazis décidèrent de la solution finale, n'a été connue que plusieurs années après la fin de la Deuxième Guerre mondiale... À moins que sa qualité de dirigeant américain n'enlève *a priori* toute pertinence aux propos de Colin Powell ? C'est l'opinion en tout cas du spécialiste de l'Afrique au *Monde*, Stephen Smith, qui n'y voit qu'électoralisme. Il faut dire que le quotidien du soir a refusé de publier une réponse argumentée au point de vue de MSF, qui questionnait également « l'amical dialogue » mené par la diplomatie française avec les islamistes au pouvoir au Soudan [7]. En revanche, le journal a accepté de publier un encart de propagande d'une officine du gouvernement soudanais [8], cosigné par le professeur Edmond Jouve, thuriféraire passionné de Kim Il-Sung et auteur d'un livre d'entretiens avec Kadhafi. Ça ne s'invente pas !

Visiblement les militants ruraux ignorent que trois millions de cultivateurs soudanais ont été expulsés de leurs terres.

Tout le monde comprendrait que les humanitaires souhaitent éviter d'être expulsés suite à des positions trop vigoureuses. Mais s'ils choisissent de s'exprimer, qu'ils permettent à l'opinion de se faire une idée convenable de la situation au Darfour que Kofi Annan a qualifiée « d'enfer sur terre ». Et surtout, qu'ils ne confortent pas l'État criminel soudanais par des déclarations du type : « La volonté anglaise et australienne [d'intervenir] a déjà provoqué une réaction très violente de Khartoum. Cela ne peut que nous inquiéter. [...] La responsabilité de la protection des populations revient en premier lieu au gouvernement de Khartoum [9]. » C'est un peu comme si, en 1975, on avait compté sur les Khmers rouges pour protéger les Cambodgiens ou en 1994 sur le gouvernement rwandais pour mettre à l'abri les Tutsi...

LE MUTISME DES PROGRESSISTES Très intéressant est le silence de la Confédération paysanne, de son médiatique dirigeant José Bové et même de son réseau international Via Campesina. Visiblement les militants ruraux ignorent que trois millions de cultivateurs soudanais, parce qu'ils revendiquent leur africanité, ont été expulsés de leurs terres. On les attendait plus solidaires.
Quant aux penseurs arabes et musulmans, y compris ceux qui vivent en Occident, leur silence est assourdissant. Abd Al-Rahman Al-Rashid, journaliste à *Asharq Alawsat*, journal publié à Londres, a bien raison de fustiger l'indifférence de la presse arabe et le mutisme des intellectuels. À croire qu'il n'existe aucun autre sujet de compassion que le prisonnier de Guantànamo, le militant palestinien ou la victime d'Abou Ghraib.
Tariq Ramadan, qui donne des leçons d'universalisme, ignore complètement les victimes Massalit, Four ou Zaghawa. Elles sont pourtant musulmanes, mais elles ont le malheur de déplaire au pouvoir islamiste de Khartoum. Il faut rappeler que « frère Tariq » a participé à la grand-messe islamiste organisée par Hassan Al-Tourabi au Soudan en 1993 à une époque où le régime soudanais organisait le retour à la charia, hébergeait Ben Laden et Carlos, massacrait et réduisait en esclavage les chrétiens et les animistes du Sud. Quant aux « Indigènes de la République » et aux amis de Dieudonné, soi-disant défenseurs des Noirs, aucun ne se sent concerné par le colonialisme sanglant de Khartoum.
Les militants de la Ligue communiste révolutionnaire n'ont pas débattu avec leur nouvel ami « frère Tariq » de la situation au Soudan lors du dernier Forum social européen. Aucun des

© Paolo Pellegrin/Magnum Photos.

Ancien milicien Janjaweed, 2004.

comptes rendus de ce sommet altermondialiste organisé à Londres en 2004 ne mentionne ce pays[10]. En revanche, sur le site officiel des camarades d'Olivier Besancenot, est publiée sous la signature de Jean Nanga une analyse intitulée « Darfour. Qui sont les vrais criminels ? ». Les miliciens Janjaweed y sont caractérisés comme « tout simplement des gens prolétarisés ». En somme un classique de l'analyse « marxiste révolutionnaire » qui permettrait d'innocenter « les prolétaires » que furent les SA au temps du nazisme ou les *interahamwe* hutu rwandais ! Toute dimension ethno-confessionnelle est récusée au profit d'un économisme paranoïaque où le pétrole joue un rôle central. Malheureusement pour ces automates de la pensée, la guerre au sud du Soudan a commencé bien avant la découverte du pétrole dans ce pays.

Cette gauche aveuglée dans son rapport aux droits de l'homme est bousculée par la crise du Darfour. Incapable d'analyser lucidement la dimension raciste des persécutions systématiques contre les populations noires africaines, elle se réfugie dans le silence ou la langue de bois.

La mansuétude traditionnelle du Quai d'Orsay envers Khartoum – « politique arabe » de la France oblige – ne rencontre aucune opposition de ce côté-là. C'est tragique pour les populations de la région et pour leurs aspirations à la paix et à l'État de droit. ■

1. *Cf.* François Bayrou, Emma Bonino, Bernard Kouchner, Jack Lang, Alain Madelin, Jacky Mamou, Philippe Morillon, Michel Rocard, « Soudan, une insupportable indifférence », *Le Figaro*, 3 juin 2004 et l'appel à la création du collectif Urgence Darfour signé par de nombreuses associations et personnalités (www.urgencedarfour.org).
2. *One Step Forwards, Many Steps Back*, FIDH et Sudan Organisation Against Torture, mai 2004.
3. En revanche des résolutions concernaient spécifiquement « les détenus de Guantanamo », « la situation dans les territoires palestiniens occupés », « l'Irak », « la Turquie »...
4. Pour sauver la face, sans s'engager, le journal de la LDH *Hommes et Libertés* (été 2005) a publié une très bonne analyse de Jean-Louis Péninou, deux ans et demi après le début du conflit. Courage, il va aussi falloir prendre position !...
5. *The Crushing Burden of Rape ; Sexual Violence in Darfur*, Médecins sans frontières, Amsterdam, mars 2005.
6. *Cf.* Gérard Prunier, *Le Darfour, un génocide ambigu*, La Table Ronde, 2005.
7. Catherine Coquio, François-Xavier Verschave, Régine Waintrater, « Le choix de l'humanitaire ou le génocide entre parenthèses », *Afrique XX1*, 4, hiver 2005.
8. Intitulé « Darfour, l'instrumentalisation de la Cour pénale internationale », cet encart a été publié dans l'édition du 11 mai 2005 du *Monde*.
9. Tanguy Berthemet, « Thierry Allafort-Duverger : "Un drame humanitaire mais pas un génocide" », *Le Figaro*, 7 juillet 2004.
10. À titre indicatif le Brésil est cité quatre-vingt-dix-neuf fois, le Salvador dix et l'Afrique cent deux...

MAGADAN « DÉBARCADÈRE DE L'ENFER »

OLIVIER ROLIN

Port de la mer d'Okhotsk au nord-est de la Russie, Magadan fut l'une des capitales de l'archipel du Goulag. Des centaines de milliers de prisonniers ont été déportés dans les camps de la région, transitant par cette ville que Chalamov décrit comme « le débarcadère de l'enfer ». Magadan ou le vestige du totalitarisme stalinien.

On vole longtemps vers l'est, quelque neuf heures depuis Moscou, et huit fuseaux horaires. Vers la fin, la lueur de l'aube fait bleuir la neige couvrant des montagnes extrêmement froissées, ridées. Fripée aussi, comme une vieille pomme, est la bonne tête de Galina, ma voisine, qui rafle pains et gâteaux secs du petit déjeuner en prévision des huit heures de bus l'attendant pour rentrer chez elle. À l'aéroport de Magadan, un panneau vous accueille : « Bienvenue à la Kolyma, cœur d'or de la Russie. » L'or reste, avant les pêcheries, la principale ressource de l'*oblast* de Magadan. La mort du précédent gouverneur, assassiné par balles, a sûrement quelque chose à voir avec les profits dégagés par l'exploitation du fabuleux métal. Autrefois, c'étaient les déportés qui l'arrachaient au sol gelé. Mains soudées par le froid au manche de la pioche. La Kolyma était une immense mine d'or.

La *trassa*, la piste que les détenus prenaient pour gagner les différents camps dispersés dans la taïga – Djelgala, Arkagala, Djankhara, Nexikane, Kadyktchane, Oltchane, Orotukane, Verkhni At-Ouriakh, Elguen (camp de femmes), etc. –, est à présent une mauvaise route qui file vers Iakoutsk, à quelque 1 850 kilomètres. Elle franchit la rivière Magadan, à gauche flamboient les bulbes – d'or, naturellement – de la toute nouvelle cathédrale, devant, la ville se disperse sur des collines dominant la mer d'Okhotsk. Petits immeubles de béton sale, baraques de bois, talus et ornières de neige boueuse où clapotent pneus et bottes, palissades de tôle, tout assez épars et déglingué. La cathédrale resplendit à une des extrémités de la place centrale, derrière l'ancien siège du Dalstroï, la direction de la construction du Grand Nord, une succursale du NKVD qui exerçait l'autorité absolue sur les déserts glacés que traverse le fleuve Kolyma : 2 millions de kilomètres carrés à l'est de la Lena, sur lesquels ont été déportés, de 1932 à 1957, un million d'hommes (chiffre officiel). De l'autre côté de la place, la « Maison Blanche » ou « maison Vaskov », le siège-prison du MGB (ministère de la Sécurité de l'État), abrite aujourd'hui la Douma régionale. « Quand on disait de quelqu'un : "Il a été à la maison Vaskov", cela signifiait qu'il avait séjourné dans un cercle de l'enfer », écrit Evguénia Guinzbourg dans *Le Ciel de la Kolyma*[1]. Et son fils, Vassili Axionov, qui vint la rejoindre à Magadan à l'âge de quinze ans : « La sécurité de Magadan aimait son confort et s'était installée dans une maison à quatre petites colonnes doriques. Elle ressemblait à l'hôtel particulier de quelque hobereau[2]. » Ici, un scrupule m'oblige à préciser : je crois avoir identifié la maison Vaskov (quatre colonnes doriques, en effet), l'ancien siège du Dalstroï, etc. Mais je n'en suis pas absolument sûr. Peu de gens, pendant le peu de jours que j'ai passés à Magadan, ont été capables de me donner des indications précises sur la topographie du Maglag (*Magadanskié Laguéria*, les camps de Magadan). Où était, par exemple, le camp « de la Quarantaine », où les déportés étaient regroupés à leur descente de bateau ? Le seul bâtiment incontestablement reconnaissable est celui du « palais de la Culture », avec ses statues de bronze sur le toit, « un marin, un mineur, une trayeuse, un soldat, "ceux qui ne boivent pas" comme on les nommait en ville[3] ». La volonté d'oubli, d'effacement, est immense, multiple, minutieuse. On ne sait plus, on est las de cette histoire terrible, survivre aujourd'hui est assez difficile comme ça. Il y a bien un monument aux déportés, d'ailleurs

* OLIVIER ROLIN *est écrivain. Il est notamment l'auteur de* Tigre en papier *(Seuil, 2002) et de* Suite à l'hôtel Crystal *(Seuil, 2004).*

hideux, le « Masque de la douleur » (маска скорьби) mais il a été dressé au sommet d'une colline où personne ne passe. « Les documents de notre passé sont anéantis, les miradors abattus, les baraques rasées de la surface de la terre, le fil de fer barbelé rouillé a été roulé et transporté ailleurs », écrit Chalamov dans ses *Récits de la Kolyma*[4]. « Avons-nous jamais été ? »

Le centre de la ville, avec ses inévitables façades gréco-soviétiques, s'étend autour des perspectives Lénine et Karl-Marx – respectivement ex-chaussée de la Kolyma et perspective Staline. À leur intersection s'élève toujours la « maison de cinq étages, en pierre, qui a peut-être été la première de la ville », et qu'Evguénia Guinzbourg a contribué à construire en 1940. Au rez-de-chaussée, une salle de jeux et un *traktir*, un bistro nommé Svoboda, « Liberté ». L'auteur du *Ciel de la Kolyma* rapporte ce paradoxal attachement des déportés pour ce qu'ils ont construit sous la contrainte. Lorsque, libérée, elle revient à Magadan en 1947, le spectacle de ce qui semble « presque une vraie ville » l'emplit d'exaltation : « Quelle énigme que le cœur humain ! Je maudis de toute mon âme l'homme qui a imaginé d'édifier une ville sur cette terre éternellement gelée, en la réchauffant avec le sang, la sueur et les larmes de tant d'innocents. Mais en même temps, c'est indéniable, j'éprouve une espèce de fierté stupide… Comme il a grandi et embelli depuis sept ans, notre Magadan ! » Au-delà d'un rond-point piqué d'une énorme antenne en treillage métallique, la perspective Lénine devient une route qui plonge vers la baie de Nagaïevo, serrée dans la pince de deux caps enfarinés. À gauche, un quartier de baraques en bois, hérissé de poteaux télégraphiques, de grêles cheminées,

Sur un mur, une inscription à la peinture rouge d'un humour magnifique : « Tout va mal, pourquoi pas la Révolution ? »

empanaché de fumées, noir entre les talus de neige, porte le nom de « Shanghai » (personne ne saura me dire pourquoi cette appellation poétique, qu'atteste déjà Axionov). À droite, étagés jusqu'à la mer, les immeubles lépreux d'une cité. Sur un mur, une inscription à la peinture rouge d'un humour magnifique : все плохо, что не революшия ? « Tout va mal, pourquoi pas la Révolution ? » Au bas de la route, parfaitement incongrue, une baraque « Hot Dog Pizza » surmontée d'un hamburger géant en plastique.

La mer, pas encore complètement gelée, a la consistance d'une purée grise, grumeleuse, soulevée de lentes ondulations. Le soleil traîne très bas dans un ciel violet nébuleux, surmonté d'une colonne de feu (et l'on se prend à songer, si l'on est tant soit peu lecteur du Nouveau Testament, à ces versets de Matthieu [XV, 39 à XVI, 4] : « Et après avoir renvoyé les foules, il monta dans le bateau et vint dans le territoire de Magadan. Et les pharisiens et les sadducéens s'avancèrent et, pour le mettre à l'épreuve, lui demandèrent de leur montrer un signe parti du ciel. Répondant, il leur dit : "Le soir venu, vous dites : *Beau temps, car le ciel rougeoie* ; et le matin : *Aujourd'hui orage, car le ciel rougeoie tristement.* Vous savez discerner le visage du ciel, et les signes des temps, vous ne le pouvez pas ! Génération mauvaise et adultère qui recherche un signe !" »). Une femme mélancolique erre sur la grève. Elle est venue en 1971, « pour un homme » qui l'a quittée, elle était couturière mais n'a plus de travail, elle aimerait vendre son appartement et retourner à Voronej, mais où trouver un pigeon qui veuille acheter à Magadan ? Le long du rivage une zone de cabanes en bois, en tôle, aux toits frangés de fanons de glace, encombrée de ferrailles, d'épaves, de vieux bidons de fuel. C'est là ce que Chalamov appelle « le débarcadère de l'enfer ». L'unique voie d'accès à la Kolyma était maritime, cinq ou six jours à fond de cale depuis Vladivostok : c'est pourquoi les *zeks* parlaient du « continent » pour désigner Vladivostok et ses camps de transit, comme s'ils étaient eux-mêmes sur une île. Jusque dans le milieu des années 30, le transport mouillait dans la baie de Nagaïevo, et les déportés étaient débarqués dans des chaloupes, à un appontement qu'on voit encore, à demi écroulé. Puis on leur fit construire les quais d'un modeste port, à l'ouest de la baie, et le navire accostait. « Les colonnes de détenus s'étiraient vingt-quatre heures sur vingt-quatre à travers toute la ville, du port jusqu'à la Quarantaine » (Axionov).

Si l'amnésie, parmi les habitants, est la règle, il faut reconnaître que le musée de la ville, sur Karla Marksa Prospekt, n'y participe pas. Plusieurs salles y sont consacrées aux camps. On y voit des photos d'Édouard Pétrovitch Berzine, le fondateur du Dalstroï, sanglé dans une vareuse à ceinturon de cuir : personnalité étonnante de vieux bolchevik sans scrupule ni état d'âme, artiste peintre d'occasion, secrétaire de Dzerjinski, garde du corps letton de Lénine, dont il a la calvitie et le bouc, arrêté en 1937, fusillé en 1938 comme « espion japonais ». Il sillonait les pistes de la Kolyma dans une Rolls Royce qui avait appartenu à Nadejda Kroupskaïa, la veuve de Lénine. « Un esthète, comme tous les tchékistes de l'époque », commente Chalamov qui raconte sa fin – ou plutôt sa disparition du monde visible – dans le récit intitulé « Khan-Guireï » : convoqué de Magadan à Moscou en novembre 1937, il prend le Transsibérien. « Tout près de Moscou, à Alexandrov, par une nuit glaciale de décembre que balayait une tempête de neige, Berzine descendit sur le quai. Et il ne regagna pas son compartiment. » On voit aussi des photos du général Nikichov, son successeur de 1939 à 1948, et surtout d'Alexandra Romanovna Gridassova, sa « jeune et jolie épouse » au dire d'Evguénia Guinzbourg qui l'appelle la « souveraine de la Kolyma ». Si Nikichov a bien une grosse gueule barrée d'une petite moustache hitlérienne qui correspond au signalement qu'en donne Chalamov (« un homme mou et corpulent »), Gridassova, qui affiche une tête de cantatrice grassouillette sur un uniforme sanglé d'un large baudrier, ne semble pas aussi charmante qu'il est dit dans *Le Ciel de la Kolyma*. Elle se piquait d'inclinations artistiques et avait à ce titre la haute main sur le théâtre et les « brigades culturelles ». Cette « romantique komsomole » devint rapidement une « bête sauvage », selon Chalamov qui la nomme, lui, Rydassova. C'est cependant à son intercession qu'Evguénia Guinzbourg, libérée en 1947, avant d'être arrêtée de nouveau en 1949 et condamnée à la relégation perpétuelle, dut de pouvoir faire venir son fils à Magadan.

On voit aussi, parmi les objets exposés au musée, des brouettes en bois grossièrement construites, l'instrument de base, avec le pic et la pelle. Son autre nom, c'est « la machine de l'Osso » – *Ossoboïé soviechtchianié*, la « Conférence spéciale », tribunal du Guépéou-NKVD. « Je suis revenu de la Kolyma sans avoir acquis aucune connaissance ni appris aucun métier. En revanche, il y a une chose que mon corps sait faire et qu'il n'oubliera jamais : c'est pousser, rouler une brouette. » C'est Chalamov qui l'écrit, dans un récit intitulé, précisément, « La Brouette », et qui est une étude extrêmement minutieuse sur les différents types de brouettes et les différentes façons de s'en servir, d'y adapter son corps de façon à économiser l'effort : mode d'emploi dont dépendent, en fin de compte, la mort ou la survie du rouleur. Une étoile de bois garnie d'ampoules électriques rouges, qui ornait la porte d'un camp, fait songer au vers d'Akhmatova dans *Requiem*[5] : звезды смерти стояли над нами, « les étoiles de la mort planaient sur nous ». Dans une vitrine, l'ordir n° 14968, l'ordre d'arrestation de Varlam Chalamov émis par le NKVD le 12 janvier 1937, dans une autre des « certificats de mort » (свидетельство о смерти) postdatés : tel, qui a été fusillé en 1938, est donné pour mort d'un arrêt du cœur en 1944.

En 1938, sous le successeur de Berzine à la tête du Dalstroï, le colonel Garanine, les pelotons d'exécution fusillaient sans relâche. Chalamov : « Pendant des mois, de jour comme de nuit, lors des appels du matin et du soir, on lut d'innombrables condamnations à mort. Par un froid de moins cinquante, les détenus musiciens – des droits communs – jouaient une marche avant et après la lecture de chaque ordre. Les torches fumantes ne parvenaient pas à percer les ténèbres et concentraient des centaines de regards sur les minces feuillets couverts de givre porteurs des horribles messages. » Garanine finit fusillé à Magadan comme « espion japonais » : il « fut un des innombrables bourreaux de Staline, tué par un autre bourreau au moment voulu ».

Vassili Ivanovitch Kovalev ne décolère pas contre la volonté d'oubli des habitants de Magadan, et surtout contre l'organisation de l'amnésie par les autorités. C'est un petit homme prodigieusement énergique, vif, agité, volubile. Marié une première fois pendant dix-huit ans, il en a eu assez, s'est remarié avec une jeunesse de trente ans sa cadette, en a eu une fille (il sort sa photo : une mignonne blondinette à casquette CNN) qui a à présent dix ans, que sa mère, dont il est séparé, ne lui laisse pas voir, mais il va la rencontrer à la sortie de l'école. Cheveux à peine grisonnants, sourcils broussailleux, nez busqué, dents en

C'était l'endroit où on fusillait. Les gens qui habitent ici, personne ne sait ce que c'était, tout le monde s'en fout.

métal blanc, Vassili Ivanovitch, à soixante-quatorze ans, pète le feu. Il se moque de ma veste fourrée et de ma chapka en poil de loup : lui, le froid, il connaît, il se balade avec pour toute veste une chemise canadienne verte et un béret basque comme couvre-chef. « Tant que les oreilles ne gèlent pas, ça va. » Il a été tractoriste dans un kolkhoze, docker, marin – sur un bateau qui s'appelait le *Félix Dzerjinski…* –, maçon, pompiste à l'aéroport, ouvrier à la distillerie de vodka et dans une entreprise aurifère. « Marin ou maçon, la seule chose qui m'intéressait, c'était l'anéantissement du régime soviétique. » Il était membre militant d'un « parti démocrate de Russie » dont j'entends parler, je l'avoue, pour la première fois. Il me montre une photo de lui jeune, en borsalino, assez play-boy, petit mariole, un rien voyou. Né à Odessa, Vassili Ivanovitch a de qui tenir, en fait d'antisoviétisme. Son père, un petit koulak, a été déporté en 1930 en Nouvelle-Zemble. Il s'est évadé à la faveur d'une révolte, est revenu à Odessa déguisé en femme. Reconnu, arrêté de nouveau, fusillé le 13 octobre 1933. Sa mère tente de se suicider en se jetant avec lui, tout enfant, sous le tramway. Hôpital, ils survivent. « C'est ainsi que se termine l'épopée de mes parents. » La sienne commence en 1952, date à laquelle il est arrêté, à l'âge de vingt-deux ans. D'abord déporté aux mines de nickel de Norilsk, dans le Grand Nord sibérien, il débarque à Magadan le 7 septembre 1953 : « Il y avait des grillages pour nous empêcher de sauter à l'eau, des chiens. On marchait par groupes d'environ deux cents, puis on s'asseyait en haut de la côte. Il n'y avait là que des tentes et des baraques, à l'époque. »

Vassili Ivanovitch, lui, lit partout, sous la topographie de la ville actuelle, celle de la capitale du Maglag. « Ici, c'était l'infirmerie du camp n° 18, c'est un bâtiment qui date de 38 ou 39 » : il désigne une longue maison basse au toit un peu plié couvert de tôle, entourée par des immeubles de cinq étages assez détériorés. Dans les années 60, ça a été un jardin d'enfants ; à présent, c'est squatté. Plus bas, sous les immeubles : « C'était l'endroit où on fusillait. Les gens qui habitent ici, personne ne sait ce que c'était, tout le monde s'en fout. » Un soleil froid, blanc, passe au-dessus de la colline, faisant fulgurer les dizaines de bouteilles de bière mordorées qui jonchent la neige. Plus loin, Vassili Ivanovitch me mène dans un carré piqueté de sapins, entre des immeubles gris. « Là, il y avait une maison dans la cave de laquelle on fusillait. En 1962, on l'a fermée et on a ensablé la cave. Puis c'est devenu une coopérative de menuiserie, puis on l'a rasée et on a asphalté, il y a un an. »

« Personne ne criait, aucune plainte. Il ne fallait pas parler : quand tu parles, tu perds des calories. »

De l'autre côté de la rivière, sur une colline au sud de la *trassa*, Vassili me guide jusqu'à une grande bâtisse abandonnée, à un étage, en briques recouvertes de crépi, aux ouvertures béantes quadrillées de fortes grilles. Tout autour, l'environnement habituel de petits immeubles pouilleux, de baraques, d'épaves automobiles. C'est le « camp du kilomètre 4 », construit sous Berzine. Vassili sort une lampe de mineur d'un sac de plastique noir, il déblaie la neige qui masque un soupirail, et nous voici au sous-sol. Le sol est couvert d'une glace sombre, parfaitement lisse et transparente, profonde, à travers laquelle on aperçoit des tas de choses, ferrailles, pneus, godasses. « Ici, dit Vassili, il y avait cinquante personnes, debout, serrées les unes contre les autres. Le sol était toujours couvert d'eau, venue d'un canal. On avait droit à 200 grammes de pain par jour. » On entre en se courbant dans une cave d'environ 4 mètres sur 8. La porte aux gonds énormes, à l'énorme loquet, est en tôle d'environ 10 centimètres d'épaisseur, découpée d'une ouverture rectangulaire pour passer la nourriture. Le plafond est à environ 1,90 mètre. Il y fait complètement noir. L'armature métallique des châlits est encore là, rouillée, sur deux niveaux. Le sol est couvert de glace noire (là, on pense au Cocyte de Dante), les murs et le plafond scintillent de cristaux de givre (Chalamov : « Au bout d'une heure on nous conduisit dans l'isolateur du camp, glacial et sans chauffage. Du givre couvrait les murs et le sol était gelé »). « Voici la cellule où j'ai passé quatre mois », commente Vassili. L'émotion lui coupe la respiration. « On était une quarantaine là-dedans. Des types s'accroupissaient pour mourir, les bras croisés, se balançant un peu sur leurs pieds, et quand ils ne bougeaient plus, ils étaient morts. Une douzaine sont morts comme ça. Personne ne les aidait. Personne ne criait, aucune plainte. Il ne fallait pas parler : quand tu parles, tu perds des calories. Je faisais tout pour essayer de garder des forces. » À l'étage, une pièce dévastée, jonchée de gravats, de boîtes de conserve, de bouteilles est l'ancien bureau du chef du camp, un droit commun qui tuait les détenus de sa propre main.

« Se souvenir du mal d'abord, et du bien ensuite. Se souvenir du bien pendant cent ans, et du mal pendant deux cents ans » : telle est l'âpre leçon que Chalamov retire de la Kolyma. Pourtant, en Russie même, la mémoire du mal tend à s'estomper. Avec nous, pour visiter le camp du kilomètre 4, il y avait un député du parti démocratique Iabloko, « La Pomme ». Un brave type d'une quarantaine d'années, un peu lourdaud, qui n'avait pas la vie facile à la Douma, seul député d'opposition aux poutiniens. Il n'en revenait pas. Jamais il n'aurait cru que, dans sa ville, il y avait eu de si terribles geôles... Et si la maladie de l'oubli frappe la Russie, avec combien plus de virulence sévit-elle chez nous... Tout le monde ou presque, et c'est tant mieux, connaît le nom d'Auschwitz, à qui celui de Kolyma évoque-t-il une autre énorme machine à avilir et tuer ? Dans quelles écoles l'enseigne-t-on ? Le communisme n'a pas toujours eu l'apparence insignifiante de Marie-George Buffet. Il n'a pas toujours été un groupuscule qui rappelle aux éléphants socialistes qu'il convient de gauchir leur discours. Il a été infiniment plus que cela, une espérance planétaire, et bien pire, plus sinistre que cela. Il ne s'agit pas de « comparer » camps nazis et soviétiques, le mot même de « comparaison » est déplorable, avec les images de froide évaluation qu'il entraîne. La mort de masse n'est pas une marchandise, une chose susceptible d'être pesée. Il s'agit en revanche de garder à l'esprit les témoignages de ceux qui, comme Margarete Buber-Neumann, ont connu les deux systèmes concentrationnaires[6]. Il s'agit de continuer à réfléchir aux pages admirables de Vassili Grossman, à s'interroger sur les paroles terribles que Liss, l'Obersturmbannführer du camp de concentration, adresse au vieux bolchevik Mostovskoï, dans *Vie et Destin*[7] : « Ici, chez nous, vous êtes chez vous [...]. Nous sommes vos ennemis mortels, oui, bien sûr. Mais notre victoire est en même temps la vôtre. Vous comprenez ? Si c'est vous qui gagnez, nous périrons, mais nous continuerons à vivre dans votre victoire. » Il s'agit de continuer à se demander s'il n'y a pas dans cette dialectique sinistre quelque vérité, ce genre de vérité qui engendre non la certitude militante, mais le doute, que connaît – pour le rejeter aussitôt – Mostovskoï : « Et si les doutes qui s'emparaient parfois de lui, tantôt timides, tantôt destructeurs, étaient justement ce qu'il y avait de plus honnête, de plus pur en lui ? [...] Et si c'étaient eux qui contenaient le grain de la vérité révolutionnaire ? C'étaient eux qui contenaient la dynamite de la liberté ! » ■

1. Seuil, 1980.
2. Vassili Axionov, *Une brûlure*, Gallimard, 1983.
3. *Ibid.*
4. Verdier, 2003.
5. Éditions de Minuit, 1966.
6. Margarete Buber-Neumann, *Déportée en Sibérie*, Seuil, 1986 et *Déportée à Ravensbrück*, Seuil, 1988.
7. L'Âge d'homme, 1983.

UNE PROMENADE À TCHERNOBYL

GALIA ACKERMAN

Il y a vingt ans, l'explosion d'un réacteur de la centrale nucléaire de Tchernobyl vidait la ville et ses environs de tous leurs habitants. Par la force des choses, la région est devenue le mortel conservatoire d'une vie perdue. Il y règne une certaine idée de l'éternité.

Ceux qui ont eu le bonheur de lire Alexandre Kouprine se souviennent sûrement d'Olessia, la jeune sorcière de Polessié qui vivait dans une forêt avec sa grand-mère. Polessié, région limitrophe entre l'Ukraine et la Biélorussie actuelles – avec ses forêts et ses marécages, son relief vallonné et ses jolies rivières – était considérée alors comme une contrée arriérée et sauvage, d'où le triste sort réservé à la belle « diablesse ». La situation n'a pas beaucoup changé au cours du XXe siècle. Les paysans de Polessié, même regroupés en kolkhozes, restaient fanatiquement attachés à leur terre, à leur mode de vie ancestral, à leurs rites encore imprégnés de vestiges païens. Il y a un quart de siècle seulement, les vieux se passaient encore d'électricité et retournaient la terre avec une herse, et même les jeunes n'avaient pas tout perdu du savoir-faire de leurs ancêtres : on leur avait appris à récolter le miel d'abeilles sauvages, à tailler et à sculpter des meubles, à tresser des berceaux en osier, à ferrer des chevaux, à tisser et à broder.

C'est au sein de cette région, considérée comme la patrie des Slaves de l'Est, que le gouvernement soviétique avait décidé, dans les années 70, de construire, par tranches, la plus puissante centrale nucléaire de l'URSS. La seule petite ville à proximité du site choisi s'appelait Tchernobyl. Elle donna son nom à la centrale qui allait fournir de l'électricité à Kiev, à 150 kilomètres de là, et participer de ce fait à l'édification de l'utopie communiste. « Le communisme, c'est le pouvoir soviétique plus l'électrification de tout le pays », avait jadis déclaré Lénine, obsédé par la magie d'une ampoule électrique.

La centrale et les paysans n'étaient clairement pas de la même époque. Les paysans vivaient au rythme des saisons agricoles, des mariages et des naissances. Au printemps, ils célébraient encore le rite de *roussaly*, pour honorer les ancêtres et empêcher leurs âmes de troubler, l'année durant, la communauté des vivants. La centrale, elle, produisait de l'électricité à une vitesse endiablée, et ses collaborateurs s'adonnaient à des expériences pour en produire encore plus vite, avec davantage de rentabilité.

SELON L'EXPLICATION LA PLUS RÉPANDUE, c'est à cause de ces expériences que la catastrophe s'est produite. L'accélération fatale du réacteur parodia cruellement la formule de Mikhaïl Gorbatchev qui posa trois objectifs stratégiques à son peuple : *glasnost, perestroïka, ouskoreniïe* (« accélération »). De fait, la catastrophe de Tchernobyl préfigura le naufrage du navire soviétique. Son autre conséquence, plutôt inattendue, fut de mettre au grand jour la fragilité de la notion de temps, son caractère non linéaire. En effet, il n'a fallu que quelques secondes au quatrième réacteur de la centrale pour s'emballer dans une accélération folle et exploser. Il a suffi de quelques dizaines de secondes, à peine quelques minutes, aux pompiers et aux liquidateurs (c'est ainsi que l'on appelle tous ceux qui ont participé à la « liquidation des conséquences de la catastrophe de Tchernobyl ») pour « encaisser » une maladie aiguë des rayons et mourir dans d'atroces souffrances. En revanche, il faudra des centaines d'années pour que les sols contaminés au césium radioactif redeviennent cultivables ; il faudra vingt-quatre mille ans pour que Pripiat, la jeune ville modèle du régime communiste, construite pour loger les collaborateurs de la centrale, ne soit purifiée que de la moitié du plutonium dont l'a généreusement arrosé le nuage de Tchernobyl. Et que dire des gosses des régions contaminées aux reins et au cœur de vieillard, à force d'ingérer des petites doses de césium-137 en se nourrissant d'aliments contaminés ? La contraction de leur vie relève-t-elle elle aussi d'un temps non linéaire ? Ou d'un mauvais sort jeté non par de vilaines sorcières,

* GALIA ACKERMAN *est journaliste à RFI et commissaire de l'exposition « Il était une fois Tchernobyl » au Centre de culture contemporaine de Barcelone (du 17 mai au 8 octobre 2006). Elle est notamment l'auteur de* Tchernobyl, retour sur un désastre *(à paraître aux éditions Buchet-Chastel en mars 2006).*

mais par des scientifiques haut de gamme jouant aux apprentis sorciers ? Comme toute énigme, la catastrophe de Tchernobyl exerce une certaine fascination. Les données sur son étendue et ses suites ayant été d'emblée falsifiées par le gouvernement soviétique, aucun rapport de l'Onu, aucun lobby nucléaire, aucune ONG antinucléaire n'établira la vérité complète ni sur les faits, ni sur le nombre de victimes, ni sur les conséquences médicales, sanitaires, écologiques dans trois pays désormais indépendants que sont la Russie, l'Ukraine et la Biélorussie. Mais l'énigme ne se résume pas au manque de données précises. Plus on observe ce qui se passe dans les territoires contaminés, et plus on est saisi non par la physique, mais par la métaphysique.

Des sentiments particulièrement complexes se sont emparés de moi lors de mon voyage à Tchernobyl. Non sur le site de la centrale, moche comme n'importe quel autre site industriel, non à Pripiat, ville morte recouverte de végétation avec ses grands immeubles et son stade, sa piscine et son Luna-parc immortalisé par tant de photographes, mais, je le répète, à Tchernobyl.

Bizarrement, cette petite ville au passé fort ancien – un site normand au Ve siècle, un avant-poste fortifié de la Rus kiévienne aux XIe et XIIe siècles, et un haut lieu du hassidisme ukrainien au XVIIIe siècle – n'a jamais attiré la curiosité des journalistes, alors que c'est l'endroit le plus surréaliste de la zone interdite qui forme comme un petit État de 10 000 kilomètres carrés autour de la centrale (un Liban !), à cheval entre l'Ukraine et la Biélorussie. C'est peut-être parce que nous vivons dans une civilisation d'images, et les images de cette ville délaissée, ni morte ni vivante, n'offrent rien de saisissant.

POUR ALLER DANS LA ZONE, il faut obtenir une autorisation nominative auprès du ministère des Situations d'urgence de l'Ukraine. Dans le langage russe courant, la zone, c'est le Goulag. Ici, ironiquement, cette appellation fut donnée à un territoire interdit d'accès à cause du danger radioactif : les barbelés et les patrouilles sont censés protéger la zone contre des SDF qui provoquent des incendies, pillent des villages abandonnés et revendent le butin irradié sur des marchés aux puces.

La route menant à Tchernobyl se vide au fur et à mesure que l'on s'éloigne de Kiev. On passe la dernière localité avant la zone, le village d'Ivankovo, et la chaussée s'enfonce dans la forêt sombre et épaisse des contes russes.

Les images de cette ville délaissée, ni morte ni vivante, n'offrent rien de saisissant.

De temps en temps, quelques bâtisses vides apparaissent au loin : des étables ou des granges abandonnées. Sur ma demande, on s'arrête à une bifurcation à peine visible et on emprunte à pied une route de campagne totalement recouverte d'herbe. À une centaine de mètres, on entre dans un village évacué il y a près de vingt ans, Tcherevatch. Des maisons tiennent encore debout, mais il est difficile d'y pénétrer : les ronces ont tout envahi, recouvert les *khatas* (« maisons paysannes », en ukrainien) jusqu'aux toits, comme dans un royaume enchanté qui attend son beau prince pour se réveiller. Ni chien, ni chat, ni oiseau, ni animal sauvage : seuls des nuées de moustiques sont au rendez-vous qui nous attaquent avec la férocité de taons. Question : de quoi se nourrissent-ils d'ordinaire, en absence de toute chair vivante à des kilomètres et kilomètres à la ronde ?

Un quart d'heure plus tard, on arrive à Tchernobyl. Des maisons individuelles entourées de palissades alternent avec des immeubles de trois-quatre étages, de cette laideur si typique de la construction soviétique. Certaines maisons aux fenêtres recouvertes de planches clouées sont abandonnées, des arbustes se frayent un passage à travers des perrons de bois pourri. D'autres sont habitées, mais on ressent la mélancolie des gens : ni parterre de fleurs ni peinture fraîche. C'est pareil pour les immeubles d'habitation collective. Des appartements vacants aux vitres brisées ou clouées alternent avec des logis occupés par des locataires indifférents : draps accrochés de travers en guise de rideaux, ampoules électriques nues éclairant un mobilier pauvre et mal assorti. Dans la rue principale, vide, à l'exception de quelques hommes en tenue de camouflage, on aperçoit un magasin d'alimentation, sans devanture, délabré, un restaurant dont le nom évocateur de « Stalker » renvoie, non sans malice, au célèbre film de Tarkovski, et qui reste fermé après avoir brûlé à trois reprises, ainsi qu'un kiosque à médicaments que l'on hésite à appeler une pharmacie.

SEULE LA PLACE CENTRALE semble entretenue : c'est là que se trouve le bâtiment de l'administration de la zone (oh, l'héritage linguistique du Goulag !) entouré d'une pelouse fleurie. Devant l'entrée, l'imperturbable Lénine de bronze lève sa main en direction de la centrale : il nous indique le chemin vers un avenir irradié, à défaut d'être radieux. Entre ce bâtiment plutôt imposant en brique claire et une bâtisse de plain-pied en bois marron qui avait jadis servi de club, sont installés quelques panneaux d'affichage. Le syndicat des « travailleurs de l'atome » y expose une série de photos enjouées : « Les enfants sont notre avenir ». La place est totalement vide. Plus tard, j'apprends qu'un seul enfant vit à Tchernobyl, une petite fille de six ans née d'une maman obstinée. Cette femme assez ronde a réussi à cacher sa grossesse jusqu'à l'accouchement, sinon on l'aurait obligée à avorter. Elle perdit immédiatement son emploi et les autorités

© Galia Ackerman, 2006.

Des photos de famille abandonnées.

locales engagèrent des poursuites pour lui retirer l'enfant. Par miracle, elle gagna le procès (ce qui inspire une certaine foi en la démocratie ukrainienne). Mais comment la fillette va-t-elle être scolarisée, si l'école la plus proche se trouve à Ivankovo, à 60 kilomètres de Tchernobyl, et si aucun transport public ne relie la zone interdite au reste du monde ? Entre-temps, la petite participe volontiers à des cérémonies commémoratives et aux services funéraires : sur les photos qui ont fait le tour de l'Ukraine, elle tient la chandelle avec une expression adulte et grave. Celle que l'on a baptisée « la Mowgli de Tchernobyl » n'a jamais encore eu l'occasion de jouer avec d'autres gosses...

Mais au fond, qui vit à Tchernobyl ? Officiellement, cette ville qui comptait quinze mille habitants fut évacuée dix jours après la catastrophe, le 5 mai 1986. À la différence de Pripiat vidée jusqu'au dernier homme, l'évacuation de Tchernobyl fut moins stricte : quelques centaines de récalcitrants, surtout des personnes âgées, réussirent à y rester. De nos jours, ils sont près de cent, les autres ont quitté ce monde. Quant à la ville, décontaminée à plusieurs reprises par un liquide spécial et par conséquent assez peu radioactive, elle devint la capitale de la zone. En plus de l'administration proprement dite, elle abrite des miliciens,

J'apprends qu'un seul enfant vit à Tchernobyl, une petite fille de six ans née d'une maman obstinée.

des pompiers, des forestiers, le personnel d'un gîte où logent et mangent des visiteurs (près de trois mille cinq cents par an), le personnel de quelques commerces et services, et enfin, par intermittence, des milliers de salariés de la centrale. Ceux-là y travaillent quatre jours d'affilée, ils dorment à Tchernobyl, puis rentrent chez eux, à Slavoutitch ou à Kiev, pour un long week-end. Car la centrale a beau être définitivement fermée, la vie y grouille. Comme les réacteurs n'ont pas été vidés de leur combustible nucléaire, il faut les contrôler et tout entretenir. Et des sites de stockage de déchets nucléaires destinés non seulement au combustible de la centrale mais aux déchets importés sont en pleine construction ! On ne s'en rend pas compte avant de visiter ce lieu, mais il s'agit d'un énorme site industriel de plusieurs kilomètres car-

© Galia Ackerman, 2006.

Cimetière d'engins contaminés, près du village de Rossokha.

rés qui dispose même d'un observatoire : une jolie guide vous explique « l'accident » à l'aide d'une gigantesque maquette high-tech, le tout devant une paroi vitrée donnant sur le sarcophage.
Tchernobyl est aussi un lieu de pèlerinage. Des hassidim s'y rendent pour visiter les tombes de deux *tsadiks* réputés, mais surtout, les anciens habitants de la zone y viennent une fois par an, le jour de la Toussaint slave qui a toujours lieu sept jours après Pâques. Avant de se diriger vers les cimetières de villages où sont enterrés leurs proches, ils prient dans la belle église de Tchernobyl, un joyau du XVIIIe siècle, entièrement refaite à neuf, blanche, bleue et dorée. À Tchernobyl, on n'entretient pas les maisons, ici, on pense à l'éternité.

UN AUTRE GROUPE INSOLITE pense lui aussi à l'éternité. Depuis l'indépendance de l'Ukraine, une équipe d'ethnographes sillonne des villages évacués à la recherche d'objets de culture populaire et, plus généralement, de traces d'un passé évanoui. Eux-mêmes qualifient leur mission de « sauvetage de l'Atlantide ukrainienne ». Leur chef s'appelle Rostislav Omeliachko, c'est un moustachu aux yeux ardents, en tenue de camouflage, avec une casquette crânement enfoncée : un Che Guevara quinquagénaire. Ensemble, nous nous dirigeons vers le point d'orgue de ma promenade à Tchernobyl : l'ancien cinéma transformé en un entrepôt d'objets ethnographiques. Passionné de culture ukrainienne, Omeliachko veut préserver de l'oubli la vie perdue de Polessié. Le cinéma mal éclairé, qui a encore le rideau de velours bordeaux sur le podium, est rempli d'un bric-à-brac : des barques

Ici, le passé et l'avenir se confondent, engloutis dans un univers postindustriel glauque à la Philip K. Dick

taillées dans des troncs entiers, des chausse-trappes astucieuses, des ruches que l'on installait dans des arbres à l'aide de poulies, des métiers à tisser, des rouets, des chaussures de paille, des broderies, des tableaux naïfs de peintres villageois qui décoraient chaque *khata* qui se respectait, des icônes, des samovars, des coffres sculptés et peints, des jouets d'enfants anciens, des photos de famille, des couronnes de nouveaux mariés et les arbres de vie que l'on jetait sur leur toit, des poteries, de la vaisselle en bois, des vêtements traditionnels. On y trouve même des extravagances comme une machine assez sophistiquée pour la confection semi-automatique de balais ou encore une machine à laver en bois, actionnée avec une manivelle.
On se croirait dans une brocante, si l'on ne savait pas que tous ces objets ont été ramassés dans des maisons paysannes abandonnées à la hâte. Mon cœur se serre devant ce concentré d'une vie liquidée. Quelle force a poussé ces gens pour qu'ils abandonnent jusqu'à leur mémoire, comme ces photos de leurs parents et grands-parents ? Quelle force anime ces ethnographes qui essaient de sauver la culture ancestrale en fouillant inlassablement dans la poussière radioactive, au péril de leur santé ? Ici, le passé et l'avenir se confondent, engloutis dans un univers postindustriel glauque à la Philip K. Dick : l'univers de Tchernobyl.
Il est l'heure de rentrer à Kiev. Avant de quitter la zone, on fait un dernier arrêt. Rossokha est un cimetière d'engins militaires contaminés où des centaines, voire des milliers de blindés, camions et hélicoptères rouillent paisiblement à ciel ouvert, délestés de leur moteur par des pillards entreprenants. Après la catastrophe, l'État soviétique a lancé dans la bataille de Tchernobyl un concentré de sa puissance, sans épargner ni les moyens techniques ni les hommes. À la guerre comme à la guerre. « Le peuple soviétique est plus fort que l'atome », disait un slogan accroché à l'entrée de la centrale sinistrée. Mais vingt ans après, ces monstres éventrés font plutôt penser à la vanité des choses. Est-ce là un signe annonciateur de l'avenir de toute notre civilisation ?
Un silence profond règne dans le minibus : on revient d'un voyage dans le temps. ■

LE MÉMORIAL DES CRIMES COMMUNISTES

STÉPHANE COURTOIS

À Sighet, aux confins de la Roumanie et de l'Ukraine, quelques anciens dissidents ont entrepris de transformer un centre de détention de prisonniers politiques en un Mémorial aux victimes du communisme.

Le 8 décembre 2004, eut lieu en direct l'un de ces petits miracles que la télévision nous réserve parfois. Lors du débat entre les candidats au second tour de l'élection présidentielle roumaine, Traïan Basescu, maire de Bucarest, fit sensation en déclarant, face au Premier ministre sortant, Adrian Nastase, et devant les Roumains stupéfaits : « Je me demande si notre pays n'est pas maudit, lui qui se voit contraint de choisir entre deux anciens communistes ? [...] En quinze ans, il n'y a pas eu un seul homme politique qui n'ait été souillé par les mauvaises habitudes du communisme, qui n'en ait été affecté d'une façon ou d'une autre. [...] Peut-être le moment est-il venu pour qu'un autre genre de candidat se présente devant les Roumains, plutôt que nous deux. Le gros problème que nous partageons n'est pas seulement lié au fait que nous étions tous deux membres du Parti communiste. [...] Le drame, c'est que nous n'avons plus le droit de conserver la même mentalité quinze ans après la disparition du communisme en Roumanie. »

Constat terrible, constat exact. Déjà, lors de l'élection présidentielle de 2000, les candidats du second tour étaient Vadim Tudor – un poète, ex-favori de Nicolas Ceausescu, reconverti dans l'ultranationalisme antisémite – et Ion Iliescu, vieil apparatchik communiste, ancien ministre du « Conducator » et principal metteur en scène de la « vraie-fausse » révolution qui se déroula en Roumanie en décembre 1989.

AMNÉSIE ET AMNISTIE DES CRIMES COMMUNISTES Après la chute du mur de Berlin, la tristement célèbre Securitate – la police politique – et les dirigeants communistes roumains craignaient fort de perdre un pouvoir qu'ils contrôlaient depuis quarante-cinq ans. Ils ont donc fait distribuer des armes dans la rue, histoire de faire croire à une révolution démocratique, provoquant ainsi le chaos avec à la clé plus de mille cinq cents victimes. Simultanément, ils ont organisé l'abominable mise en scène de Timisoara, dévoilant devant les caméras du monde entier un prétendu charnier annoncé comme la face visible d'un massacre de plusieurs milliers de personnes, ordonné par Ceausescu. Beau prétexte pour assassiner le dictateur et sa femme et les désigner comme seuls responsables de toutes les horreurs de l'un des pires régimes totalitaires en Europe.

Au moment voulu, les manipulateurs sont sortis de l'ombre et, sous le nom de Front du salut national, ont ramassé le pouvoir sans coup férir, poussant sur le devant un jeune et fringant Premier ministre, Petre Roman, fils d'un haut nomenklaturiste étroitement lié aux services soviétiques depuis l'avant-guerre.

Inutile de préciser que, dans ces circonstances, les victimes du régime communiste et les démocrates qui espéraient sortir du cauchemar n'eurent pas droit à la parole. Et quand ils tentèrent d'élever la voix, Ion Iliescu les fit tabasser et bastonner par des bandes de mineurs – ou de membres de l'ex-Securitate déguisés en mineurs – qui avaient ordre de « casser de l'intello ». C'est les 14 et 15 juin 1990 que se déroulèrent à Bucarest ces scènes de lynchage officiel que les Roumains nommèrent « minériades ».

De son côté, Petre Roman affirmait que les victimes du communisme – mortes ou emprisonnées – n'avaient pas dépassé les dix mille, alors que le chiffre réel est plus proche de cinquante mille. Enfin, la plainte déposée par le sénateur Constantin Dumitrescu, président de l'Association des anciens détenus politiques, contre deux cents tortionnaires connus de la Securitate fut classée sans suite et, peu après, le sénateur fut victime d'un grave accident de la route opportunément provoqué, opération caractéristique des méthodes de la Securitate.

Dans un tel climat, impossible de mener le moindre procès du régime communiste et de ses tortionnaires : les uns s'enfuirent à l'étranger pour échapper à toute condamnation éventuelle, d'autres moururent tranquillement dans leur lit, alors que certains... se propulsaient au sommet du pouvoir.

* STÉPHANE COURTOIS *est historien. Il a notamment dirigé* Le Livre noir du communisme *(Robert Laffont, 1997) et* Du passé faisons table rase ! Histoire et mémoire du communisme en Europe *(Robert Laffont, 2002).*

Et pourtant ! La « minériade » poussa quelques intellectuels à réagir. Menés par la poétesse Ana Blandiana, ils créèrent une association, l'Académie civique, qui décida de se battre pour apprendre aux citoyens roumains la vérité sur leur propre histoire, après un demi-siècle de dictature, d'enfermement et de censure. L'Académie civique se lança dans la création d'un Mémorial à la mémoire des victimes du communisme et de la Résistance, installé dans la petite ville de Sighet. Elle publia, en 1998, l'édition roumaine du *Livre noir du communisme* dont le tirage fut épuisé en quelques semaines, et, dans la foulée, m'invita en Roumanie.

TORTURE À PITESTI. **Aurèle Lisovan était membre des Jeunesses démocrates-chrétiennes. Pour cette seule raison, en 1948, il fut interné dans un lieu qui, pour les Roumains, symbolise l'enfer sur terre : Pitesti. Dans ce camp de rééducation, on expérimenta les méthodes les plus perverses afin de « sauver » l'âme des prisonniers en les convertissant au communisme. Pour détruire à jamais l'être humain qu'ils étaient, on les contraignait à se torturer entre eux.**
« J'étais à Pitesti et là, à chaque moment, chaque prisonnier voulait mourir. Moi, j'étais jeune, je ne voulais pas mourir, je ne voulais pas me suicider, mais j'étais torturé jour et nuit et seconde après seconde. Et chaque seconde devenait éternité. Même si tu disais : voilà j'ai rompu avec mon passé, je veux embrasser le communisme, si tu faisais tes preuves en disant ce qu'ils attendaient... que tu avais couché avec ta mère, avec ta sœur, des choses si sales que tu devenais un homme détruit, c'était pire. Car alors, ils pouvaient te manœuvrer comme ils voulaient. Et Dieu m'a aidé car au moment où je devais torturer les autres, à cause des tortures j'ai perdu la raison et j'ai été déclaré fou. »
M. T.

SIGHET C'est en 1999 que, pour la première fois, je me rends à Sighet. En raison d'une malchance insigne, je rate mon avion – le seul que j'ai jamais raté ; puis j'attrape à Bucarest l'un des rares trains pour Sighet, un train de nuit. Même en plein après-midi et par un chaud soleil, la gare est franchement glauque, fréquentée par une faune indéfinissable de filles très jeunes, outrageusement maquillées et déshabillées, et de petites bandes de garçons dont j'expérimente très vite la méthode qui consiste à grimper dans les wagons quelques minutes avant le départ, à dévaliser les voyageurs et à s'enfuir à toutes jambes.
Un trajet de 450 kilomètres, quatorze heures d'un wagon-lit d'époque qui vous font arriver au petit matin dans les brumes du Maramures, province du nord-ouest de la Roumanie, coincée entre la Hongrie à l'ouest, la Ruthénie subcarpatique – l'extrémité orientale de la Tchécoslovaquie, occupée et annexée par Staline en 1945 – au nord, et à l'est la Bucovine, terre des monastères, souvent fortifiés en raison des incessantes invasions ottomanes, et dont les murs extérieurs des églises sont couverts de magnifiques fresques de style byzantin.

Une fois réhabilitée, la prison a été transformée en musée. Curieusement, ce bâtiment de deux étages ressemble à la nef d'une cathédrale et appelle à la méditation.

Du train qui roule à toute petite vitesse sur une voie unique, je découvre une région de collines très semblable au piémont des Pyrénées. La nature y est encore sauvage : c'est ici que Ceausescu et ses hôtes de marque venaient chasser l'ours. Le mode de vie rural y reste très traditionnel – ce fin fond de l'Europe a bien résisté à la pénétration communiste : pas de tracteurs mais des chevaux omniprésents dans les champs, sur les routes, dans les rues des villages ; des greniers à foin originaux et superbes, et de belles fermes individuelles. Les gens y ont conservé des mœurs rustiques : les mariages s'y déroulent encore au son des musiques traditionnelles – violon, flûte, tambour. Le mets de choix y est toujours un large morceau de couenne de cochon, légèrement grillé, roulé comme un cigare et plongé dans un pot de gros sel, le tout arrosé de quelques bonnes lampées de *palinka*, l'alcool de prune local.
Le train ne va pas plus loin. Terminus Sighet, la « capitale » du Maramures, située sur la Tisza, une rivière qui prend sa source en Ukraine et se jette dans le Danube en amont de Belgrade, après avoir traversé la Roumanie et la Hongrie. Impression de bout du monde, mais je suis accueilli avec des fleurs par Ana Blandiana, son mari Romulus Rusan et une joyeuse équipe.
Sighet est à cette époque une triste petite ville tout en longueur, sale, aux rues parsemées de nids-de-poule et où les seuls bâtiments à peu près en état sont les églises – catholique, orthodoxe et temple luthérien – qui datent de l'époque où le Maramures appartenait à l'Empire austro-hongrois. Nous sommes dans la ville natale d'Elie Wiesel, mais ici, les nazis ont exterminé la communauté juive dont la seule trace est un vieux cimetière laissé à l'abandon.
L'hôtel où je loge, sur la place principale, ressemble à un vaste caravansérail assez délabré. Le robinet du lavabo ne délivre un filet d'eau qu'un

quart d'heure le matin et le soir. Des passants pauvrement vêtus, des enfants gitans qui vont pieds nus et mendient, peu de voitures dans les rues, mais des carrioles dont les chevaux sont joliment harnachés – le seul « progrès » sous le communisme a été le remplacement des roues en fer par de vieux pneus récupérés. Seul signe de vie encourageant : ces nombreux paysans en chapeau et ces robustes paysannes en fichu multicolore et jupe courte mais bouffante, qui tiennent marché tous les jours.
Derrière ce décor quelque peu désespérant, je découvre soudain une entreprise extraordinaire, inimaginable dans ce coin perdu au fin fond de l'Europe. À 200 mètres de l'hôtel, à deux rues à droite, se dresse un imposant bâtiment en parfait état : la prison. Car tout a fini et tout recommence dans cette prison. C'est là que les communistes ont détruit la Roumanie d'avant 1940, c'est là que la Roumanie d'après 1989 reprend le cours de son histoire.

LE MÉMORIAL Après 1945, Sighet, situé sur la frontière soviétique, était aussi l'un des points les plus éloignés de Bucarest. Pour cette double raison, le régime communiste, à partir de 1948, y emprisonna et y fit disparaître les principales personnalités roumaines de l'opposition. C'est ici que Iuliu Maniu, le grand leader du Parti national-paysan et ex-Premier ministre, mourut de manque de soins en 1951, tout comme cet autre ex-Premier ministre, Constantin Bratianu, le chef du Parti national-libéral. L'un des principaux historiens roumains, Gheorge Bratianu, qui avait soutenu sa thèse à la Sorbonne et était le collègue et l'ami de Marc Bloch, y subit le même sort en 1953, à peine âgé de cinquante-quatre ans. Tout comme deux autres anciens Premiers ministres et neuf évêques de rite catholique et gréco-catholique. Au total, cent quarante personnalités assassinées à petit feu et jetées dans les fosses communes d'un terrain vague, dont, aujourd'hui encore, les dépouilles n'ont pu être identifiées.

D.R.

Vue intérieure de l'ancienne prison de Sighet transformée en musée.

Or, cette prison, désaffectée depuis longtemps – la plupart de ses « clients » ayant trépassé – était presque en ruine quand, en 1993, Ana Blandiana et ses amis de l'Académie civique décidèrent d'y créer le Mémorial. Il serait trop long de décrire leur invraisemblable parcours du combattant pour obtenir que la municipalité et l'État leur cèdent le bâtiment, puis pour faire reconnaître ce projet par le Conseil de l'Europe, et enfin pour récolter les fonds nécessaires à la réhabilitation du bâtiment, tant auprès d'institutions internationales – en particulier la fondation Konrad-Adenauer – que de nombreux Roumains exilés à l'étranger sous le régime communiste.
Une fois réhabilitée, la prison a été transformée en musée. Curieusement, ce bâtiment de deux étages, prison modèle de la fin de l'Empire austro-hongrois, organisé autour d'un long couloir aux murs percés de dizaines de lourdes portes, et aux deux extrémités éclairées d'une haute verrière, ressemble à la nef d'une cathédrale et appelle à la méditation. Plus de soixante cellules y sont aménagées en

autant de lieux d'exposition. Ici, une cellule est consacrée aux prisons, là au goulag du canal du Danube où périrent des milliers de forçats dans un chantier sans objet, plus loin aux asiles psychiatriques à caractère politique, puis aux lieux d'exécution et aux fosses communes.
Une place de choix est réservée aux victimes. Une salle est consacrée à Maniu. Une autre à la famille Bratianu. Une autre encore aux populations d'origine allemande ou serbe, installées en Roumanie depuis des siècles et déportées en bloc dans la nuit de la Pentecôte 1951 – quarante-trois mille huit cent quatre-vingt-dix-neuf hommes, femmes et enfants abandonnés au beau milieu de la steppe insalubre du Baragan.
Les bourreaux ne sont pas oubliés : ceux du Parti communiste – qui ne comptait que quelques centaines de membres lors de sa prise de pouvoir sous occupation soviétique –, ceux de la Securitate – il y a même la reproduction d'une salle d'interrogatoire –, ceux qui mirent en œuvre la terrible expérience de la prison de Pitesti où, sous peine de mort, des dizaines d'étudiants anticommunistes – ou tout simplement catholiques ou orthodoxes – furent contraints de se torturer les uns les autres, tant physiquement que psychologiquement, jusqu'à ce que leur personnalité soit détruite ou... que mort s'ensuive.
Plus surprenantes, les cellules qui évoquent la résistance de la population à l'oppression communiste. La résistance armée dans les montagnes, dont les derniers combattants furent assassinés en 1962. La résistance passive des paysans à la collectivisation. La résistance massive des ouvriers en grève à Brasov le 15 novembre 1987. La résistance isolée des intellectuels et dissidents. Le tout dans une mise en forme muséographique très professionnelle, élaborée par une conservatrice du musée de Bucarest – fille d'un prisonnier politique – qui, presque seule, protégea ses collections du désastre lors de la « vraie-fausse » révolution de 1989.

Moment inattendu quand, le 14 juillet, la centaine d'élèves s'est levée pour chanter une joyeuse Marseillaise – apprise où ? quand ? comment ?

Dans la cour de la prison, un groupe de statues symbolise les martyrs. Par une rampe dont les murs portent les noms des victimes jusqu'ici recensées, on accède à un lieu de recueillement. Inauguré officiellement en 1997, le Mémorial a été déclaré d'intérêt national par le Parlement. Aujourd'hui, de toute la Roumanie affluent des visiteurs – des touristes, des groupes scolaires – qui découvrent la véritable histoire de leur pays au cours du dernier demi-siècle, une histoire tragique largement occultée par le pouvoir néocommuniste depuis 1989.

HISTOIRE ET MÉMOIRE L'Académie civique a accompagné la création du Mémorial d'un très important travail d'histoire et de mémoire. Face au pouvoir qui bloquait l'accès aux archives et à l'Académie roumaine qui, en dépit de la disparition de son « président d'honneur » (Ceausescu), manifestait toujours sa soumission au gouvernement, elle a engagé dès 1992 une énorme entreprise d'histoire orale, enregistrant des milliers d'heures de témoignages des victimes. Depuis 1995, elle a organisé plusieurs colloques internationaux sur l'histoire du communisme en Roumanie, et elle publie cinq collections – Actes des colloques, Documents, Histoire orale, etc. – qui totalisent déjà plus de vingt mille pages. Et, bien entendu, elle constitue pas à pas une importante bibliothèque mise à disposition des chercheurs.
Cependant, cette activité ne secouant que faiblement l'inertie générale, Ana Blandiana et Romulus Rusan ont décidé de reprendre le problème à ses fondements, avec la jeune génération. En 1999, ils ont créé une école qui regroupe au Mémorial, chaque été pendant huit jours, une centaine de jeunes de quinze à dix-huit ans, venus de toute la Roumanie – et aussi de la république de Moldavie, province roumaine occupée et annexée par Staline en 1940 –, sélectionnés par un concours du même type que notre concours de la Résistance.
Depuis plusieurs années, Ana Blandiana m'a demandé d'être le « recteur » de cette école, titre bien pompeux pour une tâche qui consiste avant tout à veiller à ce que les cours commencent à l'heure, que les conférenciers n'endorment pas leur jeune auditoire à coups d'exposés trop long ou trop académiques, que chacun puisse poser les questions qui lui tiennent à cœur et que soient tirées, de temps en temps, quelques conclusions synthétiques. Interviennent alternativement des témoins, des acteurs historiques et des universitaires roumains et étrangers.
On y vit des moments uniques. Ainsi, quand, en 2002, l'invité d'honneur, Vladimir Boukovski, raconta pendant plusieurs heures son expérience de dissident, martyrisé dans les « hôpitaux » psychiatriques soviétiques, devant un auditoire bouleversé. Plus tard, « Vlad » était ravi de converser en russe la moitié de la nuit – vodka à l'appui – avec les jeunes Moldaves, alors en pleine révolte contre leur gouvernement toujours communiste qui tentait de réimposer le russe obligatoire dans les écoles et les lycées. Grandes leçons de dignité et de résistance à l'oppression.
Autre moment magique, en juillet 2005, quand dans la « nef » de la prison-Mémorial, devant les élèves réunis, une violoniste joua la Cha-

conne de Bach. Cette jeune femme, petite-fille d'un prisonnier politique, dont la mère s'était exilée en France, et qui venait pour la première fois à Sighet avec sa propre fille adolescente, sut faire passer une formidable émotion et faire ressentir le caractère tragique du lieu.

Moment terrible, aussi, avec le témoignage de Ioanna-Raluca : son père, militaire de carrière, était le chef d'un maquis anticommuniste ; traqué depuis 1949, il fut arrêté en 1958 à la suite d'une trahison, jugé et exécuté. Arrêtée, sa femme fut condamnée à perpétuité et mourut en prison. Leur fille – Ioanna –, alors très jeune, fut confiée à un orphelinat et ce n'est qu'après 1989 qu'elle découvrit la vérité, et seulement en 1997 qu'elle fut autorisée par la justice à porter le nom de son père, Toma Arnautoiu.

Moment inattendu quand, le 14 juillet, la centaine d'élèves s'est levée pour chanter une joyeuse *Marseillaise* – apprise où ? quand ? comment ? À ce moment précis, j'ai regretté que l'ambassadeur de France ne soit jamais allé jusqu'à Sighet et que la France demeure largement indifférente à la tragédie vécue par tous ces pays d'Europe centrale et orientale communisés par la terreur.

Depuis un an ou deux, la situation de Sighet s'améliore, une certaine prospérité s'y manifeste. Quant aux jeunes de l'école d'été, ce ne sont plus les adolescents un peu tristes et très pauvres de la fin des années 90. Ils sont tous armés de portables, de baladeurs, d'appareils photo numériques, parlent plusieurs langues, sont allés à l'étranger. La nouvelle Roumanie entre en scène, bien décidée à s'en sortir, mais aussi à regarder en face la tragédie vécue par ses parents et grands-parents. Encore faudrait-il, pour que la réunification européenne ait un sens, que les Européens de l'Ouest prennent conscience de cette tragédie et contribuent au pénible travail d'histoire et de mémoire, seul moyen, à terme, de reconstruire l'identité de sociétés dévastées par l'oppression communiste. ■

Vous avez dit « négationnisme » ?

Chacun sait que parmi les innombrables joyeusetés de « l'exception française » figure en bonne place un négationnisme d'extrême droite prétendant que dans les chambres à gaz n'ont été exterminés que des poux. Mais voilà que, pour ne pas être en reste, le bord opposé adopte à son tour la même posture.

Au printemps dernier, Annie Lacroix-Riz, professeur d'histoire contemporaine à l'université Paris-VII, a lancé un site web pour appeler ses collègues à la mobilisation contre un innommable mensonge qui courrait le monde depuis soixante-dix ans : non, mesdames et messieurs, il n'y a pas eu de famine en Ukraine en 1932-1933, et encore moins une famine qui aurait fait plusieurs millions de morts, et surtout pas une famine organisée par le pouvoir soviétique lui-même. Pour preuve : des dizaines de dépêches du Quai d'Orsay des années 30 confirmant l'absence de famine. À la rigueur une disette.

Il est pour le moins stupéfiant que quinze ans après l'effondrement de l'URSS et l'ouverture d'une partie significative des archives soviétiques, l'« experte » Lacroix-Riz continue de confondre une disette – « manque, insuffisance de vivres » d'après le Robert – et une famine – un manque d'aliments qui fait qu'une population souffre de la faim au point d'en mourir. Pourtant, Voltaire – déjà – avait souligné qu'une disette pouvait dégénérer en famine... Mais cette confusion est-elle involontaire ?

Non seulement Mme Lacroix-Riz ignore les témoignages de base, celui de Miron Dolot (*Les Affamés*, Ramsay, 1986) ou le livre-mémorial élaboré dès 1987 par deux journalistes ukrainiens, Lidia Kovalenko et Volodymyr Maniak, qui ont, pour la première fois en URSS, levé un coin du voile sur ce sujet absolument tabou, en recueillant plus de six mille témoignages de survivants et en en sélectionnant quatre cent cinquante (*cf.* Georges Sokoloff [ed.] *1933, l'année noire. Témoignages sur la famine en Ukraine*, Albin Michel, 2000), mais elle ne tient aucun compte des règles élémentaires du travail de l'historien. À aucun moment elle ne s'interroge sur les conditions de production de ces fameuses et sacro-saintes dépêches du Quai d'Orsay. La « professeure » Lacroix-Riz a-t-elle jamais lu l'inénarrable chapitre consacré par Sophie Cœuré au voyage d'Édouard Herriot en URSS à l'été 1933 et dont ce mentor de la diplomatie française tira en 1934 un livre, *Orient*, où il jurait ses grands dieux (déjà) qu'il n'y avait pas de famine en Ukraine, comme le lui avait confirmé... Kalinine, le président du Soviet suprême ! Or les archives soviétiques démontrent que ce voyage avait été entièrement « fabriqué » – « à la Potemkine » – par le NKVD, la police politique de Staline (Sophie Coeuré, *La Grande Lueur à l'Est*, Seuil, 1999).

De surcroît, Mme Lacroix-Riz ignore tout autant les nombreux travaux tirés des archives soviétiques, synthétisés tant par Nicolas Werth dans *Le Livre noir du communisme* (Robert Laffont, 1997 [chap. 8 : « La grande famine »]) que par Françoise Thom (*Quand tombe la nuit*, L'Âge d'homme, 2000 [chap. 12 : « La "dékoulakisation" et la famine »]). Elle ignore plus encore les innombrables ouvrages en langue anglaise, à commencer par le classique de Robert Conquest, *Sanglantes moissons* (Robert Laffont, 1995).

À propos, Mme Lacroix-Riz est-elle au courant que le fameux journaliste américain Walter Duranty, qui avait reçu le prestigieux prix Pulitzer précisément pour ses reportages « remarquablement informés » sur l'URSS en 1933, est l'objet aux États-Unis d'une forte campagne réclamant que le prix lui soit retiré *post mortem* : les archives soviétiques révèlent qu'il était très grassement payé pour écrire ces contrevérités notoires.

Alain Besançon, dans son remarquable ouvrage sur le *Malheur du siècle* – le XXe – (Fayard, 1998), s'interrogeait sur les raisons qui, en France, ont présidé à une hypermnésie des crimes du nazisme et à une amnésie des crimes du communisme. Il aura ici un début de réponse : pour des raisons qui semblent de toute évidence politiques et idéologiques, certains enseignants chargés de former les jeunes générations pratiquent une euphémisation et une dénégation qui relèvent du négationnisme.

Stéphane Courtois

RENCONTRE AVEC VÁCLAV HAVEL
L'HOMME DE FER

RAPHAËL GLUCKSMANN

Certains, en France, n'ont pas voulu comprendre que Václav Havel ait pu soutenir l'intervention américaine en Irak. Au-delà des déceptions feintes, il importe d'évoquer avec lui ses combats contre le totalitarisme et son héritage politique alors que la démocratie semble enfin s'installer dans les anciennes républiques soviétiques telles l'Ukraine et la Géorgie.

Lorsqu'il nous reçoit, l'été dernier, dans son bureau, au cœur de Prague, ce splendide milieu de l'Europe retrouvée, Václav Havel est mu, malgré la fatigue et la maladie, par la flamme de ceux qui écrivent l'histoire présente. Les photos souvenirs d'un chef d'État à la retraite en compagnie de Clinton, de Bush ou du dalaï-lama nous feraient presque oublier qui nous rencontrons. Président moral, dissident, dramaturge, philosophe, Václav Havel est avant tout un écrivain.
Une lettre a marqué son entrée dans la vie politique, le 8 avril 1975. Elle est adressée à Gustáv Husák, patron du tout-puissant Parti communiste tchécoslovaque. Le temps semble alors figé à l'Est dans une « normalisation » désespérante qui réduit l'homme à une « vie purement végétative ». Mais en réalité le train de l'histoire est en marche, déjà. Et déjà la majorité des dirigeants occidentaux restent à quai. Les dissidents, combien de divisions ? Pourtant, à l'ombre du rideau de fer, dans les caves mal éclairées de Prague, Budapest ou Varsovie, une onde révolutionnaire se forme qui ébranle notre continent aujourd'hui encore, de Belgrade à Kiev en passant par Tbilissi. On sent Václav Havel profondément ému lorsqu'il parle des révolutions de couleurs qui se succèdent aux marges de l'Union, comme s'il y puisait la certitude que son combat, sa pensée restent et resteront longtemps encore d'actualité : « Je sens en cet instant, après l'Ukraine et la Géorgie, une joie intense. Je ne sais pas si les démocraties occidentales ont bien conscience du caractère historique de ce qui se passe aujourd'hui. Dans la filiation de nos combats d'hier, c'est un *ethos* européen qui se forme à l'Est. »

CETTE MANIÈRE RÉVOLUTIONNAIRE D'HABITER LE MONDE rafraîchit l'idéal européen et apaise dans l'enthousiasme les angoisses de Václav Havel, l'homme et le dramaturge. Ses pièces sont autant de miroirs acerbes du vide de la vie dans un univers privé d'absolu et d'éthique. La société tchécoslovaque des années 70 reste communiste sans y croire, remplaçant l'idéologie par la consommation tout en gardant le cadre dictatorial des années de fer. L'absurde y règne sans partage, laissant apparaître dans sa toute-puissance un danger qui nous guette tous : le renoncement. C'est ce renoncement au sens et à l'action que bousculent les irruptions éthiques que furent l'épopée de Solidarnosc en Pologne, la Révolution de velours à Prague ou plus récemment la Révolution des roses en Géorgie et l'insurrection orange de Kiev : « Il faut garder le souffle, le sens de ces moments pour réveiller l'idéal européen. » L'Europe comme cristallisation révolutionnaire.
De l'écrivain fondateur de la Charte 77 au président de la République, la continuité d'un « idéalisme éthique » est le seul garant de cette « vie dans la vérité » qui obsède Václav Havel : « Les gens oublient naturellement la force des idées morales. Je ne me considère pas du tout comme un moraliste, Dieu m'en préserve ! Mais j'ai, tout au long de ma vie, comme prisonnier et comme président, découvert qu'au fond de chaque problème, quand on creuse de manière radicale, on retrouve un dilemme moral. »
On attache très peu d'importance chez nous au phénomène complexe de la « dissidence ». Il a pourtant créé indirectement les schémas de pensée d'une moitié de l'Europe. Bien entendu, Václav

* RAPHAËL GLUCKSMANN *est cinéaste. Il a coréalisé un documentaire sur le génocide rwandais,* Tuez-les tous ! Rwanda, histoire d'un génocide « sans importance ».

Havel est une exception et rares ont été les « dissidents » à exercer durablement le pouvoir après la chute des dictatures communistes. Mais la « dissidence », une constellation de révoltes individuelles et morales bien plus qu'une école de pensée, n'en a pas moins instauré un climat politique spécifique dans lequel le « messianisme » de Bush trouve parfois plus d'écho que le « réalisme » autoproclamé de Chirac ou Schröder. Une atmosphère qui a habillé la Pologne en orange au moment de la révolution ukrainienne et qui habillera l'Ukraine, par-delà les erreurs et les divisions de sa nouvelle élite politique, en rouge et blanc lors de la révolution biélorusse.
Cet *ethos* est-européen choque parfois nos vieilles démocraties. Souvenons-nous d'une autre lettre de Václav Havel, celle qui marque sa sortie de la politique institutionnelle, son dernier acte fort de président. Nous sommes en 2003,

« Je sais que l'on a accusé les pays de l'Est, véritablement fascinés par les États-Unis, d'avoir voulu remplacer une domination par une autre. Mais c'est exactement le contraire. »

les « peuples du monde entier » se soulèvent contre la guerre en Irak et « l'impérialisme » bushiste. En compagnie de huit chefs d'État et de gouvernement européens, Havel proclame soutenir l'interventionnisme américain.

C'EST PEU DE DIRE QU'ON A MAL COMPRIS, en France, la position des pays de l'Est lors de la crise irakienne. Jacques Chirac a jugé qu'ils avaient « perdu une bonne occasion de se taire », sa ministre de la Défense, Michèle Alliot-Marie, a fièrement proclamé à Varsovie qu'ils étaient passés d'un maître (Moscou) à un autre (Washington), Alain Krivine traita même Václav Havel de laquais… « Je sais que l'on a accusé les pays de l'Est, véritablement fascinés par les États-Unis, d'avoir voulu remplacer une domination par une autre. Mais c'est exactement le contraire. C'est précisément parce qu'ils ont une expérience récente et forte de ce que signifie la domination brutale, le système totalitaire, qu'ils convergent naturellement vers celui qui a l'attitude la plus dure contre les dictatures. Et ces derniers temps, qui peut contester que ce soit l'Amérique plutôt que les démocraties d'Europe de l'Ouest ? »
Dans *Anatomie d'une réticence*, texte de 1985, Havel mettait en garde les mouvements pacifistes d'Occident : la paix sans la liberté est parfois un slogan creux, repris à l'infini par les dictatures les plus guerrières. « Comme les mots “socialisme”, “patrie” ou “peuple”, le mot “paix” ne représente que l'un des barreaux de l'échelle qui sert aux gens adroits à grimper et, en même temps, une des matraques qui s'abattent sur ceux qui se mettent dehors. »
Comment ne pas penser au non-sens de ce mot dans le fameux « camp de la paix » qui unissait Jacques Chirac et Gerhard Schröder à Vladimir Poutine contre l'intervention en Irak, en pleine guerre de Tchétchénie ? La « paix » avec comme porte-parole un ancien officier du KGB qui considère la chute de l'URSS comme la « pire catastrophe géopolitique du XXᵉ siècle » (juste avant, dans la même liste, la signature de l'accord de paix russo-tchétchène de 1996) pouvait difficilement séduire des pays tout juste sortis du communisme.
Mais enfin, de là à soutenir Bush ? ! Václav Havel ne semble pas le moins du monde gêné à l'évocation de ses connivences avec l'Amérique. « Il est clair que la rhétorique de Bush sonne un peu plus vraie à nos oreilles qu'aux vôtres. Nous avons goûté aux mêmes types de régimes que ceux de Saddam ou de Castro et nous comprenons donc plus facilement qu'il faut les combattre au nom de la démocratie. » Pour combattre les ennemis de la liberté, il faut avoir fait l'expérience de leur capacité de nuisance. Une expérience réfléchie et analysée, transformée en énergie morale, en dynamique politique. Ou comment l'Amérique du 12 septembre rencontre les pays fraîchement sortis de l'oppression communiste.
Néoconservateur qui s'est assigné comme mission la démocratisation des anciens satellites de Moscou, Bruce Jackson voit dans cette alliance de l'Amérique de Ground Zero et des pays de l'Est plus qu'une rencontre, un héri-

© Raphaël Glucksmann, 2006.

tage : « Les Européens ne comprennent pas que ce discours américain n'est pas une chose purement américaine que l'on cherche à exporter en Europe mais plutôt une pensée née en Europe que l'on cherche à réaliser. Le président Bush lui-même souligne que deux hommes ont façonné sa pensée politique : Nathan Sharansky, l'ancien refuznik, et surtout Václav Havel. » La dissidence, loin du cliché de l'écrivain solitaire et désespéré, des brumes d'alcool et des poussières livresques d'une pièce sombre livrée aux araignées, guiderait aujourd'hui les pas mal assurés de la nouvelle Rome.

« Comment croire que cette histoire a pris fin quand vous regardez ce qui se passe en Irak, en Iran, en Biélorussie, en Birmanie ou à Cuba ? »

Son combat antitotalitaire est éternellement actuel : « Comment croire que cette histoire a pris fin quand vous regardez ce qui se passe en Irak, en Iran, en Biélorussie, en Birmanie ou à Cuba ? Comment ne pas voir que le terrorisme islamiste représente une nouvelle forme de menace mondiale ? Non, je ne pense vraiment pas que notre révolte soit un moment dépassé de l'histoire. » Quand la liberté politique et religieuse est vécue comme un acquis, fait-on encore la différence entre une démocratie et un régime despotique ? Comprend-on qu'il existe une différence quasi ontologique entre l'Amérique, même celle de Bush, et la Russie de Vladimir Poutine ou la Chine de Hu Jintao ? Cette différence essentielle, les blessures encore ouvertes de la domination soviétique la rappellent constamment aux nouveaux membres de l'Union européenne. Cette mémoire vive leur donne un supplément d'âme : « Nous sommes moins riches, nous avons moins de tradition démocratique mais ce que nous pouvons apporter à l'Europe, c'est le refus des compromissions avec les dictatures, le rejet de l'indifférence, la soif de changement. » Une vision du monde et de l'Europe en somme. D'où l'importance croissante que prendront des pays comme la Pologne dans la politique étrangère commune. On l'a vu au moment de la crise ukrainienne. Pour la première fois le ton fut donné par une capitale orientale (Varsovie). Pour la première fois, l'Union européenne en tant que telle, notamment à travers la personne de Javier Solana, eut plus d'importance que la France, l'Allemagne ou la Grande-Bretagne. Et pour la première fois la politique européenne fut couronnée de succès.

LA RENCONTRE AVEC L'ESPRIT DE L'EST que Washington a réussi, Bruxelles serait bien avisée d'en saisir l'importance. Sous peine de voir l'Europe éclater. Et en premier lieu sur la question russe : « La Russie de Vladimir Poutine est un problème pour l'Europe. Cette Russie ne sait pas où elle commence et où elle finit. C'est un Empire qui a des marges, pas de frontières. On l'a vu en Ukraine. Or, ne pas imposer de limites claires à un voisin si puissant et si proche, c'est une erreur grave que les anciens pays communistes ne pardonneront pas à l'Europe. »

Chirac et Schröder espèrent contrebalancer la puissance américaine en liant leur destin à celui de Poutine ? Václav Havel fait mine de comprendre mais apparaît passablement irrité par la suffisance de nos dirigeants : « Ce sont des leaders qui n'ont pas connu la domination totalitaire, le communisme, qui n'ont pas vécu dans leur chair cette arrogance soviétique, c'est-à-dire en fait cette arrogance russe. La Pologne et les pays baltes connaissent mieux la Russie et vous pouvez leur demander ce qu'ils pensent de l'*appeasement* franco-allemand vis-à-vis du Kremlin. »

Comment préférer Bruxelles à Washington si Paris et Berlin continuent à jouer Moscou malgré Prague et Varsovie, voire contre Prague et Varsovie ? « Pourquoi préférer Bruxelles à Washington tout simplement ? » nous répond Havel. Avant d'ajouter : « L'Europe ne se fera pas contre les États-Unis. Ce n'est pas possible et ce n'est surtout pas souhaitable. »

À l'est de l'ancien rideau de fer, des millions de jeunes Européens ignorent nos peurs, rejettent nos haines et ne comprennent même pas les questions qui nous obsèdent. Fers de lance de la conquête démocratique des marges européennes, ils font souffler un vent de fraîcheur dans notre vieille maison.

Ce sont les enfants de Václav Havel. ■

Un *komsomol* au volant, Balakhna, 1931. © Arcadi Chaïkhet.

467-

LES PARADOXES DE L'ANTIAMÉRICANISME

PASCAL BRUCKNER

En Europe et à tout le moins en France, l'antiaméricanisme constitue une structure fondamentale de la pensée et de la vie politique. Dans ses formes les plus extrêmes, il incarne un principe d'interprétation globale. Décryptage d'une pathologie nationale.

Interrogé par Philip Roth sur sa vie d'écrivain, Saul Bellow a raconté un épisode particulier de sa carrière, son installation à Paris en 1948 : « Oh, les Américains avaient libéré Paris, maintenant c'était au tour de Paris de faire quelque chose pour moi. La ville était plongée dans une profonde dépression. [...] La tristesse partout était lourde et laide. La Seine sentait comme une mixture pharmaceutique. Le pain et le charbon étaient encore rationnés. Les Français nous haïssaient. J'avais une explication juive pour cela : la mauvaise conscience. Non seulement avaient-ils été écrasés par les Allemands en trois semaines mais ils avaient collaboré. Vichy les avait rendus cyniques. Ils prétendaient qu'il y avait eu un vaste mouvement souterrain tout au long de la guerre mais la vérité semblait être qu'ils avaient passé leurs années de guerre à chercher de la nourriture dans la campagne. Et ces fils de putes étaient aussi patriotes. La France avait été humiliée et c'était la faute de leurs libérateurs, les Britanniques et les GI[1]. »

UNE PRODUCTION DE STÉRÉOTYPES L'explication par l'Amérique nous offre le vertige du panorama et permet d'embrasser la totalité du réel.

Si l'Amérique n'existait pas, il faudrait l'inventer : sur quel bouc émissaire aussi commode pourrions-nous nous laver de nos péchés, nous défausser de nos ordures ? Où trouverions-nous un tel centre de blanchiment des crimes de la planète puisque tout ce qui va mal sur cette terre, du réchauffement climatique au terrorisme, peut lui être imputé ? C'est une chance finalement pour une dictature, un groupe criminel d'être pourchassés, montrés du doigt par les États-Unis. Cela leur vaut immédiatement la sympathie, la bienveillance de tous ceux pour qui « le seul racisme autorisé dans le monde moderne est d'être antiaméricain » (Chris Patten).

N'en doutons pas un instant : si le débarquement de juin 1944 avait lieu aujourd'hui, l'oncle Adolf jouirait de la sympathie d'innombrables patriotes et radicaux de la gauche extrême au motif que l'oncle Sam tenterait de l'écraser.

Écartons d'emblée un contresens : l'antiaméricanisme n'est pas une critique de l'Amérique, de ses fautes ou de ses crimes. Comme toute démocratie et spécialement comme superpuissance qui use et abuse de son pouvoir, les États-Unis sont éminemment critiquables et les Américains eux-mêmes ne s'en privent pas. De la même façon ne confondons pas l'antiaméricanisme avec l'hostilité à George W. Bush, cet ambassadeur impopulaire de la liberté, dont le style, mélange de bigoterie militante et de messianisme exalté, lui vaut une antipathie quasi universelle. Tant que son Administration restera au pouvoir et portera le poids d'un semi-échec en Irak, de la torture institutionnalisée, les États-Unis souffriront de par le monde d'un supplément de rage et d'aversion par rapport à l'animosité qu'ils suscitent naturellement.

Non, l'antiaméricanisme est un discours autonome. Il se nourrit de soi-même et s'émancipe de la réalité : l'événement ne l'ébranle pas mais le confirme ou le renforce même lorsqu'il semble le contredire. Produit par la caste intellectuelle depuis deux siècles, l'antiaméricanisme forme un de ces grands récits de la modernité doté d'une capacité fédératrice et allégorique : en parlant des États-Unis, il en dit long sur l'Hexagone et le Vieux Monde en général. Il existe bien sûr mille raisons de détester l'Amérique revêtue de tous les signes auxquels se reconnaît la culpabilité de l'Occident : aussi riche qu'inégalitaire, dominatrice, arrogante, polluante, fondée sur un double crime, le génocide des Indiens et l'esclavage des Noirs, ne prospérant que par la menace et les canons, indifférente aux institutions internationales qu'elle soutient du bout des lèvres quand elle ne les récuse pas, tout entière vouée au culte du billet vert, la seule religion de ce pays matérialiste. Rajoutons que pour les Européens de l'Ouest, il est difficile encore aujourd'hui de pardonner aux États-Unis de les avoir libérés du

* PASCAL BRUCKNER *est romancier et essayiste. Il est notamment l'auteur de* L'Euphorie perpétuelle, essai sur le devoir de bonheur *(Grasset, 2000).*

America, America d'Elia Kazan. © Collection *Les Cahiers du cinéma.*

joug nazi et fasciste, de leur avoir épargné l'épreuve du communisme. Certaines générosités sont des formes d'affront surtout quand elles soulignent nos faiblesses et prouvent à quel point la petite cousine yankee a dépassé, en vigueur, en créativité, ses aïeules du continent. On ne critique pas le Grand Satan américain comme on critique l'Italie, l'Espagne, la France ou la Russie. Les États-Unis concentrent sur eux, en Europe et ailleurs, une répugnance particulière qui constitue presque un hommage : une telle détestation vaut élection. Elle prouve que cette nation est prise au sérieux alors que la sympathie bienveillante dont jouit l'Europe signifie simplement que notre continent ne compte plus. Car l'Amérique, aux yeux de ses ennemis, est condamnable non pour ce qu'elle fait mais parce qu'elle est. Son seul crime est d'exister. Quoi qu'elle fasse, qu'elle intervienne sur le théâtre extérieur ou qu'elle reste cloîtrée dans ses frontières, elle a tort. Plus nos intellectuels sont laïcs, désenchantés, plus ils ont besoin du diable américain auquel ils croient de toutes leurs forces. Raymond Aron disait déjà de Sartre que les États-Unis jouaient dans son imaginaire le même rôle que les Juifs dans la démonologie national-socialiste. Il y a d'ailleurs une parenté entre l'antiaméricanisme et l'antisémitisme puisque l'un et l'autre sont des pathologies de la proximité. Les Américains sont maudits en raison de la déviation minuscule qu'ils représentent par rapport à l'Europe, frères ennemis, presque semblables et pourtant différents. La haine vise le parent, le cousin dont on désavoue l'insupportable contiguïté. L'Amérique c'est la mauvaise Europe, coloniale et arrogante, sa fille dénaturée qui concentre tous les traits négatifs de ses patries d'origine. Double de l'Europe peut-être mais au sens où les parents les plus sains peuvent enfanter des monstres. Pour qu'un verdict irrévocable soit rendu à l'encontre de Washington, il faut que cette progéniture déshonorante occupe plusieurs rôles contradictoires, qu'elle soit la parente et la hors caste, que son voisinage ne dissimule pas une distance infranchissable, en somme qu'elle représente le chancre lové au cœur de l'Occident.

LES VISAGES DE LA RÉPROBATION Dès que l'on évoque les États-Unis, les meilleurs esprits quittent le domaine de la raison. Dans les années 80, Alain de Benoist, idéologue de la Nouvelle Droite, écrivait : « Je préférerais encore être sous le joug de l'Armée rouge que d'avoir à manger des hamburgers. » Début 1999, le philosophe français Jean Baudrillard démontrait à son tour dans *Libération* comment l'Otan et Washington avaient monté un complot pour aider Milosevic à liquider les Albanais du Kosovo. En 1991, dans un article du *Monde*, un critique de cinéma comparait la production de Hollywood à la Propaganda-Staffel de Goebbels. Durant le bref conflit du Kosovo, le dramaturge anglais Harold Pinter, nobélisé depuis, a déclaré : « Voici la définition de la politique étrangère américaine : "Baise mon cul ou j'écrase ta gueule." Milosevic a refusé de baiser le cul de l'Amérique, alors Clinton écrase la gueule du peuple serbe[2]. »
À la même époque le philosophe trotskiste Daniel Bensaïd rejette d'un même trait Milosevic et l'Otan, « deux formes parfaitement contemporaines et jumelles de la barbarie moderne ». Pour sa part, le directeur du musée Picasso de Paris, Jean Clerc, compare Belgrade à Guernica et les aviateurs américains aux pilotes nazis, indifférents aux populations qu'ils écrasent. Le 11-Septembre aura donné lieu aussi à un florilège intéressant : à commencer par les théories du complot lancées en France par Thierry Meyssan et en Allemagne par un ancien ministre SPD, von Bülow. Ils « révélaient » que le Pentagone lui-même avait lancé des avions contre les tours pour prendre le pouvoir. Les écrivains allemands Günter Grass et Botho Strauss pointèrent dans l'effondrement des tours « les doigts imprécateurs de la finance tranchés » et dans l'expédition en Afghanistan « la guerre des méchants contre les méchants ». La palme revient en la matière à Jean Baudrillard qui se dit, tel Néron face à Rome en flammes, fasciné par l'esthétique « jubilatoire » de l'attentat et renvoie dos à dos les protagonistes. Le système américain a tellement monopolisé la puissance qu'il force les terroristes à lui répondre par un acte définitif et brutal : « Terreur contre terreur, il n'y a plus d'idéologie derrière tout cela. » En 2003, lors de la préparation de la deuxième guerre du Golfe, un ancien ministre socialiste met sur un pied d'égalité George Bush et Ben Laden (il reviendra sur cette affirmation ensuite) et *Le Nouvel Observateur* dépeint le chef de la Maison-Blanche sous les traits du « dictateur » de Chaplin jouant avec le globe, c'est-à-dire qu'il l'assimile à Hitler ! En 2003 toujours, le démographe Emmanuel Todd annonce dans son livre *Après l'empire* l'écroulement inéluctable du système américain et l'ascension irrésistible de l'Europe. Inutile désormais d'être antiaméricain, puisque l'Amérique, entraînée dans ses délires militaristes, est finie. Nous n'aurons pas la cruauté de confronter ces propos avec la réalité d'une Europe en lambeaux et d'une France en crise aggravée. Mais encore une fois, la complexité du monde est le principal ennemi de ces « théoriciens » qui ressortent leur stock de poncifs pour « interpréter » l'actualité, c'est-à-dire l'annexer à leurs préjugés : on n'est plus ici dans l'analyse politique mais dans le registre religieux de l'anathème.

LE DESPOTISME AFFABLE En somme, non seulement l'Amérique est la réincarnation du IIIe Reich, « Hitler made in USA » comme disaient les communistes français dans les années 50, mais en plus nous sommes « coca-colonisés » pour reprendre une vieille expression. La force de l'Amérique serait donc d'occuper nos cerveaux par la « persuasion clandestine » pour utiliser le titre célèbre de Vance Packard. Nous avons tous « l'Amérique dans la tête » et ceux qui croient parler et décider librement sont de simples ventriloques de

l'oncle Sam, des marionnettes dont d'autres tirent les ficelles.
« Avec CNN, écrit Régis Debray, la planète entre en Amérique et la politique étrangère de la métropole achève de s'intégrer à sa politique intérieure ; et à l'intérieur de McWorld l'Amérique, fournissant à tous le son et l'image par grand et petit écran, meuble à ses conditions l'inconscient collectif des jeunes de banlieue jusqu'aux gouvernements. [...] L'Amérique n'a même plus besoin d'être dominatrice, elle est devenue pour nous irréfutable, c'est-à-dire intérieure[3]. » Parce qu'elle formate le style et le rythme des images modernes, « elle pénètre en nous par les yeux » explique Ignacio Ramonet du *Monde diplomatique*. Peu importe que les films ou les séries soient français, allemands, italiens, chinois, brésiliens, dans le fond ils sont tous gagnés par l'esthétique yankee. « L'américanisation des esprits est tellement avancée que la dénoncer apparaît à certains de plus en plus inacceptable. Il faudrait pour y renoncer être prêt à s'amputer d'un grand nombre de pratiques culturelles (vestimentaires, sportives, ludiques, distractives, langagières, alimentaires) auxquelles nous nous livrons depuis l'enfance et qui nous habitent en permanence. Beaucoup de citoyens européens sont désormais des transculturels, des mixtes irréconciliables possédant un esprit américain dans une peau d'Européen[4]. » On se souvient que pour décrire le phénomène colonial, le psychiatre antillais Frantz Fanon avait utilisé dans les années 60 la métaphore des « peaux noires, masques blancs ». La mentalité du colon a pénétré la tête du colonisé et faussé sa vision du monde, l'amenant à pactiser avec son maître.
Autrement dit, consentants ou non, nous sommes des collabos du géant américain, installé dans notre intimité, régnant en souverain. Il est vrai que l'antiaméricanisme ne serait pas si virulent s'il ne cachait une dose importante de fascination. L'Amérique : le plus grand pouvoir d'attraction et le plus grand pouvoir de répulsion. Elle horripile et envoûte parce qu'elle incarne la modernité dans ses pires et ses meilleurs aspects avec ce petit plus d'excès et de démesure qui la rend unique. Cette terre d'exception autant que d'élection a ouvert des horizons nouveaux aux autres peuples. Dans la fureur qu'elle inspire entrent de la stupeur, de l'admiration, de la jalousie.

Les mêmes qui brûlent la bannière étoilée se précipitent dans les fast-foods, ne voient que des films « made in USA » et vomissent le géant américain dans les symboles mêmes de l'Amérique.

Ainsi les États-Unis, cette république roturière, nouveau riche, dépourvue de style et de manières, ce parangon de vulgarité et de clinquant, suscitent-ils, même chez leurs détracteurs, une adulation singulière. Une telle exécration, qui traverse les siècles, les générations, les clivages politiques, est un privilège. Aucune puissance n'est aujourd'hui aussi diffamée, piétinée et donc vénérée. Les mêmes qui brûlent la bannière étoilée se précipitent dans les fast-foods, ne voient que des films « made in USA » et vomissent le géant américain dans les symboles mêmes de l'Amérique.

LA FRANCE OBNUBILÉE PAR L'ONCLE SAM

Voyez le cas de la France : elle s'est toujours vécue en rivalité avec les États-Unis. Ce sont les deux seules nations porteuses d'un messianisme universel. Bien que Paris et Washington ne se soient jamais fait la guerre, une coexistence belliqueuse caractérise les rapports entre nos pays, surtout depuis que la civilisation anglo-saxonne, de par ses succès, éclipse la civilisation française. Il n'est pas exagéré d'écrire que la France d'aujourd'hui, se détournant de ses voisins, ne regarde que vers l'Amérique, unique objet de son ressentiment. La France déteste l'Amérique parce qu'elle lui ressemble trop, en miniature : même fatuité, même certitude d'incarner l'excellence, même mélange de moralisme et de cynisme. Mais il lui manque les moyens de la puissance. Pour cela l'antiaméricanisme est en France une machine à consensus, le seul moyen de réconcilier toutes les familles politiques et intellectuelles. Régis Debray, commentant avec amertume la décision de la Pologne de préférer les F16 américains aux Mirage français, qualifia en 2003 cette nation d'« Amérique de l'Est ». Suprême infamie : si les nouveaux entrants en Europe ne font pas allégeance au modèle gaulois, les voilà rejetés dans le camp yankee, accusés d'allégeance, de servilité. Durant la campagne pour le référendum sur la constitution européenne en 2005, les partisans du oui comme ceux du non accusaient leurs adversaires de faire le jeu de George W. Bush, promu en ennemi majuscule, en Grand Satan. Comme l'a souvent exprimé Dominique de Villepin, le principal titre de gloire de notre pays est de résister à l'Amérique, de souligner ses lacunes, de lui mettre des bâtons dans les roues, de la dénoncer toujours et partout. C'est là une entorse à la tradition gaulliste puisque le général avait pour principe de soutenir l'Amérique en temps de crise quitte à s'opposer à elle en temps de paix. Beaucoup à Paris préfèrent désormais détruire la communauté des nations démocratiques plutôt que de s'associer, aux côtés de l'Amérique, à la destruction des dictatures. C'est ainsi que *Le Monde* du 25 décembre 2003, faisant état de difficultés consécutives au refroidissement des relations entre Paris et Washington après la chute et l'arrestation de Saddam Hussein, titrait en première page : « Les USA et la France en état de guerre larvée ! » Diable : quel mot énorme pour traduire un différend entre alliés et qui semble relever non d'un lapsus mais d'un vœu pieux, d'une envie d'en découdre. Ce gros titre rappelle une phrase d'Alain de Benoist, déjà cité, expliquant en 1984 que la prochaine guerre mondiale au XXIe siècle opposerait l'Europe et l'Amérique.

Comment ne pas voir toutefois que cette animosité est un lien plus fort qu'une amitié de surface ? L'Amérique est en France une passion très ancienne parallèle à notre implantation de jadis en Louisiane et au Canada : l'attraction des grands espaces, la conquête de l'Ouest, l'épopée indienne, la bande dessinée, le thriller, le film noir, le jazz, le blues, la soul, le funk, le rap continuent de faire rêver de ce côté-ci de l'Atlantique. Les Français font un triomphe à la *dream factory* de Hollywood, lisent et traduisent presque tous les romanciers américains, même les plus mauvais, se ruent sur les séries télévisées du Nouveau Monde, se rendent en masse chaque année à New York ou Miami. Ne parlons même pas de ce nouveau pidgin ou charabia qui s'est répandu comme traînée de poudre dans le monde des affaires et des publicitaires, c'est-à-dire l'insertion de mots ou de phrases en anglais dans la conversation. Il rappelle l'anglomanie des classes dirigeantes au XIXe siècle. On pourrait dire que l'usage du franglais est en général inversement proportionnel à la connaissance de l'idiome de Shakespeare et constitue une injure au génie des deux langues. Notre plus célèbre chanteur national, Johnny Hallyday, est un clone d'Elvis Presley, un rocker mimétique entièrement habité par les mythologies musicales américaines. Bref, tout cela ne va pas sans snobisme et jobardise. Les Français ont d'ailleurs une tendance irrépressible à copier les défauts de l'Amérique – correction politique, judiciarisation à outrance – et à éluder leurs qualités. Plus ils adoptent certaines méthodes anglo-saxonnes au travail ou dans le droit, plus ils en récusent l'origine. Le décalque se fait sur le mode de la dénégation. La vénération de l'Amérique se fera volontiers par le biais de ces Américains « dissidents » qui se réclament de la contre-culture et se veulent critiques de leur patrie. L'amour se trouve alors dédouané et s'engouffre dans cette voie, se croyant lucide et froid. Adorer l'Amérique à travers l'aversion que lui vouent certains de ses artistes constitue sans doute la forme d'attachement la plus solide.

Qu'est-ce qui nous séduit dans la culture américaine, populaire ou élitiste ? C'est d'abord, en littérature ou au cinéma, qu'elle parle du monde et non du moi, qu'elle élargisse nos horizons au-delà des maigres joies de l'introspection, du narcissisme ou de l'autofiction. C'est aussi qu'elle sache concilier les audaces formelles avec les charmes d'un récit, c'est enfin sa foi dans la perfectibilité de l'homme, son culte du héros ordinaire, homme ou femme, pris dans une situation inextricable et contraint de s'en sortir par les seules armes du courage et de la volonté. En somme, l'Amérique reste portée par un optimisme de l'amélioration quand l'Europe combine un idéalisme des relations internationales (paix, tolérance, dialogue) avec un pessimisme du changement.

LES VERTIGES DE LA POSTHISTOIRE Nous touchons là, me semble-t-il, au cœur du problème. En février 2005, Condoleezza Rice vient à Paris consacrer le réchauffement entre nos deux pays. S'exprimant à l'Institut d'études politiques, elle parle de la mission des démocraties qui est de répandre la liberté et d'abattre les tyrannies : « Nous savons, dit-elle, que nous devons faire face au monde tel qu'il est, mais nous ne devons pas accepter ce monde tel qu'il est. » La presse française s'étonne de ce langage, se cabre, parle d'exaltation, d'extrémisme. Étrange amnésie : car la secrétaire d'État américaine, par ces mots très simples, rappelait aux Français qui l'avaient oublié le message de la révolution de 1789. En ce sens l'Amérique incarne bien le trésor démocratique que nous avons refoulé. Nous lui en voulons d'avoir grandi sur notre rapetissement, mais surtout de défendre, parfois de façon brouillonne et brutale, des valeurs que nous avons enterrées. Tel un fils qui reprend le flambeau abandonné par ses pères, elle nous rappelle à notre mission. Nous la détestons pour ses bons côtés puisqu'elle reste, en dépit de tout, la patrie de la liberté conquérante quand la Vieille Europe, à l'exception notable du Royaume-Uni, a décidé de limiter la liberté à ses frontières et de composer avec tous les régimes, quels qu'ils soient. Les États-Unis croient encore aux vertus de l'action commune quand l'Europe, échaudée par une histoire effroyable, se cantonne à la prudence, à la défense du *statu quo*. On peut le déplorer mais partout où les peuples souffrent et gémissent dans les chaînes, Bosnie et Kosovo hier, Géorgie, Ukraine, Kurdistan aujourd'hui, c'est vers les États-Unis qu'ils se tournent et non vers Paris, Bruxelles ou Berlin. Même les Palestiniens croient plus en Washington pour construire leur État que dans les vertus de l'Union européenne.

Pour le Vieux Monde qui se pense comme postnational, postmoderne, posthistorique, le crime majeur des États-Unis (et à un moindre degré d'Israël), c'est d'être des fauteurs d'histoire au double sens du terme, encore englués dans cette dramaturgie sanglante dont nous sommes sortis à grand-peine. « Ils en sont encore là ! » nous exclamons-nous en voyant les GI embourbés en Irak. À cause d'eux, le vieux cortège archaïque de massacres, de vengeances, d'exterminations risque de reprendre : leur folie guerrière nous met en danger. De vieilles nations, toutes couturées de cicatrices et encore meurtries par leurs égarements d'hier, admonestent cette jeune superpuissance et la supplient de garder la tête froide, de renoncer à la guerre au profit de la concertation. Nous sommes la raison du monde, ils en sont la folie. C'est exactement ce qu'expliquait Dominique de Villepin

le 23 mars 2005 : « L'Europe et la France ont acquis un temps d'avance par rapport à d'autres pays. Nous sommes revenus de nombreuses guerres, d'épreuves et de barbaries dont nous avons tiré les leçons. »
Ce raisonnement vertueux oublie un petit détail : que l'Europe, pour l'instant démunie d'outils politiques et militaires crédibles, dépend encore du grand frère yankee pour sa sécurité. C'est lui, si critiquable soit-il, qui continue à jouer le rôle ingrat de gendarme du monde, même si c'est un gendarme surmené et malhabile. Immaturité flagrante : nous préférons maudire que grandir. L'Europe n'a toujours pas atteint la stature d'un acteur historique et n'a pas de solution alternative à offrir à la politique de la Maison-Blanche. Sauf à se cantonner à la diplomatie du roquet qui mord et aboie pour exister. On rêverait entre le Vieux et le Nouveau Monde d'un partage des responsabilités, on rêverait surtout d'une conversation entre deux cultures qui ont beaucoup à s'enseigner l'une l'autre en termes d'audace et de sagesse, de modération et de passion. L'Europe a désappris l'ivresse de la conquête, elle a surtout acquis le sens de la fragilité des affaires humaines. Mais elle est minée aujourd'hui par un scepticisme grandissant qui lui interdit d'être un contrepoids intelligent à l'hégémonie de sa cousine d'outre-Atlantique. L'antiaméricanisme n'est que le symptôme de cette faiblesse. La relation d'amour-haine a de beaux jours devant elle. ■

1. Philip Roth, « "I got a scheme !", The Words of Saul Bellow », *The New Yorker*, 25 avril 2005.
2. Harold Pinter, « Clinton est dangereux », *Libération*, 9 avril 1999.
3. Régis Debray, « L'Europe somnambule », *Le Monde*, 1er avril 1999.
4. Ignacio Ramonet, *Propagandes silencieuses*, Galilée, 2000, pp. 14-15.

Bush et la mauvaise foi

Pas de chance pour les protestants comme moi ! Le plus célèbre d'entre eux, George W. Bush, est probablement l'homme le plus vilipendé en France par les médias, les intellectuels et l'opinion publique. Même les plus grands dictateurs du XXe siècle, Hitler jusqu'en 1939, Staline et Mao jusqu'à leur mort, n'ont pas été à ce point traînés dans la boue par l'intelligentsia française... Il faut dire que contrairement à Bush, ils comptaient des sympathisants, parfois nombreux, dans l'opinion publique !
Entendons-nous bien : il est tout à fait légitime de critiquer un homme politique pour la politique qu'il mène. Mais souvenez-vous des « Guignols de l'info » : dès les premiers mois de sa présidence en 2001, Bush était caricaturé comme le crétin absolu, totalement décérébré. Je dois bien avouer que je n'étais pas loin de partager ce point de vue. L'homme apparaissait comme antipathique, peu cultivé, gaffeur et surtout partisan de la peine de mort.
Puis, les événements dramatiques se sont succédé : attentats du 11 septembre, guerre en Afghanistan, guerre en Irak, terrorisme mondial. Et les commentateurs politiques ont changé peu à peu de registre : Bush n'est plus un crétin congénital. Certains disent même de lui qu'il est rusé, voire intelligent. Leur opinion n'en reste pas moins négative : c'est un manipulateur et, surtout, un fanatique religieux.
Certes, nul ne reproche à Bush d'être un chrétien. Il n'est pas le premier président des États-Unis qui affiche sa foi.
Le plus religieux de ses prédécesseurs à l'époque moderne a probablement été Jimmy Carter. Mais Carter était plus discret que Bush, il avait une personnalité très différente.
En revanche le Président actuel est soupçonné d'appartenance à une secte protestante : le courant « évangélique » présenté comme l'équivalent du fondamentalisme musulman par une grande partie de la presse à l'instar d'une couverture fracassante du *Nouvel Observateur* au printemps 2004. Les médias français ont fait preuve à ce sujet de leur grande ignorance en matière religieuse.
Car « évangéliste » est un substantif qui définit une personne ayant pour fonction d'évangéliser. Les quatre auteurs des Évangiles du Nouveau Testament sont des évangélistes parce qu'ils ont évangélisé le monde en écrivant leurs livres. Dans le langage ecclésial moderne, l'adjectif « évangélique » s'applique à un courant théologique ayant sa source dans la seconde moitié du XIXe siècle. Ce courant s'est opposé aux innovations théologiques et exégétiques du mouvement protestant « libéral ». Il met l'accent sur la piété, la conversion personnelle, les dons de l'esprit et propose une lecture plutôt littérale des Écritures. Les *born again* sont les personnes qui ont fait l'expérience d'une conversion qui a été une sorte de nouvelle naissance dans leur vie.
Il existe aujourd'hui des « évangéliques » dans des Églises qui se veulent exclusivement « évangéliques » (pentecôtistes, baptistes, etc.) mais il y a aussi des « évangéliques » dans toutes les Églises protestantes traditionnelles (luthériennes, presbytériennes, épiscopaliennes, etc.) et dans l'Église catholique (les « charismatiques »).
Tous les évangéliques n'ont pas voté pour Bush et de nombreux catholiques, traditionnellement plutôt démocrates, n'ont pas voté pour Kerry.
Contrairement à celle des islamistes, la politique de George W. Bush ne découle pas automatiquement de son engagement religieux. Personnellement, je ne ressens aucune affinité avec le courant évangélique de style *born again* auquel Bush appartient ouvertement (d'une manière formelle, il est méthodiste depuis son mariage).
Mais je pense que l'on ne doit pas traîner dans la boue un homme parce qu'il lit la Bible, prie plusieurs fois par jour et que l'Évangile l'a aidé à se délivrer de l'alcool. D'accord : en France, cela semble incongru. Mais il s'agit des États-Unis ! En assimilant cette pratique religieuse, que je trouve personnellement excessive, à l'intégrisme islamiste, beaucoup de nos journalistes, de nos hommes politiques mais aussi de nos chrétiens français, aveuglés par un certain pacifisme, ont fait preuve d'ignorance et de... mauvaise foi.

Jean-Michel Perraut

LEO STRAUSS ET LES NÉOCONSERVATEURS

LE CONSERVATISME ABANDONNÉ

ANNE NORTON

Dans* Leo Strauss et la politique de l'empire américain, *Anne Norton brosse un portrait enlevé de la galaxie straussienne aux États-Unis. Dans ce chapitre, elle démontre que le néoconservatisme théorisé par maints straussiens n'a, en fait, rien à voir avec le conservatisme traditionnel américain.

Les straussiens sont conservateurs. Pourquoi ils le sont tient un peu du mystère. Le travail de Strauss sur Platon, Xénophon ou d'autres figures du canon ne débouche pas inévitablement sur le conservatisme. Que Strauss lui-même fût conservateur ne devrait guère compter. Hegel prônait la monarchie : on continue de le lire et de l'admirer dans les démocraties libérales. Les féministes se servent de Nietzsche et de Rousseau. Les républicains admirent les agrariens du Sud[1]. Les professeurs ne clonent pas, ils enseignent. Les grands professeurs produiront des étudiants très différents d'eux. Comme l'écrivait Nietzsche :

> *Seul celui qui s'élève sur sa propre voie*
> *Porte avec lui mon image à la lumière.*

De loin en loin, me dit-on, il y a eu des straussiens libéraux et de gauche. Cela a changé. L'espèce s'est éteinte, elle est morte dans le sillage des événements cosmiques de la fin des années 60. Les élèves de Strauss se laissant submerger par ses disciples, la politique – la politique de l'heure – a éclipsé la philosophie. De mon temps, les disciples de Strauss étaient exclusivement conservateurs. De jour en jour, ils le sont moins.

Le conservatisme américain qui a jeté son dévolu sur Strauss était clairement attaché à quelques dogmes simples. Les conservateurs révéraient la coutume et la tradition. Dans leur esprit, la responsabilité accompagnait la richesse et le pouvoir. Ils résistaient au changement. Ils se méfiaient des principes abstraits, des grandes théories et des projets utopiques. Ils se targuaient de leur considération pour l'éducation et les arts. Par-dessus tout, ils prônaient un État petit. Cette attitude, avec les positions politiques qu'elle exprimait, a derrière elle une histoire longue et honorable. De notre temps, le conservatisme américain a rompu avec les principes prudents de cette tradition.

Les conservateurs américains d'antan suivaient l'homme d'État et théoricien britannique Edmund Burke dans son respect des coutumes et de la sagesse inscrite dans des pratiques consacrées de longue date. Burke avait été désolé de voir l'Empire britannique laisser filer les colonies américaines. L'auteur d'un fameux « Discours sur la réconciliation avec les colonies » évoqua avec prescience la force future de l'Amérique et ses liens durables avec la Grande-Bretagne. L'Amérique et la Grande-Bretagne, soutenait Burke, étaient unies par des « liens, certes légers comme l'air, mais solides comme des chaînes de fer ». Ils partageaient des noms communs et un sang commun, mais, par-dessus tout, une constitution commune, une histoire commune et des coutumes communes. Le temps, l'expérience et l'habitude les avaient rendus identiques.

POUR BURKE, la coutume n'était pas un simple accident ni le résidu de l'histoire. Elle était dépositaire d'un savoir qui dépassait le court laps de temps d'une vie, d'un savoir acquis au fil des générations. Burke louait les préjugés, par quoi il entendait les tournures d'esprit et les goûts, qui amenaient les gens d'une contrée à faire les choses d'une manière particulière. Les préjugés, comme devaient plus tard en convenir les philosophes, n'étaient pas simple irrationalité, mais exprimaient plutôt les dispositions, les inclinations et les préférences d'une communauté. Les communautés se façonnaient au fil du temps, réagissant aux diktats de la raison, naturellement, mais aussi aux impératifs de leurs conditions particulières. Leurs dispositions et inclinations allaient au-delà du raisonnable parce que répondant à des conditions hors de portée de la raison individuelle. Elles exprimaient l'histoire et le caractère de la communauté en même temps qu'elles préservaient cette histoire et un ensemble de relations données.

* ANNE NORTON *est professeur de science politique à l'université de Pennsylvanie, elle a notamment été l'élève de Joseph Cropsey.* Leo Strauss et la politique de l'empire américain *paraîtra aux Éditions Denoël en mars 2006.*

Nous devrions nous incliner devant ces choses, plaidaient les conservateurs, parce que le savoir des générations passe par le nôtre, et parce que nous désirons préserver nos liens avec ceux qui nous ont précédés. Le raisonnement abstrait et les projets utopiques étaient dangereusement enclins à l'erreur. Leur fiasco semait le chaos et le trouble. Leur succès, si grand fût-il, tranchait les liens avec le passé et détruisait le caractère singulier d'une communauté forgée dans le lent écoulement du temps. Les conservateurs de cette trempe, comme Edmund Burke, prisaient la coutume et la pratique, vénéraient la mémoire et honoraient ce qui faisait le caractère propre d'une communauté installée et partageant une vie commune. Cette tradition conservatrice a revêtu diverses formes en Amérique. Toutes n'ont pas été toujours et partout jugées conservatrices, mais toutes reflétaient la sensibilité conservatrice de Burke. Comme il se doit, le respect de la tradition était plus fort dans les régions où la vie commune était le fruit de la succession de nombreuses générations vivant (et souvent, travaillant la terre) au même endroit. Les diverses traditions de la Nouvelle-Angleterre et du Sud trouvèrent un terrain d'entente dans le sentiment de la présence permanente du passé. Ces conservateurs ont cherché à préserver une vie commune. Quoique leurs attitudes fussent diverses en matière de politique ou de religion, les agrariens du Sud se retrouvaient dans leur amour de la terre et leur conviction que le travail de la terre mettait ceux qui en vivaient en communion plus intime avec elle. Ils vivaient largement comme leurs ancêtres. Sans doute n'employaient-ils pas les mêmes outils, mais ils connaissaient les mêmes rythmes de vie, étaient liés par le même cycle des saisons et attendaient les mêmes changements de temps. Ils étaient liés à la terre, avec ceux qui en vivaient et ceux qui en avaient vécu avant eux. Les rythmes de la nature – plantations et moissons, mois pleins et mois de jachère – donnaient à leur vie un ordre dont l'écho se répercutait à travers les générations.

Le travail de la terre perpétuait les liens entre les générations, mais aussi les liens entre classes. Qu'ils fussent riches ou pauvres, qu'ils eussent beaucoup de terres ou un simple lopin, ces paysans partageaient les mêmes soucis. Ils attendaient le début ou la fin des pluies, ils étaient enclins à soutenir les mêmes politiques économiques. Propriétaire ou ouvrier agricole, ils voyaient pousser les mêmes cultures, humaient les mêmes odeurs qui se dégageaient de la même terre. De ce point de vue, les sens et la vie organisée autour de la terre soudaient les hommes par-delà les différences de richesse et de pouvoir et les différences liées à l'écoulement du temps. Ces conservateurs d'antan, désireux de préserver une communauté et de faire avancer l'histoire, redoutaient ce qui pouvait briser les liens assurant la cohésion de la communauté. Ils n'étaient pas tous agrariens, même si, moins instruits par Marx et le marxisme que par les conflits industriels du XIXe siècle, tous reconnaissaient les dangers auxquels la vie industrielle exposait la communauté. Comme le Premier ministre britannique Benjamin Disraeli, dont le roman *Les Deux Nations (Sybil)* [2] brossait le tableau d'une société déchirée par la distance entre les riches et les pauvres, ils croyaient au devoir du privilège. Dans *Sybil* et à travers le mouvement « Jeune Angleterre », Disraeli forgea une vision qu'une sensibilité contemporaine pourrait appeler un conservatisme de la compassion, où le privilège allait de pair avec le devoir d'attention. Comme Disraeli, ces conservateurs américains se tournaient vers le mythe pour rappeler les privilégiés à leurs devoirs et consoler les infortunés. Tout le monde ne pouvait être riche, bien né, bien éduqué et bien élevé. Il fallait apprendre aux riches et aux privilégiés à alléger le sort des pauvres, à donner un coup de pouce aux gens doués et travailleurs, et à protéger les vulnérables. Les pauvres, les faibles et les infortunés devaient se tourner vers les privilégiés en quête de protection et apprendre à trouver l'honneur dans leur humble condition. Ce courant conservateur cultivait ce qu'une autre politique, très différente, appellerait une éthique de la sollicitude. La philanthropie américaine lui doit beaucoup. Il ne s'agissait pas simplement du sentiment de « noblesse oblige » associé à une politique puritaine. Pour autant qu'elle suivît Disraeli, elle reconnaissait aussi que l'imagination a le pouvoir de transformer l'expérience et de façonner le désir politique. C'était un conservatisme de l'imagination, forgeant une vision qui rendait la hiérarchie plaisante, voire engageante.

Disraeli forgea une vision qu'une sensibilité contemporaine pourrait appeler un conservatisme de la compassion, où le privilège allait de pair avec le devoir d'attention.

TOUT CELA EXIGEAIT PLUS QUE DE LA CIVILITÉ. Les communautés que les conservateurs brûlaient de maintenir étaient soudées par des attaches personnelles en profondeur. Il existait des devoirs et des obligations de loyauté, de fidélité, de soin et de protection. On attendait des gens qu'ils s'acquittent de ces devoirs et qu'ils le fassent sans autosatisfaction ni geignements. Les liens communs nécessitaient plus que de la courtoisie commune. Ceux qui vivaient quelque part génération après génération apprenaient que la communauté nécessitait de faire attention à la fierté d'autrui autant qu'à son bien-être. Pour cette raison, peut-être, les conservateurs traditionnels se targuaient de leurs manières, d'attitudes qui n'étaient pas seulement civiles, mais élégantes, d'une conduite qui allait au-delà de la décence pour témoigner d'une générosité vraie. Le port et les manières passaient souvent pour l'héritage d'un ordre aristocratique perdu, mais ils servaient bien la démocratie. Le citoyen civil pouvait avoir le maintien et l'élégance d'un aristocrate, dès lors que le citoyen étendait à autrui cette civilité.

Ce courant conservateur était lié à un autre, qui appréciait le beau, l'élégant, le difficile et le cultivé. Les conservateurs demeurent friands d'Alexis de Tocqueville et de sa nostalgie du monde perdu de l'aristocratie. Ils ont conservé l'affection de Burke pour les formes de beauté qu'il disait sublimes. Ils croient que la démocratie n'a cure du beau, s'exaspère de la difficulté et incline à produire un monde d'utilité plutôt que d'élégance. Ils se donnent pour tâche de protéger les arts que la démocratie met en danger. Et ceux-ci vont de pair avec le constat que les goûts cultivés ont besoin de l'être. Les arts nécessitaient des mécènes ayant le loisir d'acquérir du savoir et de l'argent pour l'employer. Les arts nécessitaient des artistes. Les artistes avaient besoin de temps et de formation, et d'un mécénat suffisant pour leur assurer un gagne-pain. Le conservatisme cultivait aussi les arts et les artisans qui faisaient l'élégance et la beauté de la vie : jardiniers, architectes, éleveurs de chevaux et ébénistes. Le conservatisme américain traditionnel ne se contentait pas de cultiver ces formes de mécénat : celles-ci étaient un de ses traits distinctifs.

Chez certains conservateurs américains, l'amour des alentours et la peur de perdre ont nourri d'autres efforts de préservation. La conservation n'a pas été l'apanage des libéraux en Amérique. Les conservateurs y ont été conduits par le désir foncièrement *conservateur* de préserver l'ancien et le beau. Ce faisant, on pouvait préserver des liens avec sa mémoire et avec son histoire, avec son enfance et les expériences de ses ancêtres. Un conservatisme qui prisait la vie en un lieu donné prisait ce lieu également. Les conservateurs s'associèrent ainsi aux efforts de conservation historique et aux menées visant à préserver des éléments du patrimoine architectural.

Les conservateurs américains avaient, à juste raison, des liens tant pratiques qu'intellectuels avec leurs aïeux britanniques. Comme les Anglais, les Américains riches et puissants se targuaient de leur vie à la campagne : chasse, pêche et chevauchées. Ils ont appris à aimer la terre, à aimer y vivre. Ils se sont alliés avec d'autres conservateurs, plus américains peut-être, qui

Les conservateurs d'autrefois le savaient bien : jamais un État ne se développe autant qu'en pleine guerre.

avaient la passion de la terre en soi. Les terres sauvages, les lieux indemnes avaient leur beauté propre. L'affection du conservateur pour la terre et sa révérence devant le sublime en conduisirent plus d'un à rallier le mouvement de protection de la nature.

En Amérique, la tradition conservatrice, comme cette histoire le suggère, était largement une tradition anglaise. Elle avait d'autres ancêtres politiques anglais. Les idées des républicains du parti campagnard ont mieux pris en Amérique que sur le sol britannique. Ils professaient, dans la formulation américaine, que « le meilleur gouvernement est celui qui gouverne le moins ». Ils se sont opposés à la croissance de l'État. Un petit État procurait au moins deux avantages aux citoyens : il leur coûtait moins et s'immisçait moins dans leur vie.

LES CONSERVATEURS AMÉRICAINS ont particulièrement résisté à l'expansion du gouvernement fédéral. La tradition conservatrice de méfiance à l'égard de l'État court des Pères fondateurs jusqu'à aujourd'hui. Comme d'autres aspects du conservatisme américain, elle a, par moments, franchi la barrière séparant la droite de la gauche pour unir la nation. La méfiance envers l'autorité centrale rappelle éventuellement les révolutionnaires en rébellion contre l'autorité centrale en Grande-Bretagne. Peut-être, comme le pensait Louis Hartz, est-ce l'héritage de ce moment de l'histoire anglaise qui a façonné les colonies américaines tout en les rendant différentes de la mère patrie. Peut-être est-ce le souvenir de la colonisation d'une frontière, du temps où l'État était loin et où les colons étaient livrés à eux-mêmes, à leurs propres forces. Quelles qu'en soient les origines, la méfiance à l'égard de l'État est demeurée forte en Amérique. S'ils ont admis que le pouvoir est nécessaire pour « assurer la défense commune et promouvoir le bien-être général », les Américains ont aussi perçu que le pouvoir fédéral pouvait se retourner contre les États et la population. Ils l'ont circonscrit, limité par la loi et la coutume, et en ont discipliné l'exercice. Ils ont pris des pouvoirs que d'autres nations avaient centralisés pour les remettre aux États, aux comtés, aux villes et à la population.

La méfiance envers le gouvernement fort a inspiré les articles de foi les plus clairs du programme politique conservateur en Amérique. Les conservateurs pouvaient bien différer quant à la valeur du mythe et de la mémoire, au respect des ancêtres et de l'effort, à l'importance de l'éducation. Ils pouvaient bien être partagés quant aux vertus des grandes sociétés. Les agrariens du Sud et ceux qui avaient la nostalgie des communautés intimes d'antan avaient tendance à se méfier de l'idée que ce qui était bon pour General Motors était bon pour l'Amérique. Les libertariens et la droite chrétienne différaient sur le gouvernement des mœurs, mais tous étaient portés à compter la frugalité au nombre des vertus. Les conservateurs étaient unis par le désir d'un gouvernement plus petit et la conviction que les impôts – s'il y en avait – devaient être très faibles. Certains, qui se renforcèrent sous Reagan, étaient d'avis qu'il fallait rendre aux États certains pouvoirs détenus par le gouvernement fédéral. Tous s'accordaient à réprouver les extravagances du déficit des dépenses publiques.

Le conservatisme, sous toutes ses formes américaines, s'est caractérisé par un profond respect des limites. Les conservateurs américains ont prôné un gouvernement limité qui dit, de surcroît, s'inscrire fermement dans d'autres limites. Les gouvernements doivent avoir des ambitions et des budgets limités. Ils doivent s'opposer aux grandioses projets de transformation sociale. Le conservatisme budgétaire était en soi une bonne chose qui aidait à contenir dans certaines limites les projets ambitieux. La limitation des dépenses assurait la prospérité privée et publique. Les limites enserrant les ambitions gouvernementales, les plans et les projets tendraient à garder les choses en l'état. Et garder les choses en l'état avait pour effet de garder les gens à l'image de leurs ancêtres. Le respect des limites attachait un peuple à la tradition et le liait à ses ancêtres.

Le gouvernement, selon les conservateurs, devait travailler non seulement dans les limites de la loi, mais aussi dans la limite de la coutume et des précédents. Les gens devaient s'accrocher à la coutume et à la tradition, limiter le changement. Ils devaient discipliner et contraindre leur conduite à l'intérieur de limites morales et éthiques, voire esthétiques. Les conservateurs louaient la culture des vertus morales et la discipline éthique. Ils louaient le maintien digne, policé et élégant de ceux qui bridaient jusqu'à un certain point leurs émotions et leurs conduites. Ils préféraient la retenue vestimentaire et la bienséance. Le conservatisme politique favorisait le conservatisme esthétique. Il existait, bien entendu, des différences et des tensions dans l'éventail des conservateurs américains. Certains conservateurs prônaient la police des mœurs, d'autres étaient partisans de limiter les intrusions des pouvoirs publics dans la vie privée. S'ils différaient dans leur philosophie et leurs tactiques, ces conservatismes divers et souvent opposés s'accordaient dans leur respect des limites. Le respect des limites maintiendrait la vertu privée et l'ordre public.

Le conservatisme américain fleurit à la fin du XXe siècle. Les conservateurs consacrèrent du temps et de la réflexion à leurs idées tout en travaillant à les diffuser à travers la culture. Les universitaires conservateurs étaient revêches, en bisbille avec leurs collègues de gauche et du centre, et souvent les uns avec les autres. Strauss et Voegelin, Hayek, Rothbard et Kendall avaient des alliés chez des auteurs et intellectuels publics plus populaires. Jadis province de groupes obscurs aux prises avec les préjugés, les préférences et les passions des Américains, la droite trouva un public réceptif. L'image nostalgique, chère à Reagan, d'une Amérique disparue revint avec la formule : « C'est le matin de l'Amérique. » Les Américains se mirent à lire les manuels de savoir-vivre de Miss Manners et William Bennett. Des parents réclamèrent le rétablissement des uniformes et de l'enseignement des règles de bonne conduite à l'école. Une philosophie des limites s'exprima dans la limitation du nombre de mandats, la limitation des dépenses d'aide sociale et de la durée de la couverture sociale, mais aussi des interventions de l'État et des dépenses publiques. Les déficits budgétaires devaient être condamnés parce que moralement corrompus et politiquement dangereux. L'équilibre budgétaire devint un étalon de droiture publique, sinon privée.

Tout cela changea à la fin du XXe siècle. Le conservatisme américain se rallia pour de bon à l'État fort, au *big government*. Les conservateurs avaient jadis résisté à l'expansion de l'État ; ils prônèrent désormais l'extension de ses pouvoirs. La création du département de la Sécurité intérieure accrut considérablement la taille de l'État fédéral, dont les pouvoirs effectifs augmentèrent en conséquence. Les branches existantes de l'État fédéral, à commencer par le département de la Justice, usèrent avec plus de vigueur de leurs pouvoirs tout en en revendiquant d'autres qui ne leur avaient pas encore été reconnus. L'État croissant, son poids pesa plus lourdement sur les citoyens. Quiconque prenait l'avion ou passait par un détecteur de métaux dans quelque obscure administration de province était l'objet de sa vigilance. Certains (seulement certains) durent se faire enregistrer. Certains (seulement certains) qui voulaient suivre la voie de mes grands-parents et devenir citoyens se heurtèrent à une porte close ; eux-mêmes, leur mari ou leurs frères se trouvèrent jetés en prison ou déportés sans être entendus par la justice. Le déficit se creusa.

Les conservateurs d'autrefois le savaient bien : jamais un État ne se développe autant qu'en pleine guerre. Aux États-Unis, les guerres ont eu pour effet supplémentaire d'accroître démesurément les pouvoirs du gouvernement fédéral. Faire la guerre est la tâche de l'État fédéral. L'exercice du pouvoir de faire la guerre le renforce et l'étend. Encore en principe attachés à l'idée d'État modeste et frugal, les conservateurs ergotèrent devant le coût du « conservatisme de la compassion » cher à Bush, mais acceptèrent sans un murmure l'explosion des dépenses liées à la guerre d'Irak. Derrière les énormes dépenses de cette guerre, d'autres attendaient en coulisses, car le président Bush et la Défense prévoyaient une guerre sans fin contre le terrorisme.

Il y eut d'autres écarts, plus profonds peut-être, par rapport à l'*ethos* conservateur. L'« économie du goutte-à-goutte[3] » fut acceptée sans broncher. Les conservateurs qui avaient jadis parlé d'un devoir envers les moins heureux se contentaient désormais de la perspective de voir les pauvres quémander les restes des tables surchargées des nantis. Où les conservateurs se rappelaient jadis mutuellement la nécessité de veiller sur leurs employés et voisins dans le besoin, ils se contentèrent alors de s'enfermer dans des cités gardées. L'Amérique a fini par ressembler aux « deux nations » de Disraeli : « Deux nations entre lesquelles il n'y a ni rapports ni sympathie, qui ignorent les habitudes, les pensées et les sentiments de l'autre comme si elles habitaient des zones, voire des planètes différentes, qui n'ont ni la même éducation ni la même alimentation, qui ne sont pas ordonnées de la même façon ni régies par les mêmes lois. »

Dans un pays de ce genre, les mythes et les souvenirs communs se divisent à mesure que l'expérience diverge. La civilité décline. Le respect des usages, la courtoisie ont cédé la place, avec l'ascension de Rush Limbaugh[4] et ses prises de positions politiques plus polémiques et agressives. Des pratiques autrefois confinées à la radio sont devenues courantes dans les cercles plus huppés de la *National Review* et du *Weekly Standard*. Le journalisme politique, autrefois réputé pour son sérieux, a adopté le style sardonique des adolescents. De distingués juristes, autrefois parangons de bienséance, se défirent de leur souci des apparences. Antonin Scalia, juge à la Cour suprême, refusa de se récuser dans des affaires concernant son ami et compagnon de chasse, le vice-président Dick Cheney, soutenant avec un mépris des conventions qui eût fait la fierté d'un nihiliste que lui seul pouvait déterminer à quelle aune il devait juger. D'autres vertus ont disparu du canon. William Bennett a éliminé la frugalité du *Livre des vertus*. L'élégance vestimentaire d'antan et les bonnes manières sont tombées en désuétude chez ces nouveaux conservateurs.

Les appels à l'histoire et à la mémoire, la peur de perdre les bonnes vieilles vertus, de ne pas rester fidèle aux principes ancestraux ont fini par paraître curieux et archaïques. On a préféré invoquer à la place des principes universels et abstraits, les projets utopiques mêmes que les conservateurs dédaignaient. Les conservateurs en appelaient naguère à la limite et à la retenue ; on entendit désormais des appels à l'audace et à l'aventurisme. Autrefois, les conservateurs s'en tenaient fermement à la Constitution et à la communauté, à des loyautés nées de l'expérience et forgées dans une vie commune. L'heure a sonné des projets mondiaux et des croisades.

NULLE PART LE GLISSEMENT n'a été plus manifeste que parmi les straussiens actifs à Washington. Le fossé entre les riches et les pauvres s'était creusé sans que les prétendus conservateurs de la classe intellectuelle ne lâchent le moindre murmure. La suppression des impôts les plus lourds pour les plus riches, de pair avec le déclin de l'emploi et l'abrogation de pans entiers du système de protection sociale, a divisé l'Amérique en deux nations. Dans l'une, la richesse a engendré la richesse et s'est transmise de génération en génération. Dans l'autre, les gens ont entraîné leur famille dans la spirale de l'endettement. Dans une nation, les dirigeants, oublieux de leurs devoirs envers les actionnaires et les travailleurs, se sont payés grassement sans considération des résultats. Ils ont oublié les frontières séparant la jouissance privée des biens publics pour dépenser les fonds de leur société dans de somptueuses réceptions d'une étonnante vulgarité. Ainsi disparut le sens des limites qui avait autrefois permis aux conservateurs de réglementer la conduite privée et la conduite des affaires.

Le souci traditionnel de la conservation avait autrefois réuni l'Ouest et l'Est dans un commun amour de la terre. La protection de la nature ignorait les frontières des partis et de l'esprit de parti, réunissant chasseurs et végétaliens, démocrates et républicains. Désormais, même l'enthousiasme d'un Teddy Roosevelt pour les milieux vierges devint intenable. L'Arctique a été ouvert aux forages, des terres publiques à l'exploitation. Le vieux respect conservateur de la beauté et du sublime a cédé devant la nouvelle vague d'enthousiasme conservatrice pour le profit. La vieille idée conservatrice d'héritage, de patrimoine commun, a été abandonnée. Le mot *homeland*, qui évoquait autrefois la patrie, une ferme à la campagne, la grandeur des Rocheuses ou l'immensité des plaines de l'Ouest, en est venu à qualifier la « sécurité » dite intérieure *(homeland security)*.

Ainsi que l'avaient plaidé les partisans du Project for a New American Century, leur vision de l'Amérique exigeait plus : plus d'énergie de la part de l'exécutif et plus d'action fédérale, plus de dépenses militaires, plus d'armement et plus d'argent. Ils n'avaient pas fait mystère du besoin de budgets plus importants. La frugalité était bonne pour les timides. L'internationalisme robuste des nouveaux disciples de Teddy Roosevelt exigeait d'avoir les

Le journalisme politique, autrefois réputé pour son sérieux, a adopté le style sardonique des adolescents. De distingués juristes, autrefois parangons de bienséance, se défirent de leur souci des apparences.

coudées franches. Comme l'apathie et l'indifférence, la parcimonie conduirait à l'effondrement de l'ordre international. Des « coupes budgétaires excessives » avaient conduit au déclin de la force militaire. Où les conservateurs condamnaient autrefois les dépensiers, prônaient la prudence économique et l'équilibre budgétaire, Bill Kristol et Robert Kagan ont incité les pouvoirs publics à assumer la hausse des dépenses militaires nécessaire pour soutenir leur vision d'un internationalisme aussi expansif que dispendieux.

La doctrine cédant la place à la prévention, et la planification stratégique à la guerre, d'autres vertus conservatrices ont été abandonnées. Fini, le respect des anciens dogmes de la théorie de la guerre juste et des normes de l'ordre international. Les impulsifs et les opportunistes ont pris le pas sur les circonspects et les prudents respectueux du droit. Aux États-Unis de saisir l'occasion : l'heure avait sonné de leur hégémonie nourrie par un moment de réaction craintive. Le Project for a New American Century a conçu un plan ambitieux. Le second George Bush en a fait une croisade utopique, proclamant que « dans cette croisade, dans cette guerre contre le terrorisme », nous « allons débarrasser le monde des malfaisants ». Les États-Unis sont allés en Irak et en Afghanistan pour traquer les terroristes, mais aussi instaurer un « Nouvel Ordre mondial », conçu en accord avec les principes abstraits du droit et des droits. Les intellectuels straussiens et leurs publications ont salué ces événements en des termes étrangers au tempérament conservateur.

Une présidence qui fait la guerre – toute présidence qui la fait – présente des aspects autocratiques. Quand le Congrès s'incline, accordant au Président d'user librement de ses pouvoirs sans réserve, ni conseil, ni question, les pouvoirs s'accroissent.

Irving Kristol, le « parrain du néoconservatisme » (et père de William Kristol), a donné au néoconservatisme une autobiographie. Dans ce portrait, nous voyons les principaux traits du pouvoir aujourd'hui dominant. Pardessus tout, déclare Kristol, le néoconservatisme est actif et exploite pleinement la souveraineté. Les néoconservateurs se saisissent des pouvoirs que le conservatisme d'autrefois avait contestés et déclinés et ils en usent comme on le ferait d'une arme ou d'un outil puissant. La modération dans l'exercice du pouvoir a cessé d'être une vertu.

© Serge Bloch.

LE NÉOCONSERVATISME, confirme Kristol, est en rupture profonde avec le conservatisme traditionnel américain. Les néoconservateurs « négligent poliment » les hommes politiques conservateurs d'antan : les Coolidge, Hoover, Eisenhower et Goldwater. Ils négligent les anciens théoriciens conservateurs, les opinions, les habitudes et les goûts établis d'un monde plus ancien et plus vénérable. Ils ont perdu – ou peut-être rejeté – une longue histoire du conservatisme en Amérique et en Angleterre, une tradition qui a donné à l'Amérique une mémoire ancestrale ayant conservé une histoire. Loin de préserver quoi que ce soit, ce sont des révolutionnaires (ils ne manqueront pas de vous le dire).

Tel que le présente Irving Kristol, le néoconservatisme est à tous égards américain : une idéologie optimiste née d'un monde nouveau. Il est « typiquement américain » : optimiste, enjoué, robuste. « L'Europe ne connaît rien qui ressemble au néoconservatisme, et la plupart des Européens sont très sceptiques quant à sa légitimité. » Le rejet du conservatisme en Europe, affirme Kristol, est une conséquence de son caractère américain. Le tableau qu'il brosse du néoconservatisme fait apparaître un mouvement politique qui doit beaucoup à la droite européenne.

La politique étrangère néoconservatrice commence, pour Kristol, avec Thucydide. Il l'a appris de Leo Strauss et de Donald Kagan. Voici les thèses qu'il place au cœur du néoconservatisme américain : un patriotisme cultivé avec zèle ; la peur d'un gouvernement mondial et des institutions mondiales qui pourraient y mener ; et enfin, l'aspect le plus révélateur, la faculté de « distinguer les amis des ennemis ». Autant de dogmes que l'on ne retrouve pas chez Thucydide pour qui le gouvernement mondial signifiait, si tant est qu'il signifiât quelque chose, les ambitions de Darius. En revanche, ces idées sont celles d'un Européen beaucoup plus récent, Carl Schmitt. C'est lui, non pas Thucydide, qui fait de la distinction ami-ennemi, le fondement du politique, et lui qui, relayé par Strauss et Kojève, a mis en garde contre les dangers du gouvernement mondial et des institutions internationales.

LES EUROPÉENS PEUVENT BIEN être sceptiques à l'égard du néoconservatisme américain, mais leur scepticisme ne vient pas de ce qu'ils n'auraient jamais rien vu de semblable : ils n'ont que trop bien connu ses pères. Les néoconservateurs souhaitent un État fort, et un État qui fasse usage de sa vigueur, un état de fait qui n'est que trop familier en Europe. Ils voudraient que l'État s'allie avec les grandes sociétés, leur donne les pleins pouvoirs, avec des baisses d'impôt destinées à stimuler l'économie. Ils rejettent la vulgarité de la culture de masse. Ils déplorent la décadence des artistes et des intellectuels. Bien qu'ils ne soient pas toujours religieux euxmêmes, ils s'allient à la religion et aux croisades religieuses. Ils encouragent les valeurs familiales et louent les formes de vie familiale à l'ancienne, où les femmes s'occupent des enfants, de la cuisine et de l'église, et les hommes des tâches viriles. Ils voient dans la guerre et la préparation à la guerre la restauration de la vertu privée et de l'esprit public. Ils se délectent de la profusion des drapeaux : sur les voitures ou les maisons, au revers du veston. Par-dessus tout, écrit Irving Kristol, le néoconservatisme préconise une renaissance du patriotisme, une armée forte et une politique étrangère expansionniste.

Dans ses principes, tels que les exposent ses chefs de file, le néoconservatisme n'est pas la *res Americana*, la chose américaine, mais une importation européenne assez récente. Reprenez le programme exposé par les néoconservateurs. Ils veulent un « État fort » avec un chef à poigne. Ils voient d'un bon œil les leaders autoritaires et soutiennent que l'Amérique aurait tout à gagner à une démocratie plus autoritaire. Ils prônent l'expansion de l'exécutif. Ils veulent que l'État fort mène une politique extérieure expansive et expansionniste, qu'il crée des « difficultés dans le monde », comme ils disent. Ils espèrent – ils prévoient – d'instaurer un « Nouvel Ordre mondial » qui rivalise avec Rome. Et ce Nouvel Ordre mondial, reconnaissent-ils, ne sera pas instauré avec le consentement des gouvernés, mais par la force. Le pouvoir militaire est essentiel à une politique étrangère robuste, pour forger la *pax Americana*. La force militaire est célébrée. Le programme économique néoconservateur s'adresse aux petites entreprises, aux petits propriétaires et aux travailleurs. Les appels aux gens ordinaires vont de pair avec les avantages accordés aux « extraordinaires » : les plus riches et les grandes sociétés. Ils mêlent rhétorique populiste et stratégie corporatiste. Ils encouragent les citoyens à « fliquer » leurs voisins et à informer les pouvoirs publics des activités suspectes. Ils prônent la mise en place de pouvoirs de police renforcés et de services secrets plus actifs à l'intérieur, avec des contraintes moindres et des pouvoirs de surveillance accrus.

Peut-être, comme Jefferson confronté à l'opportunité d'acquérir la Louisiane, ont-ils cru que l'occasion devait primer sur la modération.

Qu'est-ce qui a conduit les néoconservateurs straussiens à abandonner l'ancien conservatisme anglo-américain pour celui-ci ? Peut-être est-ce l'*hubris* née d'un pouvoir excessif obtenu trop rapidement. Peut-être, comme Jefferson confronté à l'opportunité d'acquérir la Louisiane, ont-ils cru que l'occasion devait primer sur la modération. Peut-être un conservatisme cultivé dans un contexte américain pour s'occuper essentiellement des affaires intérieures a-t-il perdu tout ancrage en abordant la politique extérieure. Peut-être la peur a-t-elle engendré la peur du jour où le conservateur d'antan n'a plus été à même de distinguer l'ami de l'ennemi dans le brouillard d'une guerre sans fin. Peut-être est-ce la séduction de l'Empire. ■

(traduit de l'américain par Pierre-Emmanuel Dauzat)

1. Groupe de douze jeunes gens, dont Robert Penn Warren, Allen Tate, John Crowe Ransom et Donald Davidson, qui de 1929 à 1937 se réunirent dans un mouvement politique et intellectuel destiné à trouver des solutions à la crise. *Cf.* Paul V. Murphy, *The Rebuke of History : The Southern Agrarians and American Conservative Thought*, Chapel Hill (N.C.), University of North Carolina Press, 2001 *(N.d.T.)*.
2. Benjamin Disraeli, *Les Deux Nations (Sybil)*, trad. Agathe Périer Audley, Amyot, 1847 *(N.d.T.)*.
3. Théorie suivant laquelle le succès des plus riches finit par bénéficier à tous et qui prône en conséquence une baisse de la fiscalité sur les hauts revenus *(N.d.T.)*.
4. Commentateur vedette de la radio aux États-Unis, défenseur d'un conservatisme musclé *(N.d.T.)*.

THÉRÈSE DELPECH
L'ENSAUVAGEMENT DU MONDE

ENTRETIEN AVEC MARC WEITZMANN

Dans son dernier livre,* L'Ensauvagement *(Grasset, 2005, prix Fémina de l'essai), Thérèse Delpech décrypte les crises stratégiques qui menacent le XXIe siècle.

MARC WEITZMANN. *D'où vous vient tout d'abord votre intérêt pour la guerre ?*
THÉRÈSE DELPECH. Étant née en 1948, je suis une enfant du XXe siècle et donc d'une période historique où la guerre a pris des proportions insensées. Pour cette raison, il s'agit moins de ma part d'un *intérêt* pour la guerre que du sentiment qu'elle a façonné le monde dans lequel je vis, avec deux guerres mondiales féroces, suivies d'une guerre froide définie à juste titre par l'expression « équilibre de la terreur ». Que s'est-il passé pour qu'on en arrive là ? Malgré tous les ouvrages qui ont été écrits sur le sujet, cette question demeure pour moi une énigme et je pense qu'il est essentiel de lui conserver ce caractère énigmatique. En ce qui me concerne, c'est sans aucun doute la plus importante question de ma vie intellectuelle. Si j'ai choisi des études de philosophie, c'est que je crois la réponse liée à l'interrogation philosophique sur la liberté et le sens de l'action humaine dans l'histoire. Mais ma vie professionnelle m'a conduite à aborder les questions stratégiques sous un angle très différent : quand je suis entrée au CEA en 1985, la guerre entre l'Iran et l'Irak avait commencé depuis cinq ans, et l'armée irakienne utilisait des armes chimiques contre les Iraniens depuis déjà deux années. Le cœur de mon expertise professionnelle porte sur les armes non conventionnelles, nucléaires, chimiques et biologiques, qui donnent à la guerre une dimension effrayante. À la fin des années 80, quand on a commencé à découvrir l'ampleur du programme biologique militaire soviétique, qui a employé près de soixante-dix mille personnes, nul n'a pu répondre à la question de sa finalité. Et encore aujourd'hui, cela reste sans réponse. Mais ce qui est certain, c'est que les maladies les plus effroyables, comme les fièvres hémorragiques, avaient été transformées en armes. Je consacre l'essentiel de mon temps aux efforts engagés pour limiter la prolifération de ces armes. Leur usage a été peu fréquent au cours du siècle passé, mais rien ne permet de dire qu'il en ira de même dans les décennies qui viennent. Cela est dû à la fois à la rapidité de leur dissémination, à leur présence dans des régions de grande tension, comme le Moyen-Orient ou l'Extrême-Orient, à l'intérêt de groupes terroristes pour leur maîtrise, et plus généralement à la montée de la violence dans le monde, dont nous sommes tous les témoins malheureux.

D.R.

* *Ancienne élève de l'École normale supérieure, agrégée de philosophie,* THÉRÈSE DELPECH *est directeur des affaires stratégiques au Commissariat à l'énergie atomique. Experte des questions nucléaires et des armes non conventionnelles, elle siège depuis mars 2000 à la Commission de contrôle, de vérification et d'inspection de l'Onu.*

M. WEITZMANN. *Dans* L'Ensauvagement, *votre livre le plus ambitieux à ce jour, vous portez un regard sombre sur les perspectives du XXIe siècle, que vous éclairez rétrospectivement par un retour sur l'histoire moderne et sa violence inouïe.*
T. DELPECH. Ce livre n'est pas un livre sur la nécessité historique et je n'y fais aucune prédiction. C'est un livre sur la liberté. Les perspectives du XXIe siècle dont vous parlez sont en préparation sous nos yeux, largement en raison de nos actes ou de notre inaction. Ce qui est décidé aujourd'hui, par exemple sur l'Iran, sur la Corée du Nord, ou sur la Chine, aura des effets dans les prochaines décennies. Les hommes politiques doivent accepter l'idée, présente chez des penseurs comme Schopenhauer, que leurs actes peuvent prévenir des drames historiques, et avoir aussi des effets semblables à des catastrophes naturelles. Mais il est vrai que ce livre, malgré une conclusion ouverte sur l'avenir, est assez sombre. Une des raisons est la conscience très aiguë que le passé continue de peser sur nous, parfois même sans que nous en ayons pleinement conscience. Les dizaines de millions de morts du siècle passé, victimes des guerres et des révolutions, sont toujours avec nous, en partie parce que nous n'avons pas fini le travail de deuil auquel ils ont droit. Il y a une autre cause à la tonalité sombre du livre : c'est le sentiment que les relations internationales n'ont plus aucun pilote, ni au niveau multilatéral, l'Onu étant en passe de revenir à l'époque de la Société des Nations, ni à celui des grandes puissances. Enfin, notre

prise sur les événements paraît de plus en plus fragile. Le livre s'ouvre sur une phrase de Tolstoï, qui avait une piètre opinion des historiens et de la façon dont ils ordonnent les événements : « L'histoire moderne est semblable à un sourd qui répondrait à une question que personne ne lui pose. » Il percevait surtout le chaos de l'histoire, comme sur un champ de bataille, une réalité sûrement liée à la période de grands bouleversements qui a suivi la Révolution française et les campagnes napoléoniennes. Il écrit dans *La Guerre et la Paix* qu'après avoir commencé par s'égorger entre eux au nom de la liberté et de l'égalité, les Français ont fini par égorger le reste de l'Europe avec les mêmes principes, puis sont venus en Russie « pour se venger de l'Angleterre ». C'est une façon très peu russe de parler de l'Empereur, qui conserve encore aujourd'hui des admirateurs sans nombre en Russie.

Une des explications souvent présentées de la tragédie allemande est la façon dont l'industrialisation rapide s'est faite dans un pays que rien ne préparait culturellement et politiquement à y faire face. C'est un des grands thèmes du jugement de Nuremberg. Le problème de la maîtrise technologique est un des plus graves du monde contemporain.

Mais il met ainsi en relief l'absurdité des explications fournies pour justifier les événements. Ce qu'il montre, c'est que l'accélération de l'histoire à laquelle on assiste au début du XIXe siècle a peut-être une correspondance dans le psychisme humain, et qu'on la comprend mieux en évoquant l'égarement ou une forme de folie collective qu'en l'expliquant avec des arguments de type hégélien. Il voit dans l'aventure révolutionnaire et napoléonienne le début de l'ensauvagement des Européens. L'intérêt de son analyse est de montrer que, paradoxalement, les Européens ont – à partir de ce moment précis où la liberté devient un mot d'ordre – le sentiment de perdre le sens de la responsabilité dans l'histoire. Tout devient trop rapide et compliqué. Cette perte, dont un esprit très différent de Tolstoï, Paul Valéry, se fait aussi l'écho bien plus tard, n'a fait que s'amplifier durant le XXe siècle. Le phénomène de masse et la réalité totalitaire en sont les plus effrayantes illustrations. Quand on perd le sens de la responsabilité historique, on ne peut produire que des catastrophes. Mais le plus souvent, on dispose d'un ensemble de signaux et d'avertissements. Encore faut-il y prêter attention et agir en temps utile.

M. WEITZMANN. *Vous donnez une grande importance à l'année 1905, notamment avec la guerre russo-japonaise.*

T. DELPECH. Oui, en 1905, on peut dire que l'essentiel du siècle est en germe. La guerre russo-japonaise montre pour la première fois qu'une armée occidentale peut être défaite à plate couture par un pays asiatique. Après cette victoire, on assiste à une montée de la puissance militaire japonaise qui ne s'arrêtera qu'en 1945. Elle va en outre entraîner la première révolution russe, mais aussi le regain d'intérêt de la Russie pour les Balkans, avec le traditionnel mouvement de balancier de la politique russe. Ce retour aura une importance décisive dans la genèse de la Première Guerre mondiale. 1905 est aussi l'année où l'Amérique devient un médiateur international de grande envergure, avec le rôle central de Theodore Roosevelt dans la conclusion du traité de Portsmouth entre le Japon et la Russie. C'est aussi l'année de la crise de Tanger entre la France et l'Allemagne qui a failli dégénérer en conflit ouvert quelques années avant le début effectif de la guerre. La tension entre les deux pays était déjà à son comble. C'est enfin l'année de la publication des trois principes de Sun Yat-sen, le père de la révolution chinoise, qui aurait entraîné la Chine, s'il avait été suivi, dans une voie beaucoup moins meurtrière que celle de Mao. Il y a donc dans cette année 1905, qui comprend en outre des manifestations toutes nouvelles de la vie intellectuelle et artistique (la première exposition des Fauves, *Le Sacre du printemps*, les thèses fondamentales d'Einstein), de nombreux avertissements d'un tournant historique que peu d'esprits ont saisi à l'époque, ce qui rend d'autant plus remarquables les propos de Léon Bloy, qui reconnaît « le prologue d'un drame inouï ». Une des principales idées de mon livre est de poser la question de savoir si en 2005, on peut trouver des signes du siècle qui s'ouvre dans les principaux événements de l'année.

M. WEITZMANN. *Vous analysez trois éléments de la régression historique au XXe siècle, en suggérant qu'ils sont toujours présents. Il s'agit du décalage entre le développement des capacités technologiques et le développement social et politique, de la passion égalitaire, et de ce que Nietzsche appelait « le retrait du divin ».*

T. DELPECH. Comme vous le savez, une des explications souvent présentées de la tragédie allemande est la façon dont l'industrialisation rapide s'est faite dans un pays que rien ne préparait culturellement et politiquement à y faire face. C'est un des grands thèmes du jugement de Nuremberg. Le problème de la maîtrise technologique est un des plus graves du monde contemporain. Il est d'autant plus aigu que les évolutions sont plus rapides, plus traumatisantes pour les sociétés, et même parfois plus difficiles à saisir par les instances politiques – quel responsable politique peut prétendre par exemple suivre aujourd'hui l'évolution des biotechnologies ? Dans bien des domaines, comme il paraît impensable d'imposer des règles et moins encore des limites à la connaissance, on joue aux apprentis sorciers. Il y a deux ans une équipe australienne a par exemple détruit le système immunitaire de toutes les souris soumises à une expérience. On imagine l'utilisation qui pourrait être faite de cette découverte si on s'en servait contre les êtres humains. Le contrôle des activités biologiques à finalité militaire est extrêmement difficile à réaliser compte tenu de la nature potentiellement duale (civile et militaire) de la plupart d'entre elles. Le second phénomène, celui de la passion égalitaire, a été analysé avec un talent inégalé par Tocqueville qui en a tiré de brillantes prophéties sur les risques que cette passion violente faisait courir à l'humanité. Le phénomène est aujourd'hui considérablement aggravé par la mondialisation. Toutes les parties du monde désormais se comparent les unes aux autres grâce aux moyens de communication. Comme ces comparaisons ont souvent lieu entre des nations jeunes et pauvres et d'autres vieillissantes et riches, la frustration qui en résulte est facile à imaginer. Il y a là des développements révolutionnaires possibles d'un nouveau type, avec une course sans espoir à l'égalité. La demande d'égalité est aujourd'hui mondialisée, mais elle est encore plus impossible à satisfaire qu'au niveau national. Enfin, il n'est pas possible de parler de la formidable régression historique de l'Europe sans évoquer en effet ce que Nietzsche appelait « le retrait du divin » ou la mort de Dieu. Une des formes contemporaines les plus effrayantes de cette réalité est la politisation de la religion qui justifie les crimes de masse auxquels les nouvelles formes de terrorisme commencent à nous habituer. En outre, la privatisation de la violence donne à des groupes ou à des individus des capacités de destruction jadis réservées aux États. C'est un bouleversement considérable de notre paysage stratégique, mais aussi et peut-être surtout de notre paysage intérieur.

L'affaiblissement des résistances morales à la violence est un des effets les plus graves de la Première Guerre mondiale. Les horreurs des tranchées ont habitué plusieurs générations au meurtre de masse.

M. WEITZMANN. *Au siècle dernier, on a assisté à un affaiblissement considérable des résistances morales à la violence dans les sociétés démocratiques, surtout en Europe. Une partie des élites intellectuelles européennes ont même activement participé à cet affaiblissement. Vous rappelez notamment la phrase de Sartre – « Abattre un Européen c'est faire d'une pierre deux coups, supprimer un oppresseur et un opprimé, restent un homme mort et un homme libre » – qui pourrait être aujourd'hui signée Ben Laden.*

T. DELPECH. L'affaiblissement des résistances morales à la violence est un des effets les plus graves de la Première Guerre mondiale. Les horreurs des tranchées ont habitué plusieurs générations au meurtre de masse. Ce fut la préparation du deuxième acte, dans les années 30 et 40, où la violence a atteint les sommets que l'on sait. Puis il y eut la guerre froide et la faiblesse des réactions occidentales aux crimes commis en URSS, au Cambodge ou en Chine. Naturellement, les élites intellectuelles européennes ont souvent accompagné, parfois même encouragé ce processus. Des références que j'ai pu trouver, le texte le plus effrayant est encore l'apologie qu'Aragon fait de Lyssenko, car il justifiait ainsi, même de façon indirecte et inconsciente, les folies agricoles de Staline du début des années 30, et la mort de millions d'hommes notamment en Ukraine. Il faut que ce type de texte soit largement connu et dénoncé de façon claire. On subit encore l'héritage de grands massacres, qui est une des causes de l'affaiblissement des résistances à la violence : le seuil de nos émotions est trop élevé. À l'exception d'événements fortement médiatisés, on constate à la fois une indifférence à la souffrance humaine (je cite une maxime de Chamfort : « Il faut que le cœur se brise ou se bronze ») et une terrible habitude des esprits à la violence. C'est l'héritage du siècle dernier en effet. Cette indifférence et cette habitude font partie de l'ensauvagement des hommes. Pour la guerre froide, le problème principal est qu'elle n'a jamais donné lieu, comme les deux guerres mondiales, à un effort de retour sur soi ni de restructuration des relations internationales. La conférence de Paris, en 1919 n'a sans doute pas produit les résultats attendus, mais c'était une formidable aventure intellectuelle et politique pour remettre le monde sur ses pieds. En 1945, le tribunal de Nuremberg et les protocoles de

Genève ont voulu tirer les leçons de l'atrocité du conflit. Rien de tel après la fin de la guerre froide. C'est qu'il n'y avait pas vraiment eu de guerre, et que ce conflit était resté une affaire d'espions et de stratèges nucléaires. La conscience des peuples n'a pas été touchée de la même façon. C'est pourquoi je consacre beaucoup de pages aux camps soviétiques ou chinois qui n'ont, eux, jamais été libérés. Dans le second cas, le travail de mémoire est même encore tabou. Il suffit de voir la crainte de Pékin chaque fois qu'il est question de la Révolution culturelle ou des crimes de Mao Tsé-toung pendant le Grand Bond en avant. L'incapacité de la Chine à regarder son passé en face ne doit jamais être oublié quand elle dénonce par exemple le contenu des manuels scolaires japonais.

En fait, après la fin de la guerre froide, on a perdu dix précieuses années, la décennie 90, avec l'idée que l'on pourrait aisément reprendre un chemin abandonné (par un hasard malheureux ?) au début du XXe siècle. C'est ainsi que l'on s'est précipité vers l'espoir d'un « Nouvel Ordre mondial », qui s'est disloqué très rapidement. Il a fallu le choc du 11-Septembre pour que cela devienne évident pour tout le monde et que l'histoire retrouve son caractère tragique.

M. WEITZMANN. *Il y a une différence me semble-t-il entre les Européens et les Américains sur cette question. À Washington, Condoleezza Rice, Paul Wolfowitz et d'autres ont été formés par la guerre froide et l'étude de l'URSS, ce qui est loin d'être le cas ici, où l'on trouvait en outre une bonne partie de la classe intellectuelle et politique dans l'autre camp.*

T. DELPECH. On ne peut tout de même pas dire qu'il y a une conscience historique plus marquée aux États-Unis qu'en Europe ! La réflexion sur le siècle passé, l'influence que les horreurs de ce siècle peuvent encore avoir sur nous, comme des vagues tardives, est absente aux États-Unis, sauf chez ceux qui ont perdu leur famille en Europe au cours de la Seconde Guerre mondiale. Je crois les Européens beaucoup mieux armés pour comprendre le grand drame historique qui s'est noué au début du siècle dernier, mais il y a en même temps une si terrible remise en cause à faire et de tels « bas-fonds » à creuser, même chez ceux qui n'étaient pas dans l'autre camp, comme vous le dites, que l'expérience du souvenir est rarement entreprise jusqu'au bout. L'Amérique vit le plus souvent avec l'illusion que les problèmes du monde ont un caractère essentiellement économique. Elle a une compréhension très limitée du monde où elle est aujourd'hui si puissante et reconnaît même volontiers cette faiblesse. Il suffit d'écouter quelqu'un comme Henry Kissinger qui dénonce ce travers chez ses compatriotes. C'est un des grands problèmes de la période actuelle car l'Europe, qui est beaucoup plus politique et qui connaît mieux la diversité du monde, traverse une période de stagnation qui l'empêche de jouer son rôle sur la scène internationale. Si la combinaison de l'activisme américain et de la passivité européenne se poursuit, il faudra s'attendre à des crises très sérieuses, notamment en Extrême-Orient.

Ce qu'il y a de spécifique dans le nucléaire est qu'après les deux effroyables explosions d'Hiroshima et de Nagasaki, il n'y a plus d'expérience de ces armes, mais seulement des discours des pays dotés de l'arme atomique à leur sujet.

M. WEITZMANN. *Les manifestations européennes pacifistes de 2003 traduisent-elles cette volonté de rester hors de l'histoire ?*

T. DELPECH. Il y avait de bonnes raisons d'hésiter avant la campagne conduite en Irak et la diversité des positions n'était pas surprenante. Ce qui l'était en revanche, c'était la passion que l'on pouvait mesurer dans les manifestations dont vous parlez. Plusieurs lectures de ce phénomène sont possibles. La plus cruelle consiste à prendre à la lettre le slogan « Foutez-nous la paix », qui se trouvait sur une pancarte très commentée en mars 2003. Ces manifestations ne seraient ainsi qu'un refus de tout ce qui peut troubler notre quiétude, c'est-à-dire en clair un refus pur et simple de l'histoire et des évolutions internationales. Si c'est le message de l'Europe, il est consternant. Mais les signes ne manquent malheureusement pas en ce sens. On est frappé par exemple par le contraste saisissant en 2005 entre des évolutions très rapides au Moyen-Orient, en Asie centrale, en Extrême-Orient, et l'apathie, voire l'immobilisme de l'Europe, surtout depuis les refus français et néerlandais de la Constitution. Une autre interprétation plus charitable consiste à dire que l'Europe, qui a des catastrophes historiques une expérience séculaire, « sent » parfaitement, de façon presque animale, que le XXIe siècle sera un siècle difficile et qu'elle cherche à se protéger de ce phénomène parce qu'elle le craint. Ceux qui sont sur la ligne de front ont souvent une position de déni, comme le montre l'Allemagne pendant la guerre froide. Et l'Occident dans son ensemble est probablement sur la ligne de front du XXIe siècle. Les deux lectures ne sont d'ailleurs pas forcément incompatibles. En tout état de cause, il y a une perte évidente du sens du temps : une des caractéris-

12 novembre 2001. Bombardement de positions taliban par un B52 américain dans la vallée de Shomali, au nord de Kaboul.

tiques du monde actuel est que l'on vit dans une grande immédiateté, coupé tant du passé que de l'avenir. C'est une autre forme de l'ensauvagement. On a perdu le sens de la durée, de la continuité des générations, et donc aussi de ce que Gide appelait « la promesse d'avenir ». La détresse contemporaine vient aussi de là.

M. WEITZMANN. *Quelles sont les leçons qu'une experte des crises nucléaires peut tirer du passé pour l'avenir ?*
T. DELPECH. Ce qu'il y a de spécifique dans le nucléaire est qu'après les deux effroyables explosions d'Hiroshima et de Nagasaki, il n'y a plus d'expérience de ces armes, mais seulement des discours des pays dotés de l'arme atomique à leur sujet. Contrairement à ce qui se passe avec les tanks et les canons, les doctrines sont donc essentielles pour le nucléaire. Mais il y a eu de nombreux incidents, dont le plus connu est celui de Palomares, qui a entraîné la sortie de l'Espagne du commandement intégré de l'Otan (une bombe nucléaire est tombée lors d'un exercice et presque toutes les procédures de sûreté ont été franchies). Il y a surtout la célèbre crise des missiles de Cuba de 1962, dont on dit souvent qu'elle a scellé la dissuasion entre les États-Unis et l'URSS car les deux pays sont passés très près de la catastrophe. Cette crise est bien connue désormais grâce à la déclassification de nombreux documents et à une série de réunions qui a permis de confronter les vues des différents protagonistes de l'époque. Elle contient de nombreux enseignements pour l'avenir parce que, contrairement à ce que beaucoup continuent de croire, ce n'était pas une crise bipolaire, mais un drame à trois acteurs, où le plus dangereux des trois était aussi le moins puissant, Fidel Castro. Aussi bien Kennedy que Khroutchtchev se sont montrés responsables dans une situation de tension telle qu'il était difficile de « garder ses nerfs ». Mais Castro n'aurait pas hésité une seconde à déclencher un conflit atomique et il a d'ailleurs failli le faire. À mon sens, les crises nucléaires auxquelles nous risquons d'être confrontés au XXIe siècle compteront des individus de cette espèce (ainsi Kim Jong-il ou Ahmadinejad) et c'est ce qui les rend très inquiétantes. Une autre leçon de 1962 est qu'il est d'autant plus difficile de gérer une crise nucléaire que le nombre des acteurs est plus élevé. Or c'est la situation dans laquelle on se trouve presque toujours désormais : Pakistan-Inde-Chine ou États-Unis-Russie-Chine par exemple. Il faut donc repenser le nucléaire avec cette crise en tête. C'est un des chapitres du livre.

M. WEITZMANN. *Dans l'évaluation de la guerre contre Saddam Hussein en 2002, 2003, quel rôle a joué la crainte qu'il ne commette une folie ?*
T. DELPECH. Avec ce personnage, on avait l'expérience d'une guerre dévastatrice contre l'Iran, qu'il avait engagée en 1980 en pensant que la révolution islamique avait affaibli Téhéran (grossière erreur de jugement car dès 1982, Bagdad est sur le point de perdre la guerre), et celle d'une invasion du Koweït en 1991 qui reposait sur une autre erreur : le pari que les États-Unis n'interviendraient pas. Le personnage ne manquait pas de sens tactique mais comme stratège, c'était une catastrophe. C'est ainsi que les déclarations contradictoires qu'il a faites à l'Onu (à qui il affirmait ne rien détenir de prohibé) et aux États de la région (envers qui il voulait conserver un pouvoir de dissuasion) lui ont été fatales. En fait, le régime pouvait être attaqué sur deux plans. Son bilan humain effroyable tout d'abord, estimé à deux millions de morts dans un livre récent. Le problème, c'est que l'aspect humanitaire est inabordable au Conseil de sécurité pour tout un

ensemble de raisons, dont la présence à ce même Conseil de pays qui sont peu présentables dans le domaine des droits de l'homme, comme la Chine. L'autre élément était la mise en œuvre des résolutions du Conseil de sécurité adoptées par la communauté internationale après l'invasion du Koweït. Dans ce domaine, Saddam Hussein n'avait pas rempli ses obligations (de nombreuses questions demeuraient non résolues) et avait engagé des activités prohibées (tentatives d'achat et surtout coopération balistique avec plusieurs pays dont la Corée du Nord). La première guerre en 1991 n'ayant pas donné lieu à un traité, mais seulement à un cessez-le-feu conditionnel, la mise en œuvre des dispositions prévues par les résolutions était essentielle pour mettre fin à la crise. L'administration Clinton a cru pouvoir se contenter des sanctions et des zones de non-survol au nord et au sud du pays, qui limitaient la capacité d'action de Saddam Hussein et protégeaient les minorités kurdes et chiites. Mais le 11-Septembre a remis en cause cette politique de confinement et ce d'autant plus que les sanctions étaient détournées, comme le scandale du programme Pétrole contre nourriture l'a montré à tous. Quant aux armes non conventionnelles, les questions non éclaircies suscitaient une suspicion légitime, compte tenu de l'expérience passée dont je viens de parler. Avec les éléments en possession des États-Unis en 2003, il était parfaitement raisonnable d'obliger les soldats américains à revêtir des combinaisons de protection chimique.

M. WEITZMANN. *Selon vous, c'est l'Asie qui est aujourd'hui le centre stratégique des affaires mondiales, en particulier Taïwan, que vous comparez à l'Alsace-Lorraine.*

T. DELPECH. L'Europe n'est plus ce centre et c'est en effet l'Asie, tout particulièrement l'Extrême-Orient, qui le devient. C'est un bouleversement de taille, car notre expérience de l'Asie est très parcellaire et a beaucoup vieilli. Sur ce plan, les États-Unis ont une avance sur nous, mais ils ne trouvent pas d'interlocuteur européen sérieux sur ce sujet. L'affaire de la levée de l'embargo sur les armes à destination de la Chine le montre aisément. Comment était-il possible d'envisager cette mesure l'année où les relations entre la Chine et le Japon paraissaient si troublées et où Pékin adoptait une loi l'autorisant à attaquer Taïwan dans des conditions très mal définies ? Je crois en effet que s'il devait y avoir une question centrale pour les affaires stratégiques du XXe siècle, Taïwan serait le meilleur candidat. C'est cette question qui peut nous faire rebasculer dans une guerre mondiale. Et c'est d'ailleurs la Chine qui utilise souvent l'image de l'Alsace-Lorraine en parlant de Taïwan avec des personnalités françaises. Cette comparaison – que rien ne justifie par ailleurs – devrait nous effrayer. En cas de conflit, l'Europe ne restera pas au balcon. Elle a entraîné le monde dans ses guerres. Il l'entraînera dans les siennes. Ce qui est très dangereux dans le cas de Taïwan est que chacun des trois protagonistes, Taïwan, la Chine et les États-Unis, risque de commettre des erreurs fatales sur les positions des deux autres. C'est une bonne recette pour une catastrophe historique. Il faut aussi compter avec la division de la péninsule coréenne, qui a des potentialités explosives. Le Japon regarde attentivement ce qui se passe sur ces deux fronts. Les commémorations de la fin de la Seconde Guerre mondiale en Asie ont montré non pas la réconciliation des adversaires, mais leur hostilité renouvelée. C'est un des signes les plus inquiétants de 2005. Nul doute pour moi que le XXe siècle n'est pas terminé dans cette partie du monde. J'en déduis, contrairement à la célèbre thèse du siècle court, que le XXe siècle est un siècle long : ni la Seconde Guerre mondiale ni la guerre froide ne sont terminées en Asie.

L'Europe ne semble pas du tout avoir compris la chance exceptionnelle qui a été la sienne de sortir de la guerre froide sans verser une goutte de sang. Elle n'a pas compris non plus que l'élargissement était la réunification tant attendue du continent européen.

M. WEITZMANN. *Pour finir, entre menaces terroristes, dictatures régionales difficilement contrôlables, Asie et Amérique, où situez-vous l'Europe ?*

T. DELPECH. L'Europe ne semble pas du tout avoir compris la chance exceptionnelle qui a été la sienne de sortir de la guerre froide sans verser une goutte de sang. Elle n'a pas compris non plus que l'élargissement était la réunification tant attendue du continent européen. D'une certaine façon, elle s'est conduite en enfant gâtée dans un monde où les zones de richesses, de paix et de prospérité sont si peu nombreuses. Elle traverse en ce moment une période consternante pour elle-même et pour le reste du monde. Elle est comme sortie de l'histoire et il faudrait qu'elle y retourne. Mon analyse est qu'elle est encore affaiblie par les traumatismes du siècle passé et qu'elle finira par se retrouver. Mais il sera peut-être nécessaire pour cela qu'elle connaisse de dures épreuves. ■

FAUX ET USAGES DE FAUX

PIERRE-ANDRÉ TAGUIEFF

Les Juifs veulent contrôler le monde… Tel est le postulat sur lequel s'appuient les* Protocoles des Sages de Sion, *un faux forgé par la police de Nicolas II. Bien que l'imposture ait été rapidement dénoncée, les* Protocoles *continuent à alimenter la propagande antisémite. Retour sur un siècle d'usages politiques d'un best-seller international.

Depuis l'automne 1967, c'est au Proche-Orient que ne cesse de renaître le mythe du « complot juif mondial », sous une forme adaptée à la propagande anti-israélienne et plus largement « antisioniste ». C'est aussi du Proche-Orient qu'est relancé régulièrement, au nom de l'antisionisme, un ensemble de rumeurs, de thèmes d'accusation et de stéréotypes négatifs visant les Juifs en tant que « sionistes », traités comme de nouvelles incarnations du Diable. Le postulat commun à toutes les formes d'antisionisme est que les « sionistes » complotent, agissent secrètement en vue de réaliser des objectifs inavouables. Ces derniers sont dénoncés à travers des thèmes d'accusation portés par le discours de propagande palestinien et plus largement arabo-musulman, qui démonise Israël comme État « impérialiste », « colonialiste » et « raciste » : les « sionistes » se caractérisent donc, dans la propagande antisioniste, par leur propension à tromper, voler, spolier, piller, exploiter le bien ou le travail d'autrui, et, pour finir, massacrer, voire exterminer le peuple palestinien. Ce discours « antisioniste » radical s'est mondialisé, au point de fonctionner comme une vulgate d'extension planétaire. C'est dans le sillage de la propagande « antisioniste » mondialisée que s'est opéré le retour du plus célèbre faux de la littérature antijuive dans l'actualité politique internationale : les *Protocoles des Sages de Sion*.

Ce texte est le principal vecteur, depuis le début du XXe siècle, du mythe de la conspiration juive mondiale. De l'automne 1967 au printemps 1968, les *Protocoles* (en arabe, mais aussi en français et en anglais) sont massivement réédités dans plusieurs pays du Proche-Orient. Le faux est ordinairement présenté comme un document juif révélant les « plans secrets d'Israël ». Cet usage « antisioniste » des *Protocoles* est toujours dominant. Autant que sa fabrication franco-russe, la diffusion, la réception et l'exploitation politique de ce faux ont une histoire, qui montre notamment la surprenante aptitude de ce texte à être recyclé dans des contextes fort divers. Cette haute adaptabilité tient à l'indétermination du texte, qui ne comporte aucune information permettant de le situer précisément. Dans chaque contexte socio-historique, le document se charge de significations nouvelles, adaptées à l'usage qu'on en fait. C'est aux préfaciers du faux d'en fournir un guide de lecture en faisant écho aux hantises ou aux peurs de leurs contemporains.

LES *PROTOCOLES* ont été fabriqués à Paris, en 1900-1901, par les services de la police politique secrète du tsar, l'Okhrana, qui a fait appel, pour réaliser ce travail, au faussaire occasionnel Mathieu Golovinski (1865-1920). Ce document, se présentant comme les minutes ou les comptes rendus de séances secrètes tenues par les plus hauts dirigeants du « judaïsme mondial », était censé révéler leur programme de conquête du monde, et par là même mettre en garde les dirigeants russes, et plus largement le public mondial, contre les menées de si dangereux conspirateurs. L'antisémitisme intervient ici comme instrument de mobilisation et mode de légitimation : il s'agissait à la fois d'empêcher la modernisation libérale de la Russie en la présentant comme faisant partie du projet juif de domination mondiale et de justifier comme préventives toutes les mesures antijuives ou antilibérales susceptibles d'être prises par le pouvoir tsariste. Dans leurs textes d'accompagnement (préfaces ou postfaces), la plupart des éditeurs des *Protocoles* affirment que ces prétendues séances secrètes ont eu lieu lors du Premier Congrès sioniste, tenu à Bâle du 29 au 31 août 1897. Et c'est quelques jours après

* PIERRE-ANDRÉ TAGUIEFF *est directeur de recherche au Cevipof/Sciences Po. Il est notamment l'auteur de* La Foire aux Illuminés. Ésotérisme, théorie du complot, extrémisme *(Mille et une nuits, 2005).*

l'ouverture, le 23 août 1903, du 6e Congrès sioniste que les *Protocoles* ont commencé à être publiés pour la première fois, en feuilleton, dans le journal d'extrême droite *Znamia* (« Le Drapeau »), sous le titre *Programme de la conquête du monde par les Juifs* – le document est présenté par le « traducteur » comme étant les « Protocoles des séances de l'Union mondiale des francs-maçons et des Sages de Sion » (22 séances).
En décembre 1905, les *Protocoles* font l'objet de deux publications distinctes. Ils sont d'abord publiés dans un libelle anonyme qui paraît à Saint-Pétersbourg le 13 décembre 1905, *La Source de nos maux*, sous le titre « Extraits des Protocoles anciens et modernes des Sages de Sion de la société mondiale des francs-maçons » (27 séances). Ils sont ensuite, quelques jours plus tard, publiés à Tsarskoïe Selo en appendice à la deuxième édition du livre de l'écrivain mystique Serge A. Nilus (1862-1929), *Le Grand dans le Petit, et l'Antéchrist en tant que possibilité politique imminente*, où ils sont présentés comme un document dérobé aux « archives secrètes de la Chancellerie secrète de Sion qui se trouve maintenant sur le territoire français » (24 séances). C'est cette version qui sera retenue ultérieurement par la plupart des traducteurs du faux. En janvier 1906 paraît une nouvelle édition des *Protocoles* (comprenant 27 séances), inclus dans la troisième édition du pamphlet de Georges V. Boutmi (1856-1927 ?), *Discours accablants. Les Ennemis du genre humain*, où le document est intitulé « Protocoles extraits des archives secrètes de la Chancellerie principale de Sion », puis « Fragments des Protocoles anciens et modernes de l'Union mondiale des francs-maçons ». Comment comprendre cette double qualification des *Protocoles* : « anciens et modernes » ? La réponse se trouve dans l'article du publiciste d'extrême droite Mikhaïl Menchikov (1859-1918), « Conspirations contre l'humanité » (*Novoe vremja*, 7/20 avril 1902), où sont mentionnés pour la première fois les *Protocoles*. Dans son article, Menchikov rapporte les propos d'une « dame mystérieuse » sur les *Protocoles*, qu'elle attribue expressément aux « Anciens Sages » d'Israël :
« Dès 929 av. J.-C. à Jérusalem, au temps du roi Salomon, un complot secret fut fomenté par lui et par les sages juifs contre tout le genre humain. Les protocoles de ce complot et leurs commentaires ont été conservés en grand secret, se transmettant de génération en génération [...]. Les chefs du peuple juif, à ce qu'il semble, ont décidé sous le roi Salomon de soumettre à leur pouvoir toute l'humanité et d'ancrer en son sein le royaume de David pour toujours. [...] En se répandant sur la terre, les Juifs se sont engagés à concentrer entre leurs mains les capitaux de tous les pays et à sucer et asservir ainsi, comme entre des tentacules, les masses populaires. Une ruse jésuitique, on pourrait dire diabolique, devait permettre aux Juifs, par la propagande du libéralisme, du cosmopolitisme et de l'anarchie, de secouer les fondements de l'ordre et de la chrétienté et ensuite, une fois qu'ils auraient définitivement conquis le pouvoir, ils devaient asservir toute l'humanité dans le despotisme le plus cruel qu'ait connu le monde[1]. »
Les « Sages de Sion », figures fictives du mythe antijudéo-maçonnique ainsi réactivé, illustrent donc une formation de compromis entre les « Anciens Sages d'Israël » (de l'époque de Salomon), les hauts dirigeants sionistes (Theodor Herzl, Asher Ginzberg) et les « supérieurs inconnus » de la « judéo-maçonnerie » (emprunt au mythe construit autour des « Illuminés de Bavière »).

Le principal but des faussaires de l'Okhrana, au début des années 1900, était de disqualifier toute tentative de modernisation « libérale » de la Russie impériale en la présentant comme un projet juif ou « judéo-maçonnique ».

DÈS LES PREMIÈRES publications du faux, entre 1903 et 1906, le « sionisme » était reconstruit comme un projet de domination du monde, il était transformé en un puissant mythe répulsif dont l'expression aujourd'hui courante de « sionisme mondial » représente le dernier avatar. L'agitateur antijuif Pavolachi A. Krouchevan (1860-1909), créateur du quotidien *Znamia* en février 1903, avait organisé le pogrom de Kishinev le 21 avril de la même année. Publier les *Protocoles* quatre mois plus tard, c'était fournir une légitimation des crimes commis. Lorsqu'en 1924 Theodor Fritsch (1852-1933), l'idéologue *völkisch* qu'Adolf Hitler appellera le « vieux maître » de l'antisémitisme allemand, publiera sa traduction du faux sous le titre *Les Protocoles sionistes* (« Le programme d'un gouvernement mondial secret »), il choisira d'interpréter le « péril juif » comme péril « sioniste », alors même que l'usage contextuel dominant des *Protocoles* consistait à leur faire jouer un rôle majeur dans la propagande antibolchevik.
Le principal but des faussaires de l'Okhrana, au début des années 1900, était de disqualifier toute tentative de modernisation « libérale » de la Russie impériale en la présentant comme un projet juif ou « judéo-maçonnique ». Toute libéralisation du régime tsariste était ainsi réduite à une « judaïsation », donc à une déchristianisation. De

HITLER. Dans *Mein Kampf* (I, chapitre XI*), Adolf Hitler défend la thèse de l'authenticité des *Protocoles*, en une saisissante synthèse de la plupart des arguments sophistiqués avancés par les milieux antisémites de son époque. La force du document tiendrait donc à sa fonction de révélation : connaître les secrets des Juifs, c'est connaître les Juifs, et par là pouvoir dévoiler leur vraie nature, être en mesure de les démasquer, donc de se défendre contre la menace qu'ils représentent :
« Les *Protocoles des Sages de Sion*, que les Juifs renient officiellement avec une telle violence, ont montré d'une façon incomparable combien toute l'existence de ce peuple repose sur un mensonge permanent. Ce sont des faux, répète en gémissant la *Gazette de Francfort* et elle cherche à en persuader l'univers ; c'est là la meilleure preuve qu'ils sont authentiques. Ils exposent clairement et en connaissance de cause ce que beaucoup de Juifs peuvent exécuter inconsciemment. C'est là l'important. Il est indifférent de savoir quel cerveau juif a conçu ces révélations [*Enthüllungen*] ; ce qui est décisif, c'est qu'elles mettent au jour, avec une précision qui fait frissonner, le caractère et l'activité du peuple juif et, avec toutes leurs ramifications, les buts derniers auxquels il tend. Le meilleur moyen de juger ces révélations est de les confronter avec les faits. Si l'on passe en revue les faits historiques des cent dernières années à la lumière de ce livre, on comprend immédiatement pourquoi la presse juive pousse de tels cris. Car, le jour où il sera devenu le livre de chevet d'un peuple, le péril juif [*jüdische Gefahr*] pourra être considéré comme conjuré. »

P.-A. T.

* Le premier tome de *Mein Kampf* est publié le 18 juillet 1925. Hitler avait commencé à l'écrire à la suite du putsch des 8 et 9 novembre 1923 et du « procès de Hitler » du début de 1924.

1903 à la révolution d'Octobre, les *Protocoles* sont restés une arme idéologique dans les mains des antisémites russes et des policiers manipulateurs, dont le plus célèbre fut le redoutable Pierre Ivanovitch Ratchkovski (1850 ?-1911). De machine à diaboliser les réformes dans la seule Russie, le faux n'est devenu le principal vecteur du mythe de la « conspiration juive mondiale », exportable hors du monde russe, qu'après l'assassinat de la famille impériale (dans la nuit du 16 au 17 juillet 1918) et la fin de la Première Guerre mondiale. Le « péril juif » a pris les couleurs du « péril rouge » avec le meurtre de Nicolas II et de sa famille, dénoncé aussitôt par les Russes « blancs » comme un « crime rituel » commis par les « bolcheviks juifs ». En 1919, les émigrés russes anticommunistes diffusent les *Protocoles* dans de nombreuses régions du monde : des États-Unis au Japon, de l'Allemagne à l'Asie mineure, de la France au Proche-Orient.

Traduits en allemand dès janvier 1920 puis en anglais le mois suivant, les *Protocoles* commencent leur longue carrière internationale, avec des titres de remplacement, des surtitres ou des sous-titres censés expliciter leur contenu ou leur message central : « Le péril juif », « Le péril judéo-maçonnique », « Les secrets des Sages de Sion », « La cause des troubles mondiaux », « Un homme averti est un homme armé », « Vers la domination du monde », « L'Internationale juive », « Les Protocoles sionistes. Le programme du gouvernement mondial secret », etc. Par leur diffusion mondiale, les *Protocoles* ont transformé en évidence idéologique la représentation d'un ennemi absolu, d'autant plus redoutable qu'il était susceptible, en dépit de son unicité, de prendre diverses figures (du « banquier international » au révolutionnaire internationaliste).

Le « péril juif » a pris les couleurs du « péril rouge » avec le meurtre de Nicolas II et de sa famille, dénoncé aussitôt par les Russes « blancs » comme un « crime rituel » commis par les « bolcheviks juifs ».

LE FAUX QU'ÉTAIENT *Les Protocoles* paraphrasait pour l'essentiel le *Dialogue aux enfers entre Machiavel et Montesquieu*, pamphlet alors bien oublié de l'avocat Maurice Joly, publié à Bruxelles en 1864, et dirigé contre Napoléon III. Les arguments du despote, attribués à Machiavel dans le pamphlet déguisé en dialogue, seront, dans le texte des *Protocoles*, développés par le mystérieux « Sage de Sion » s'adressant à ses pairs, pour leur exposer les principales étapes de la réalisation, encore inachevée, de leur plan de conquête du monde par tous les moyens, passant par la destruction « révolutionnaire » de la civilisation chrétienne. Après l'été 1921, lorsque le journaliste Philip Graves (du *Times* de Londres) eut établi par une comparaison de textes que les *Protocoles* étaient le résultat d'un plagiat (non seulement du *Dialogue* de Joly, mais aussi d'autres textes, dont certains étaient eux-mêmes des faux antijuifs ou des plagiats), un coup d'arrêt fut porté à la diffusion mondiale du faux. Mais les milieux antisémites professionnels n'ont pas pour autant cessé de s'y référer comme à un document authentique et « révélateur », à le rééditer et à l'exploiter politiquement. Ce fut par exemple le cas en Allemagne, où les *Protocoles* ont été massivement diffusés par toutes les mouvances de l'extrême droite au cours des années 20, jusqu'à l'orchestration internationale par les nazis, dès leur arrivée au pouvoir, d'une propagande fondée sur le mythe du complot juif mondial, présentant le Juif comme « l'ennemi de tous les peuples », c'est-à-dire comme l'ennemi absolu, et absolument haïssable. Mais ce fut aussi le cas aux États-

Unis, où l'industriel et milliardaire Henry Ford finança une campagne antijuive qui trouvait sa principale justification dans les prétendues « révélations » des *Protocoles*. Il a lui-même, entouré et conseillé par des Russes blancs antisémites, mis la main à la pâte en publiant un long pamphlet antijuif intitulé *Le Juif international*, recueil d'articles inspirés par les *Protocoles* : quatre volumes parus entre octobre 1920 et mai 1922, le premier étant significativement sous-titré : « Le principal problème mondial ». Avec *Le Juif international*, devenu lui-même un best-seller mondial (sous une forme abrégée, en un volume), Ford et son équipe d'antisémites professionnels ont fortement contribué à banaliser les thèmes de « l'Amérique juive » et de la « menace judéo-bolchevique ».

Au cours de l'année 1920, les *Protocoles* paraissent en polonais, en américain, en hongrois et en français, avant d'être traduits l'année suivante en italien, en serbe, en arabe, etc., puis, en 1924, en japonais et en espagnol. Des années 1920-1921 à la fin de la Seconde Guerre mondiale, le « complot juif » n'a cessé de se traduire par deux couplages de termes, prenant la figure de deux types d'amalgames polémiques : le complot « judéo-bolchevique » (privilégié par les milieux d'extrême droite) et le complot « judéo-capitaliste » (incarné par la figure des Rothschild, et dénoncé aussi bien à l'extrême droite qu'à l'extrême gauche). Mais la figure du « complot sioniste » n'a cessé de rester à l'arrière-plan, pour devenir prédominante au cours des années 50 et 60.

Dans la plupart des textes d'accompagnement des *Protocoles* (préfaces ou postfaces), l'on rencontre la mention des « trois cents » hommes importants qui, selon une phrase de l'homme d'État allemand Walther Rathenau extraite de son contexte et mal interprétée, décideraient des « destinées du monde ». Le chiffre des « trois cents » conspirateurs et/ou maîtres du monde prendra sa valeur symbolique durable, dans le mythe conspirationniste antijuif au XXe et au XXIe siècle, après son assimilation avec les « Sages de Sion ». Dans son article de 1909 paru dans la *Neue Freie Presse*, Rathenau, qui ne s'exprimait nullement en tant que juif (il se voulait d'abord allemand), parlait plus modestement des « destinées économiques de l'Europe » : « Trois cents hommes, qui se connaissent tous entre eux, guident les destinées économiques de l'Europe et choisissent leurs successeurs parmi leurs disciples. » Un passage extrait de *Coningsby* (1844), roman de Benjamin Disraeli[2], est devenu, dans le discours antisémite d'avant et d'après les *Protocoles*, une preuve de la puissance cachée des Juifs : « Le monde est gouverné par de tout autres personnages que ne se l'imaginent ceux qui ne sont pas dans les coulisses. » Disraeli n'était-il pas juif, et n'était-il pas devenu Premier ministre du gouvernement britannique ? Ce propos n'était-il pas un aveu, venant de l'un des « Sages de Sion » ? Comme celle de Rathenau, la phrase de Sidonia (personnage du roman de Disraeli) attribuée au romancier-ministre a été utilisée comme l'expression d'un aveu fait par un Juif puissant, supposé fournir la preuve qu'un complot juif ou judéo-maçonnique mondial existait réellement.

Les planches qui illustrent cet article sont tirées de l'ouvrage de Will Eisner, Le Complot – L'histoire secrète des *Protocoles des Sages de Sion (Grasset, 2005, traduit de l'américain par Pierre-Emmanuel Dauzat).*

IL EST DIFFICILE de faire la part des convictions idéologiques et des stratégies de propagande dans les usages politiques des *Protocoles*, au cours de la Seconde Guerre mondiale, par les hauts dirigeants nazis, à des fins de mobilisation ou de légitimation de la « croisade » qu'ils prétendaient mener. Dans un discours prononcé le 6 mai 1943 au palais des Sports de Berlin, Joseph Goebbels, ministre de la Propagande du IIIe Reich, annonçait que l'Allemagne ferait reconnaître par tous les peuples la responsabilité des Juifs dans le déclenchement de la guerre, une « terrible catastrophe pour l'humanité », et ajoutait, en se reportant aux *Protocoles des Sages de Sion*, qu'il fallait prendre l'exacte mesure de leur « influence néfaste ». Le grand maître de la propagande nazie cite alors ce passage des *Protocoles* : « Lorsque le Roi des Juifs ceindra la couronne que l'Europe doit lui offrir, il sera l'ancêtre et le patriarche du monde entier. » Et Goebbels de prévenir : cette fois, le Juif n'accédera pas au trône, il ne dominera pas l'Europe, mais il sera traité comme « le lépreux, la lie de l'humanité, la victime de sa propre ambition criminelle ». Le 13 mai 1943, reprenant la matière de son intervention du 6 mai, Goebbels note dans son *Journal*, esquissant un résumé de la doctrine antijuive du premier cercle hitlérien :

« J'étudie encore une fois à fond les *Protocoles de Sion*. Jusqu'ici, on m'a toujours objecté qu'ils n'étaient pas utilisables pour notre propagande actuelle. Je constate, en les lisant, que nous pouvons parfaitement en tirer parti. Les *Protocoles de Sion* sont aujourd'hui aussi actuels que le jour où ils ont paru pour la première fois. J'en ai parlé à midi au Führer. Il estime comme moi que les *Protocoles de Sion* peuvent être considérés comme absolument authentiques. [...] Les Juifs sont partout les mêmes ; [...] ils poursuivent les mêmes desseins et, sans s'être consultés, utilisent les mêmes méthodes. [...] Dans la nature, l'instinct réagit toujours de la même façon. Il n'en est pas forcément de même dans la vie des peuples. D'où le péril juif. Les peuples modernes n'ont donc pas d'autre solution que d'exterminer les Juifs. [...] Le Juif est aussi le premier à avoir utilisé le mensonge comme arme politique. [...] Les peuples qui ont démasqué les premiers le vrai visage du Juif et qui ont été les premiers à combattre le judaïsme prendront la place des Anglais dans la domination du monde. »

Peu avant la chute du régime nazi, le 29 décembre 1944, dans Berlin en ruine, le ministère de la Propagande du IIIe Reich diffuse dans la presse ce message qui se veut incitatif : « C'est le renversement de la domination mondiale juive qui est le problème central de cette guerre. S'il était possible de faire échec et mat aux trois cents rois secrets juifs qui gouvernent le monde, les peuples de cette terre connaîtraient enfin la paix[3]. » La lutte finale contre les mythiques « Sages de Sion » constitue le dernier acte d'une guerre qui s'achève en étant, pour ainsi dire, absorbée par le grand fantasme antijuif qui en fut l'un des principaux facteurs.

UTILISÉS D'ABORD comme machine de guerre idéologique contre le bolchevisme (thème du « complot judéo-bolchevik »), les *Protocoles* ont été exploités à d'autres fins : expliquer après coup le déclenchement de la Grande Guerre comme la défaite de l'Allemagne par une machination juive, dénoncer la prétendue collusion des Juifs et de la « haute finance internationale » (par exemple pour expliquer la crise de 1929), réduire les régimes démocratiques à des masques d'une « ploutocratie mondiale à tête juive », stigmatiser le sionisme comme une entreprise juive occulte de domination du monde, enfin démoniser l'État d'Israël, mythifié en tant que centre du « complot juif mondial ». Un thème d'accusation annexe, déjà présent dans la littérature antijuive de l'entre-deux-guerres sous la forme du « complot judéo-capitaliste » à visage américain (l'Amérique étant supposée « dirigée par les Juifs », plus ou moins secrètement), a pris une grande importance au cours des dix dernières années du XXe siècle, au point de marquer une nouvelle étape dans l'histoire des métamorphoses du mythe complotiste antijuif : le thème du « complot américano-sioniste ».
Les *Protocoles* sont ainsi présents dans l'attirail idéologique du « nouvel antisémitisme » ou de la « nouvelle judéophobie » qui se déchaîne après la guerre des Six-Jours (juin 1967) et qui consiste principalement à démoniser le « sionisme » en le réinventant comme mythe répulsif, par amalgame de divers thèmes d'accusation : « impérialisme », « colonialisme », « racisme », « génocide » (des Palestiniens, voire des Arabes). Les Presses islamiques, à Beyrouth, rééditent en novembre 1967 la version française des *Protocoles* publiée en 1921 chez Grasset, avec l'introduction de Roger Lambelin (royaliste proche de l'Action française), accompagnée d'une préface de style conspirationniste et violemment « antisioniste » de Faëz Ajjaz. La première page de couverture donne à lire le message suivant dans le surtitre, en guise de réactualisation du « document » : « La vérité sur Israël, ses plans, ses visées, révélée par un document israélite. » Dans sa préface datée du 5 novembre 1967, le journaliste et publiciste syrien Faëz Ajjaz (el-Ajjaz), éclairé par sa lecture « naïve » des *Protocoles*, interprète le combat

AHMADINEJAD. Le 26 octobre 2005, le président iranien Mahmoud Ahmadinejad, dans un discours prononcé devant quatre mille « étudiants » (dits « radicaux » ou « intégristes ») réunis en congrès à Téhéran sur le thème « Le monde sans le sionisme », a lancé un appel à la destruction d'Israël, dans le cadre d'une mobilisation totale contre l'Occident, stigmatisé comme « le Monde Oppresseur » ou « la Globale Arrogance » :
« La création du régime qui occupe Al-Qods [Jérusalem] a été une manœuvre significative du système globalement dominant et de la Globale Arrogance [l'Occident] contre le monde islamique. Un combat historique est en train d'être mené entre le Monde Oppresseur et le monde islamique et les racines de ce conflit ont des centaines d'années. [...] Le Monde Oppresseur a créé le régime qui occupe Al-Qods pour qu'il soit la tête de pont de sa domination du monde islamique. La bataille qui se joue en Palestine aujourd'hui est donc celle de la ligne de front du conflit entre le monde islamique et le Monde Oppresseur. Aujourd'hui, la nation palestinienne combat le Monde Oppresseur pour la *oumma* [« nation »] islamique tout entière. [...] Nombreux sont ceux qui sèment les graines de la défaite et du désespoir dans cette guerre totale entre le monde islamique et le Front des Infidèles [...]. Notre cher imam [Ruhollah Khomeyni] a ordonné que le régime qui occupe Al-Qods soit rayé de la surface de la terre. Ce qui a été une parole très sage. [...] Quiconque reconnaîtrait cet État [Israël] signerait la défaite du monde islamique. Dans sa lutte contre l'Arrogance du monde notre cher imam a désigné la base centrale de commandement de l'ennemi, à savoir le régime qui occupe Al-Qods. [...] Nous devons prendre garde aux conspirations. [...] La nation islamique ne peut permettre à cet ennemi historique d'exister au cœur du monde islamique*. »

P.-A. T.

* Extrait de la version française intégrale du discours du président iranien, tel qu'il a été rapporté par l'agence de presse ISNA, qui appartient au gouvernement iranien (26 octobre 2005).

Les *Protocoles* sont ainsi présents dans l'attirail idéologique du « nouvel antisémitisme » ou de la « nouvelle judéophobie » qui se déchaîne après la guerre des Six-Jours (juin 1967) et qui consiste principalement à démoniser le « sionisme » en le réinventant comme mythe répulsif, par amalgame de divers thèmes d'accusation : « impérialisme », « colonialisme », « racisme », « génocide » (des Palestiniens, voire des Arabes).

des Arabes et des musulmans contre Israël comme la légitime résistance des peuples agressés contre les « fils de Sion » poursuivant le rêve de domination mondiale de leurs ancêtres (« les Sages de Sion »), tout en voyant dans la guerre des Six-Jours une preuve irrécusable, voire la preuve décisive de l'authenticité des *Protocoles* :

« L'année 1967 fera date [...] dans l'histoire du Moyen-Orient arabe en particulier, et dans l'histoire de l'humanité en général. Car c'est au cours de cette année, et plus précisément le 5 juin 1967, que le peuple de Sion confirma, pour la première fois dans son histoire, l'authenticité d'un document publié en 1905 et qui n'a cessé, depuis sa parution, de faire couler un flot d'encre et de soulever un ouragan de polémiques. En effet, c'est en déclenchant leur campagne d'expansion territoriale, expansion basée sur la violation de toutes les normes de la morale et du droit, que les fils de Sion ont donné la preuve matérielle qu'ils n'ont jamais oublié les "Protocoles" de leurs Sages et les principes posés par ces *Protocoles* pour la réalisation de leur rêve : la domination mondiale. Partis de l'idée qu'ils étaient le Peuple élu de Dieu, ils semblent avoir oublié que les Arabes ont toujours employé le qualificatif opposé à celui correspondant à la réalité des choses dans l'espoir d'adoucir l'amertume de la réalité. Car l'histoire juive est édifiante sur la place qu'accorde la divinité à cette petite communauté, maudite par le Ciel au point d'être un peuple éternellement errant. [...] Je n'entrerai pas ici dans le détail de l'histoire des fils de Sion et de la preuve qu'ils étaient toujours derrière chaque mouvement qui a essayé de saper – à travers l'histoire – les réformes spirituelles et morales entreprises au profit de l'humanité. »

Le propagandiste « antisioniste » reprend ainsi la grande accusation contre les Juifs lancée par les *Protocoles* – celle d'être une puissance de chaos – et la réinscrit dans la catégorie du Juif « ennemi du genre humain ».

EN 1985, DANS L'IRAN de l'ayatollah Khomeyni, l'Organisation pour la propagande islamique publie à Téhéran une réimpression de l'édition libanaise des *Protocoles* parue en novembre 1967, sous le même titre : *« Protocoles » des Sages de Sion. Texte complet conforme à l'original adopté par le Congrès sioniste à Bâle (Suisse) en 1897*. La première page de couverture porte en surtitre : « La vérité sur les plans d'Israël révélée par un document israélite », ce qui résume clairement l'interprétation islamiste (à la mode chiite/iranienne) du document. La lecture de l'introduction de l'éditeur (le Bureau des relations internationales de l'Organisation pour la propagande islamique), intitulée « Au Nom de Dieu, Clément et Miséricordieux », permet de mieux comprendre les objectifs de guerre idéologique que remplit la diffusion des *Protocoles* aux yeux des islamistes iraniens :

« Les crimes et les violations contre l'Islam et les musulmans sont connus de tous. Le Coran fait clairement allusion à cette réalité au verset 82 de la sourate V "La Table servie" : "Tu constateras que les hommes les plus hostiles aux croyants sont les Juifs et les polythéistes." L'occupation et l'expansion avides, conformément à la logique "du Nil à l'Euphrate", sont propres à ces criminels professionnels de l'histoire qui, depuis trente-cinq ans, avec la coopération des superpuissances, s'approchent progressivement, pas à pas, de [*sic*] leur satanique objectif. [...] Non seulement la collaboration des superpuissances a renforcé cette tumeur cancéreuse au cœur du Moyen-Orient islamique, mais bien plus, le silence des peuples arabes musulmans et des dirigeants réactionnaires de la région a aplani la voie à la continuation des agressions et à l'influence accrue des sionistes. [...] L'apparition de la révolution islamique de l'Iran, dans la région, représente, aujourd'hui et demain, le plus grand danger pour Israël. [...] Depuis plus de vingt ans, à ce jour, l'imam Khomeyni, guide de la révolution iranienne, n'a cessé de rappeler le danger que représente cet ennemi destructeur. La phrase : "Si chaque musulman tenait à la main un seau plein d'eau et en faisait couler le contenu vers Israël, ces criminels seraient balayés" est l'une des plus anciennes et des plus significatives du grand fondateur de la République islamique. Quoi qu'il en soit, il faut dire énergiquement et fermement que la région ne pourra jouir du calme et de la paix tant que cette tumeur cancéreuse n'aura pas été arrachée. [...] C'est sous ce rapport que nous réimprimons, tel quel, et sans exprimer notre opinion [*sic*], l'ouvrage présent, d'après l'édition libanaise, afin d'exposer la vraie nature de ce dangereux ennemi. Nous espérons avoir fait un pas en avant de plus, tant pour l'information des musulmans et faire connaître la nature de ces envahisseurs, instigateurs de trouble, que pour extirper les racines de la corruption, de l'iniquité et du crime sur toute la surface de la terre. »

Depuis cette vague de rééditions du faux, la nouvelle judéophobie à base

Depuis cette vague de rééditions du faux, la nouvelle judéophobie à base « antisioniste » s'est enrichie des négations du « révisionnisme » (disons plutôt du « négationnisme » dont le Français Robert Faurisson est devenu le chef de file à la fin des années 70)...

« antisioniste » s'est enrichie des négations du « révisionnisme » (disons plutôt du « négationnisme » dont le Français Robert Faurisson est devenu le chef de file à la fin des années 70), permettant de réactiver le mythe du « complot juif » par des accusations visant « le mensonge d'Auschwitz » ou la « Shoah-Business », tandis que, dans les pays d'Europe de l'Est (communistes, puis postcommunistes) comme dans les pays arabes et plus largement dans le monde musulman, la « conspiration juive internationale » devenait le « complot sioniste mondial », avec sa variante conjoncturelle : le « complot américano-sioniste mondial », appliqué pour rendre compte de tous les malheurs frappant l'humanité, catastrophes naturelles comprises (le tsunami !). Dans les prêches islamistes, la référence aux *Protocoles des Sages de Sion* est devenue un rituel. De l'Égyptien Sayyid Qutb aux fondateurs du Hamas, en passant par les idéologues du Fis algérien, la dénonciation du « complot sioniste mondial » est l'arme privilégiée de ceux qui appellent au djihad contre Israël et « le sionisme », un « sionisme » mythologisé comme surpuissance mondiale ou

Porté par la vague islamiste autant que par la propagande « antisioniste », l'une et l'autre mondialisées, le mythe du complot juif mondial est devenu crédible pour des centaines de millions de musulmans. Et son vecteur privilégié, les *Protocoles*, est entré dans une nouvelle étape de sa carrière internationale.

empire invisible du mal. L'article 32 de la « Charte d'Allah », la charte du mouvement Hamas publiée le 18 août 1988, témoigne de cette retraduction islamiste et « antisioniste » du mythe du complot juif mondial, adapté à la guerre totale contre Israël :
« La conspiration sioniste n'a pas de limites, et après la Palestine elle voudra s'étendre du Nil jusqu'à l'Euphrate [...]. Leur projet a été énoncé dans les *Protocoles des Sages de Sion*, et leur conduite actuelle en est la meilleure preuve [...]. Nous n'avons d'autre choix que d'unir toutes nos forces et nos énergies afin de faire face à cette méprisable invasion nazie-tartare [*sic*]. [...] Au sein du cercle du conflit contre le sionisme mondial, le Hamas se considère comme le fer de lance et l'avant-garde. »
Les *Protocoles* ne sont pas diffusés et exploités par les seuls milieux islamistes, palestiniens ou non. En novembre 2002 commence la diffusion du feuilleton télévisé égyptien « Le Cavalier sans monture », dont l'intrigue est fondée sur les *Protocoles*. Le célèbre comédien égyptien Mohamed Sobhi, producteur de la série, y joue le rôle principal et déclare que les *Protocoles* « révèlent les plans sionistes pour s'emparer de la Palestine ». Un an plus tard, en novembre 2003, la chaîne de télévision du Hezbollah, Al-Manar, diffuse une série syrienne, « Al-Shatat » (« Diaspora »), qui prétend illustrer historiquement la thèse conspirationniste selon laquelle l'instauration d'un « gouvernement juif mondial » est au cœur d'un projet secret de la famille Rothschild. Le 28 décembre 2003, la télévision éducative de l'Autorité palestinienne diffuse un programme intitulé « Les *Protocoles des Sages de Sion* et la négation du droit d'Israël à exister », dans lequel les *Protocoles* sont présentés comme un document « sioniste » authentique qui aurait été discuté lors du Congrès de Bâle (août 1897). On pouvait trouver les *Protocoles* en ligne jusqu'au 18 mai 2005, dans une version arabe, sur le site officiel du ministère de l'Information (c'est-à-dire aussi et surtout de la Propagande) de l'Autorité palestinienne, où le célèbre faux antijuif se trouvait dans la section du site consacrée à l'histoire du sionisme. C'est seulement sous la pression de l'Anti-Defamation League (ADL), qui avait demandé aux autorités américaines d'aborder ce problème le 26 mai 2005, lors de la visite du président palestinien, Mahmoud Abbas, à la Maison-Blanche, que l'Autorité palestinienne a décidé de retirer le faux de l'un de ses sites officiels.
Quant à la République islamique d'Iran, l'un des plus puissants pays musulmans où règne une judéophobie d'État, elle continue de publier et de diffuser les *Protocoles* de façon officielle : lors de la 57e Foire du livre de Francfort (Allemagne), tenue du 19 au 23 octobre 2005, les *Protocoles* et *Le Juif international* (recueil d'articles antijuifs attribués à Henry Ford) étaient en

Bibliographie récente

Cesare G. De Michelis, *The Non-Existent Manuscript : A Study of the* Protocols of the Sages of Zion, University of Nebraska Press, 2004.
Pierre-André Taguieff, *Les* Protocoles des Sages de Sion. *Faux et usages d'un faux*, nouvelle édition refondue, Berg International/Fayard, 2004 et *Prêcheurs de haine. Traversée de la judéophobie planétaire*, Mille et une nuits, 2004, p. 615-817.
Hadassa Ben-Itto, *The Lie That Wouldn't Die :* The Protocols of the Elders of Zion, Vallentine Mitchell, 2005.
Richard S. Levy (ed.), *Antisemitism : A Historical Encyclopedia of Prejudice and Persecution*, ABC-CLIO, 2005, 2 volumes (notamment l'article de Michael Hagemeister, vol. 2, p. 567-569).

Autres références
Will Eisner, *Le Complot, l'histoire secrète des* Protocoles des Sages de Sion, Grasset, 2005.
Marc Levin, « Les Protocoles de la rumeur » (film documentaire, 2005).

vente au stand des éditeurs iraniens. La version offerte des *Protocoles* était la réimpression de l'édition anglaise du faux diffusée en 1985 par l'Organisation pour la propagande islamique.

PORTÉ PAR LA VAGUE ISLAMISTE autant que par la propagande « antisioniste », l'une et l'autre mondialisées, le mythe du complot juif mondial est devenu crédible pour des centaines de millions de musulmans. Et son vecteur privilégié, les *Protocoles*, est entré dans une nouvelle étape de sa carrière internationale. Les attentats anti-américains du 11 septembre 2001, bien qu'ils aient été revendiqués par les dirigeants d'Al Qaïda, sont dénoncés par divers milieux, aux États-Unis même, comme le produit d'un complot « juif » ou « sioniste[4] ». Dans le contexte conspirationniste post-11 septembre, les *Protocoles* retrouvent une actualité, en fournissant un cadre d'interprétation aux rumeurs négatrices (« Aucun Juif n'était présent dans les deux tours du World Trade Center »).
La vision du « complot sioniste mondial » produit une compréhension illusoire de la politique mondiale, réduite aux avatars d'un dualisme manichéen, dont le simplisme est par lui-même attrayant. Plus le devenir planétaire, par sa complexité croissante, devient illisible et inquiétant, plus l'offre complotiste gagne en puissance de séduction. Elle semble satisfaire à la fois la demande d'explication et le besoin de se défendre contre la menace. Rien n'est plus facile que de se laisser guider et rassurer par les idées simples. ■

1. Extraits cités d'après De Michelis, *The Non-Existent Manuscript : A Study of the* Protocols of the Sages of Zion, University of Nebraska Press, 2004, p. 34. La « dame mystérieuse » censée posséder le manuscrit des *Protocoles* qu'elle aurait reçue d'un journaliste français est vraisemblablement Juliana Glinka.
2. Benjamin Disraeli, *Coningsby*, Londres, 1844, livre III, chap. XV, p. 183.
3. On aura noté l'allusion à la fameuse phrase de Rathenau.
4. *Cf.* Marc Levin, *Les Protocoles de la rumeur* (2005).

Pauvre Voltaire !

Créé en janvier 1994, le réseau Voltaire, comme son nom l'indique, se réclame du libre penseur des Lumières, une référence logique à l'époque pour son fondateur Thierry Meyssan, alors membre de la franc-maçonnerie. Cette appartenance, dont il ne fait pas mystère, a pris brutalement fin en mai 2000 à la demande du conseil de l'ordre du Grand Orient de France qui a réclamé son exclusion. Il est clair que les engagements de Thierry Meyssan ne correspondent pas à l'image traditionnelle de la franc-maçonnerie. Véritable caméléon idéologique et médiatique, le leader du réseau Voltaire a épousé toutes les modes de ses contemporains. Il fut tour à tour et sans complexe adepte d'un courant chrétien charismatique, le visage extatique au premier rang des fidèles sous le balcon de Jean Paul II, puis catho de gauche et militant laïc intransigeant dénonçant la venue du pape en France en 1996. On le retrouva ensuite leader du mouvement gay, animateur d'une campagne anti-Front national, membre du Parti radical de gauche. C'est d'abord au nom d'une liberté d'expression totale qu'il a pris la défense de *Nouvelle Vision*, une publication négationniste condamnée par mesure administrative. Mais les attentats du 11 septembre 2001 l'ont précipité à son tour dans une nouvelle forme de négationnisme. Dans son livre *L'Effroyable Imposture*, paru en 2002, il mettait en cause leur réalité, sur le fondement de considérations techniques, concernant par exemple le Boeing écrasé sur le Pentagone, aussi fumeuses que la contestation par Faurisson de la nocivité des gaz utilisés dans les camps d'extermination nazis. Meyssan expliquait ainsi le 11-Septembre comme un complot fomenté par les néoconservateurs pour prétexter une attaque contre l'Afghanistan. Son livre, propulsé sur la liste des best-sellers grâce à Thierry Ardisson – qui a invité Thierry Meyssan sans contradicteur dans son émission « Tout le monde en parle » –, s'est vendu à des centaines de milliers d'exemplaires, notamment dans le monde arabe. Devenu une figure de proue de l'antiaméricanisme mondial, Meyssan fut reçu en grande pompe par un certain nombre de dictatures islamiques à l'instar des mollahs d'Iran !
Thierry Meyssan n'en finit pas d'exploiter le filon de son *Effroyable Imposture*. Depuis quelques mois, le site web du réseau Voltaire diffuse un journal hebdomadaire destiné aux rédactions de la presse française et européenne. On y livre à la vindicte journalistes, intellectuels et hommes politiques de préférence juifs, tous présentés comme manipulés par la CIA et les néoconservateurs américains, sans oublier les agents secrets du Mossad.
Une stratégie bien éprouvée par son réseau qui, à la lisière de l'islamisme radical et de l'anti-impérialisme gauchiste, nourrit une théorie générale du complot. Surfant sur une représentation de la réalité reprenant la théorie conspirationniste diffusée pendant une décennie par la série télévisée *X-Files* et plus récemment par le roman de Dan Brown, *Le Da Vinci Code*, ces élucubrations fumeuses pourraient faire sourire. Elles font malheureusement de plus en plus d'émules.
Le site de Meyssan est aujourd'hui traduit en arabe par Issa el-Ayoubi, vice-président du réseau Voltaire mais également grand défenseur de la chaîne Al-Manar, la chaîne du Hezbollah, interdite en France par le Conseil d'État. Américanophobe, anti-israélien et désormais antilaïc...
Le réseau Voltaire, qui s'était attiré la sympathie des militants laïcs en s'opposant, en 1996, à la visite de Jean-Paul II en France ou en menant de sérieuses investigations sur les organisations d'extrême droite et les sectes, est devenu, en changeant de siècle, le chantre d'une nébuleuse islamo-gauchiste.
Il illustre la dérive d'une partie de l'extrême gauche qui se distingue de moins en moins de l'extrême droite.
Pauvre Voltaire !

Max Lagarrigue

Dans un café à la mode de Téhéran, juin 2001. © Abbas/Magnum Photos.

GRAND DOSSIER

Le 20 mars 2003, les États-Unis et leurs alliés attaquaient l'Irak de Saddam Hussein. En parallèle à l'intervention en Afghanistan, cette offensive ouvrait le deuxième acte du remodelage du Moyen-Orient théorisé après coup par l'administration Bush.

Trois ans plus tard, quel bilan tirer de ce projet de démocratisation de la région ? Au-delà de la chute de la sanglante dictature de Saddam Hussein et de la lutte nécessaire contre Al Qaïda, les enjeux sont multiples. Si les récentes consultations en Irak et en Afghanistan ainsi que les réformes consenties par les régimes du Golfe permettent d'espérer un vrai changement à terme, la question des moyens mis en œuvre reste posée.

LA QUESTION CHIITE
RUPTURE DANS L'ISLAM ?

ANTOINE BASBOUS

Nous mesurons chaque jour l'ampleur des bouleversements induits par les retombées des attaques du 11 septembre 2001. Ainsi de la chute de Saddam Hussein qui pourrait poser, à terme, la question sensible du remodelage des frontières du Moyen-Orient. Car à chaque fois qu'une dictature tombe, on se rend compte combien elle usait de la terreur pour assurer l'unité et la « paix » intérieures.

La chute du régime du Baas à Bagdad ne manquera pas de provoquer des réactions en chaîne qui pourraient remettre en cause les frontières du Moyen-Orient. Circonstance aggravante : la dictature a disparu grâce à une intervention étrangère. En l'absence d'une tradition démocratique qui organise l'alternance au pouvoir dans ce pays, le risque de sa décomposition apparaît au grand jour.

Les forces sectaires et qui pratiquent la politique de la « terre brûlée » sont bien enracinées. Abou Moussab al Zarkaoui, « l'émir » jordanien d'Al Qaïda en Irak, agréé par Ben Laden à l'automne 2004, a réussi à prendre en otage une large partie de la communauté sunnite, avec le consentement de ses muftis wahhabites. Il s'exprime en leurs noms pour rejeter le principe même de la démocratie et des élections. Car elles « conduisent les hommes à légiférer alors que le Prophète l'a fait pour les musulmans, il y a plus de quatorze siècles ». Aussi, l'exercice démocratique conduira la majorité chiite à gouverner l'Irak après cinq siècles d'un règne sunnite, entamé avec l'occupation ottomane au début du XVIe siècle, relayé par les Britanniques au début du XXe siècle et prolongé par le règne absolu de Saddam Hussein et du Baas.

Imprégné de la doctrine wahhabite dans sa version pure du djihadisme-takfiriste[1], Zarkaoui qualifie les chiites d'« hérétiques » à convertir de force ou à éliminer. Il les perçoit comme un instrument et un prolongement de la puissance iranienne. La haine de Zarkaoui pour les chiites vient de loin : les pères fondateurs du wahhabisme avaient envahi Karbala, en 1802. Ils se déchaînèrent contre ce bastion des « hérétiques », faisant trois mille morts parmi les civils et pillant, en huit heures seulement, toutes les richesses de la cité. Avant de reprendre la route de leur fief de Darïya, au cœur du Nadjd saoudien, ils ne manquèrent pas de démonter et d'emporter les stèles et les offrandes qui décoraient la tombe du petit-fils du Prophète, l'imam Hussein Bin Ali, cher aux chiites. Le zèle purificateur de leur chef de l'époque devait lui coûter la vie. Il fut assassiné dans une mosquée de Darïya, pendant sa prière, par un chiite dont la femme et les enfants avaient été égorgés à Karbala.

La mouvance wahhabite s'est développée dans l'Irak « laïc » au lendemain de sa défaite au Koweït, en 1991, et de l'arrivée de fonds saoudiens dans le triangle sunnite pour construire des mosquées et des écoles coraniques et pour prendre le relais du Baas humilié. À elle seule, Fallouјah compte soixante-quinze mosquées, pour une ville de moins de quatre cent mille habitants. Leur construction a été majoritairement financée par les wahhabites.

Les nostalgiques du Baas ont majoritairement rejoint la campagne hystérique de Zarkaoui et des wahhabites irakiens. Ce trio mène la rébellion et se répartit les tâches. En chef d'orchestre, Zarkaoui – fort de l'apport des internationalistes du djihad et du takfir – désigne les objectifs et gère un budget mensuel de 800 000 euros, contre plus de 5 milliards de dollars pour les dépenses mensuelles de l'armée américaine en Irak. Il réceptionne et entraîne les kamikazes, assure la propagande via Internet... Il a mis les nostalgiques de Saddam à son service, lesquels disposent du ren-

---

* ANTOINE BASBOUS *est directeur de l'Observatoire des pays arabes. Il est notamment l'auteur de* L'Arabie Saoudite en guerre *(Perrin, 2004).*

seignement, de l'explosif en quantité, de ressources financières depuis leur base arrière syrienne et d'un savoir-faire militaire hérité de leur enrôlement dans l'ex-armée irakienne.

ZARKAOUI PRATIQUE LE NETTOYAGE CONFESSIONNEL L'attitude des dirigeants de l'islam sunnite peut être qualifiée « de complicité coupable ». D'abord, ils ont espéré tirer avantage de la pression terroriste exercée par Zarkaoui, ensuite ils n'ont plus osé le contrecarrer pour rejoindre le processus démocratique. Alors que plusieurs dirigeants politiques sunnites se sont courageusement engagés dans les élections, au risque de leur vie. Les muftis du sunnisme arabe, à de très rares exceptions, ont fermé les yeux sur les crimes de Zarkaoui contre les chiites. Les gouvernements sont restés muets, alors que la plupart des chaînes satellitaires arabes ont relayé son message haineux. Le seul qui se soit rendu compte des conséquences de cette guerre décrétée contre les chiites est Ayman Zawahiri, le bras droit de Ben Laden. Il s'est inquiété, dans un message adressé à Zarkaoui en juillet 2005, des méthodes utilisées – destruction de mosquées chiites et égorgement des otages – en redoutant qu'elles ne suscitent l'hostilité des musulmans et qu'elles ne privent Al Qaïda de ses soutiens dans le monde arabe. Cette condamnation va-t-elle enfin provoquer une réaction des muftis et des gouvernements arabes ? Toutefois, Zarkaoui a répliqué, en octobre 2005, en se référant à sa doctrine qui distingue entre « croyants et mécréants » et en justifiant la guerre totale décrétée contre les chiites par leur alliance « avec les ennemis de l'islam afin de contrôler l'Irak ».

L'offensive antichiite est très inquiétante pour l'unité de l'Irak et la paix dans la région. Zarkaoui a signé les attentats majeurs contre les chiites et leurs lieux saints, tel l'assassinat de l'ayatollah Mohamed Baqer el-Hakim, en août 2003, avec une centaine de ses fidèles, dans l'enceinte de la sainte mosquée de Nadjaf. Zarkaoui l'a fait assassiner par un kamikaze jordanien qui n'était autre que le père de sa deuxième épouse ! Les attaques de Karbala, autre ville sainte chiite, au printemps 2004, qui avaient fait plus de deux cents morts, étaient également l'œuvre de Zarkaoui. La panique provoquée par les tirs de mortier de ses hommes, le 31 août 2005, a fait précipiter un millier de chiites dans le Tigre. Le pèlerinage, qui devait servir de démonstration de force pour un million de chiites venus commémorer l'imam Kazem dans son sanctuaire à Bagdad et rappeler que la capitale est surtout une ville majoritairement chiite, s'est transformé en carnage. On ne compte plus les mosquées chiites visées par les kamikazes de Zarkaoui, ni les mariages ou les enterrements qui deviennent des cibles de choix. En outre, le nombre de routiers, de policiers et de simples citoyens chiites égorgés ou froidement abattus d'une balle dans la nuque par cette mouvance, et dont les horribles scènes ont été diffusées sur Internet, se compte par milliers...

Un nettoyage religieux antichiite a été entamé en 2004 dans le « triangle de la mort », constitué au sud de Bagdad par les villes de Youssoufiah, Latifiyah et Mahmoudiyah, là où ont été enlevés les deux journalistes français Christian Chesnot et Georges Malbrunot. L'enjeu de ce nettoyage est capital dans la redoutable perspective d'une guerre civile et du contrôle de Bagdad. Il s'agit pour les hommes de Zarkaoui de rompre la continuité territoriale entre le Sud chiite et Bagdad. Cette action est chargée de menaces pour l'avenir et pour l'unité de l'Irak. Si Zarkaoui n'est pas désavoué par les instances sunnites ou vaincu par les forces de la coalition, son offensive peut préfigurer la construction d'un « mur de Berlin » au cœur de Bagdad ou le lancement d'une bataille féroce pour le contrôle de la capitale des Abbassides. Mais tant que les forces de la coalition sont stationnées en Irak, l'aboutissement du projet de Zarkaoui sera entravé, même si les futures « frontières » de l'Irak commencent à se dessiner sous la pression terroriste ou démographique. Le retrait des forces de la coalition serait en revanche le signal qui déclencherait l'apparition de nouveaux faits accomplis.

Alors que plusieurs dirigeants politiques sunnites se sont courageusement engagés dans les élections, au risque de leur vie. Les muftis du sunnisme arabe, à de très rares exceptions, ont fermé les yeux sur les crimes de Zarkaoui contre les chiites.

L'ORDRE PÉNIBLEMENT IMPOSÉ PAR LA HAOUZA CHEZ LES CHIITES Côté chiite, les radicaux ont été muselés dans un premier temps et n'ont pas réussi à faire main basse sur la communauté. Car, la Haouza, le « Vatican » chiite de Nadjaf, veillait sous l'autorité reconnue de l'ayatollah 'Ouzma (le plus grand) Ali Sistani. Le jeune Moqtada al-Sadr, dont l'ambition démesurée et l'impatience contrastent avec son éducation religieuse élémentaire, avait entamé une démarche de nettoyage religieux dans le sud de l'Irak en expulsant par la violence des imams sunnites et en versant leurs mosquées au culte chiite pour les transformer en Hosseiniyats. L'homme est très perméable aux

influences étrangères conjointes ou successives : Iran, Syrie, Hezbollah libanais.
Mais ses tentatives de rébellion ont été écrasées dans le sang par l'armée américaine, en 2004. Elles avaient surtout été désavouées par la Haouza de Nadjaf. Les pertes dans les rangs de sa « milice du Mahdi » se comptent par centaines. Ses hommes n'avaient bénéficié d'aucun entraînement sérieux, contrairement aux fidèles de Saddam issus des rangs de l'armée. Ces derniers avaient mis en échec une première tentative américaine de prendre Falloujah, au printemps 2004, avant de soumettre ce fief islamiste à l'automne. Mais Sadr pourrait, à tout moment, être tenté de reprendre par la force la place qu'occupait sa lignée d'ayatollahs dans le milieu socioreligieux chiite.
L'autre ligne de fracture qui pèse sur l'unité de l'Irak se situe dans la ville pétrolière de Kirkouk. En effet, la campagne d'arabisation de cette province pétrolière, entamée sous le règne du Baas, avait chassé de leur foyer des dizaines de milliers de Kurdes et détaché la ville du Kurdistan. Saddam voulait soustraire les richesses de Kirkouk aux Kurdes. Sa chute a poussé ces derniers à réclamer leurs maisons et leurs terres et à réintégrer la ville dans le Kurdistan. Les frictions se multiplient et peuvent conduire à une confrontation ethnique entre Arabes et Kurdes.
La Turquie se mêle solennellement de ce conflit et son Premier ministre n'hésite pas à menacer d'intervenir militairement. Aussi, Ankara dispose d'un instrument perturbateur à travers la petite communauté turcomane qui lui est, dans l'ensemble, très fidèle. L'avenir de Kirkouk représente un enjeu majeur : le gestionnaire des gisements pétroliers du Nord aura les moyens de son autonomie stratégique.

LES FRACTURES MASQUÉES PAR LES DICTATURES Après la chute du régime irakien, la fragilité du pays est apparue au grand jour. Malgré un processus formellement démocratique, l'alternance prend une couleur confessionnelle et bénéficie à la majorité numérique des chiites au détriment de la minorité sunnite. Si le souci de la nouvelle majorité était d'entraver toute autre alternance en dehors de la communauté « majoritaire », l'expérience irakienne pourrait alors s'apparenter au précédent soviétique ou yougoslave : l'éclatement du pays consécutif à la chute de la dictature, en raison de la culture de l'intolérance qui s'y est répandue. Le maintien de l'unité de l'Irak exige la présence d'une poignée d'hommes d'État et non d'esprits revanchards. Et aussi une patience infinie et beaucoup d'énergie pour neutraliser les conséquences d'un lourd héritage d'intolérance.
Car l'éviction de Saddam n'est pas suffisante, à elle seule, pour créer les conditions d'une démocratie que les Irakiens n'ont jamais connue. Les États-Unis ne disposent pas des six cent mille soldats ni d'un mandat de vingt-cinq ans indispensables pour changer l'Irak en profondeur et instaurer une démocratie transcommunautaire. En effet, il ne suffit pas de mettre en place un processus démocratique dans un pays dominé par l'appartenance clanique et religieuse : instaurer une démocratie sans démocrates équivaut à tirer un chèque sans provisions. Et pour qu'une démocratie puisse prendre racine, il faut du temps et de la patience. Il était indispensable d'introduire ce processus dans l'Irak traumatisé, mais le résultat ne sera pas immédiat.
Si tout laisse penser que l'Irak de demain sera dominé par ses chiites, plusieurs inconnues détermineront cependant l'avenir du pays.
1. Quelle distance prendront les chiites irakiens par rapport à leurs voisins iraniens dont ils partagent la foi, la sensibilité politique mais ni l'histoire ni la langue ? Mettront-ils en place un régime laïc ou celui de *Wilayat al Faghih*[2] à l'instar du régime de la République islamique, instauré à Téhéran depuis 1979 ? Seront-ils « revanchards » en imposant l'ordre de leur « majorité numérique », ou respecteront-ils les intérêts des minorités sunnites, kurdes, turcomanes et chrétiennes dans un État qui accepte la pluralité et l'alternance et qui tient compte des aspirations de la société civile ? Au fil des mois, une volonté de revanche se dessine chez les chiites qui cherchent à façonner le pays à leur main sans tenir compte des aspirations des sunnites. La nouvelle constitution irakienne jette les bases légales de l'éclatement du pays et de la marginalisation des sunnites en leur faisant payer le passé noir de la dictature. Téhéran avait longtemps hébergé l'opposition chiite, lors de sa traversée du désert sous Saddam. Aussi, l'Iran accroît son avantage et se sert des nouveaux dirigeants islamistes de Bagdad et de leurs milices qui investissent massivement les rouages de l'État.

L'éviction de Saddam n'est pas suffisante, à elle seule, pour créer les conditions d'une démocratie que les Irakiens n'ont jamais connue. Les États-Unis ne disposent pas des six cent mille soldats ni d'un mandat de vingt-cinq ans indispensables pour changer l'Irak en profondeur et instaurer une démocratie

2. Comment les tensions communautaires et ethniques seront-elles gérées à l'avenir ? Au cas où les antagonistes s'en remettraient au verdict des armes pour trancher les principales lignes de fracture – tel le contrôle de Bagdad entre sunnites et chiites et celui de Kirkouk entre Arabes et Kurdes – l'unité de l'Irak volerait en éclats. Ces deux batailles – si elles devaient intervenir – entraîneraient, à n'en pas douter, des ingérences régionales au grand jour. Les Turcs ont promis d'intervenir pour empêcher la mainmise des Kurdes sur Kirkouk. L'Iran accroîtrait ses ingérences pour soutenir les chiites. Les pays arabes officialiseraient leur solidarité avec les sunnites irakiens « menacés » et s'impliqueraient alors sans complexe dans ce combat. La solution idéale pour sauvegarder l'unité du pays passe par une dose de fédéralisme et par le respect de l'identité de chacune de ses composantes nationale ou ethnique. À condition que le pouvoir central ne soit pas dépouillé de ses principales prérogatives : la sécurité, les recettes pétro-financières et la représentation internationale.

3. L'émergence d'un pouvoir chiite à Bagdad a réveillé les revendications légitimes des chiites du Golfe. D'ores et déjà, ceux d'Arabie, dont le déploiement humain correspond à la géographie des gisements de pétrole, avaient publié un communiqué, le soir même de la chute de Saddam, revendiquant l'égalité des droits et des devoirs avec leurs concitoyens sunnites d'Arabie. L'arrivée de leurs coreligionnaires au pouvoir à Bagdad a relancé ces revendications. Ils se plaignent de n'avoir jamais eu un seul ministre au gouvernement, que la haute administration leur est interdite et qu'ils ne peuvent pas librement exercer leur foi. Il en va de même pour la majorité chiite à Bahreïn (70 % de la population), gouvernée par une minorité sunnite, suspectée de naturaliser massivement des Saoudiens pour créer un équilibre démographique. Aussi la tension se fait sentir au Koweït, pays pourtant connu pour son libéralisme relatif.

L'aggravation des conflits entre les chiites et les sunnites en Irak provoquera, à n'en pas douter, des réactions en chaîne dans les pays limitrophes pouvant susciter des tensions, voire des actions violentes dans les monarchies dominées par la mouvance wahhabite. Plusieurs États se sont ouvertement inquiétés de cette perspective lors du sommet de Charm el-Cheikh (novembre 2004) et le roi Abdallah II de Jordanie n'a pas hésité à expliciter ses craintes devant la perspective d'un « croissant chiite » qui s'étendrait de Téhéran à Beyrouth en passant par Bagdad et Damas. Le ministre saoudien des Affaires étrangères a déclaré, en septembre 2005 – à Houston et en anglais – son opposition à l'accroissement de l'influence iranienne en Irak, en critiquant violemment la « complicité » américaine. Pour casser cette dynamique de « croissant chiite », les Arabes réclament à Washington d'appliquer en Syrie la même règle qu'en Irak : que la majorité prenne le pouvoir. Or, Damas est gouverné par la dictature héréditaire et minoritaire des Assad (les Alaouites représentent 10 % de la population) depuis trente-cinq ans. Ce pouvoir issu du chiisme a toujours renforcé et instrumentalisé le Hezbollah au Liban.

L'hypothèse d'un conflit chiito-sunnite, si souvent évoquée par les dirigeants arabes, entraînera un chaos indescriptible, qui pourrait mobiliser l'énergie des peuples de la région pendant de longues décennies. Les frontières actuelles en seront bouleversées. L'affrontement Islam-Occident, qu'a voulu initier Oussama Ben Laden avec les attentats de septembre 2001, serait alors doublé d'un conflit entre les communautés islamiques elles-mêmes, dans le berceau historique de l'islam. Les kamikazes du Jordanien Zarkaoui continueront à cibler les chiites qualifiés d'« hérétiques » ; et ces derniers ne manqueront pas de répliquer.

L'aggravation des conflits entre les chiites et les sunnites en Irak provoquera, à n'en pas douter, des réactions en chaîne dans les pays limitrophes pouvant susciter des tensions, voire des actions violentes dans les monarchies dominées par la mouvance wahhabite.

Mais l'éclatement au grand jour d'un conflit entre sunnites et chiites ne mettra pas l'Occident à l'abri de nouveaux actes terroristes. L'incursion durable des Américains dans l'espace islamique, avec ses premiers effets (l'éviction des taliban en Afghanistan et de Saddam en Irak), laisserait penser que les radicaux sunnites seraient en train de payer la facture des attaques menées par la mouvance wahhabite, le 11 septembre 2001.

LA PERSPECTIVE D'UNE ALLIANCE AMÉRICANO-CHIITE CONTRARIÉE PAR LA MOLLARCHIE IRANIENNE Jusqu'à l'élection du président Ahmadinejad en Iran (juin 2005), les chiites se sont retrouvés dans une posture qui leur permettait de profiter de la nouvelle donne sans forcément créer avec Washington une alliance de substitution à celle qui avait prévalu avec les wahhabites entre 1945 et le 11 septembre 2001.

Pourtant entre Washington et l'Iran des mollahs, le courant ne passe toujours pas, faute de confiance mutuelle. Washington ne parvient pas à oublier la détention de ses diplomates pendant quatre cent quarante-quatre jours en 1979. Il condamne le rôle déstabilisateur joué par Téhéran dans le conflit israélo-palestinien et son « soutien au terrorisme international ». Surtout, Washington s'oppose à l'intrusion de l'Iran dans le club des puissances nucléaires. Et ce dernier, dont l'ego et la fierté nationale sont immenses, ne veut pas se priver d'un avantage stratégique par lequel il imposerait sa suprématie à ses voisins du Golfe et jouerait dans la cour des grands. Le guide de la Révolution iranienne avait entamé un virage stratégique dès la chute de Kaboul et surtout de Bagdad : il a décidé d'éliminer les réformateurs, lors des élections législatives de 2004, de peur qu'ils ne deviennent des alliés de Washington dans leur profond désir de changement ; puis propulsé l'ultra-radical Ahmadinejad à la tête de l'État, un an plus tard. C'est une posture de confrontation.

À l'heure actuelle, rien ne permet d'exclure un conflit entre Washington et Téhéran au sujet du dossier nucléaire. Si l'armée américaine ne dispose plus de fantassins en nombre suffisant pour attaquer l'Iran, en revanche elle est toujours capable de neutraliser ses sites nucléaires, de façon à les mettre hors d'usage et à retarder l'acquisition de la bombe. Toutefois, Téhéran dispose d'importants moyens de rétorsion contre les États-Unis à travers ses réseaux, notamment en Irak et au Liban.

Pourtant les États-Unis et l'Iran ont connu, depuis 2001, des convergences stratégiques en Afghanistan et en Irak. La chute des taliban et celle de Saddam ont éliminé deux ennemis majeurs de l'Iran, sans que cela ne lui coûte la vie d'un seul soldat. La victoire des chiites en Irak aurait dû rapprocher l'Iran de l'artisan américain de ce bouleversement. Il n'en a rien été. Car le régime des mollahs redoute qu'un succès américain en Irak le balaye du pouvoir sans avoir même besoin d'une intervention extérieure. Il privilégie son maintien aux affaires tout en empochant les « cadeaux » involontaires de Washington.

En revanche, les États-Unis peuvent compter sur la société civile iranienne qui leur est largement acquise. Ce phénomène est inversé dans les pays arabes : les États sont majoritairement proches de Washington, alors que leurs opinions publiques y sont largement hostiles.

En revanche, les États-Unis peuvent compter sur la société civile iranienne qui leur est largement acquise. Ce phénomène est inversé dans les pays arabes : les États sont majoritairement proches de Washington, alors que leurs opinions publiques y sont largement hostiles.

Tout laisse penser que l'après-11 septembre 2001 a fait apparaître au grand jour les fractures béantes qui caractérisent le monde arabe. Le rapport des forces dans la région est en train d'être bouleversé au détriment des Arabes, dont les sociétés souffrent d'un manque flagrant de liberté, de modernité et d'émancipation. Leurs États se retrouvent « pris en sandwich » entre plusieurs puissances situées à leur périphérie et qui s'ingèrent dans leurs affaires. L'Iran, la Turquie ou Israël, aux côtés de l'hyperpuissance américaine, sont plus que jamais des acteurs majeurs sur l'échiquier du Moyen-Orient.

Malgré ses sérieuses difficultés en Irak, aux conséquences ravageuses sur le Moyen-Orient, et l'extrême retard dans la formation des forces de l'ordre irakiennes – en octobre 2005 une seule brigade était réellement opérationnelle sur les cent quinze constituées – Washington garde quelques atouts majeurs en main. Il est appelé à continuer à jouer le rôle de « protecteur » des monarchies arabes du Golfe face au « péril » d'un Iran hégémonique et nucléarisé ; il pourra soit favoriser soit repousser l'éclatement de l'Arabie et l'émergence d'une province « chiito-pétrolière » dans El-Hassa ; il pourra aussi faire tomber les régimes libanais et syrien, dans le sillage de l'enquête internationale sur l'assassinat de l'ancien Premier ministre Rafic Hariri, ou accepter une « capitulation » syrienne à la Kadhafi...

Faute d'avoir réussi dans le rôle de l'artisan majeur de la démocratisation de l'Irak, Washington restera l'incontournable arbitre des conflits en cours dans la région. Toutefois, les convulsions et l'instabilité risquent de marquer le quotidien du Moyen-Orient dans les quinze années à venir. ■

1. Le *takfir* est le fait qu'un musulman décrète qu'un autre musulman est un *kafer*, un apostat, ce qui équivaut à une condamnation à mort automatique.
2. La confusion des pouvoirs religieux et séculaire en les confiant à un religieux qui joue le rôle d'un vicaire de Dieu sur terre.

QUEL AVENIR POUR LE PEUPLE KURDE ?

KENDAL NEZAN

Comme dans l'ex-empire soviétique, la fin du totalitarisme en Irak soulève la question des nationalités. Et le principal problème national au Moyen-Orient, plus que la question palestinienne, est bien la question kurde.

Les Kurdes constituent la plus importante communauté humaine sans État. Au nombre d'environ trente-cinq millions, répartis entre la Turquie (dix-huit millions[1]), l'Iran (dix millions), l'Irak (six millions) et la Syrie (un million et demi), ils possèdent une langue, une culture et une histoire qui leur sont propres et dont les origines remontent aux Mèdes (VIIe siècle avant J.-C.). Après avoir, sous la conduite de leur prince Saladin, joué un rôle prédominant dans le Proche-Orient de l'époque des croisades, ils subirent, comme nombre d'autres peuples de l'Asie occidentale, les invasions turco-mongoles qui plongèrent la région dans une longue période de servitude. Finalement, en 1514, les princes kurdes décidèrent de s'allier au sultan ottoman sunnite contre la Perse chiite du schah Ismaïl dont le prosélytisme militant inquiétait à la fois Kurdes et Ottomans. En contrepartie de cette alliance militaire, Constantinople s'engageait à respecter les droits et privilèges des seize principautés se partageant le territoire du Kurdistan. Ce pacte fonctionna sans accroc majeur jusqu'au XIXe siècle, époque à laquelle l'Empire ottoman, engagé dans un processus de centralisation, se lança dans l'annexion progressive des principautés kurdes. Cette guerre de conquête suscita en réaction une série de soulèvements visant d'abord au rétablissement des privilèges abolis, puis à partir de 1839 à la création d'un État kurde unifié et indépendant. L'insurrection kurde de 1880-1881 réussit à réunir pour un temps sous la même autorité politique les provinces kurdes ottomanes et perses.

SÉQUELLES DU COLONIALISME La question kurde donc ne date pas d'aujourd'hui. La légitimité d'un État kurde fut d'ailleurs reconnue dès 1920 par le traité de Sèvres qui prévoyait la création d'une Arménie et d'un Kurdistan indépendants. Signé entre autres par le Royaume-Uni, la France et l'Empire ottoman, ce traité ne fut jamais appliqué. De la même façon, la proposition du président américain Woodrow Wilson, avancée dans son projet de charte de la Société des Nations (SDN), de créer, dans les provinces orientales de l'Empire ottoman vaincu, au nom du principe des nationalités, un Kurdistan et une Arménie indépendants fut en grande partie ignorée. Londres et Paris dessinèrent la carte du Proche-Orient en fonction de leurs intérêts coloniaux. Leur mépris des populations concernées fut particulièrement frappant lors du rattachement à l'Irak du Kurdistan méridional, appelé province de Mossoul dans le langage administratif ottoman. Alors qu'une mission d'enquête de la SDN avait conclu que les sept huitièmes de la population de ce territoire souhaitaient la création d'un État kurde indépendant, les Britanniques affirmèrent que le nouvel État irakien, qu'ils venaient de créer de toutes pièces, ne serait pas viable sans les richesses agricoles et pétrolières du Kurdistan. Ils parvinrent à convaincre la SDN d'incorporer ce territoire kurde à l'Irak en contrepartie d'une vague promesse d'autonomie interne qui ne fut jamais honorée. En échange de leur appui à l'initiative britannique, la France et l'Amérique reçurent chacune 23,75 % des parts de l'Iraqi Petroleum Co, exploitant les gisements kurdes de Kirkouk. La Compagnie française du pétrole (CFP), rebaptisée plus tard Total, doit donc sa fortune au pétrole kurde. Les nouveaux États créés sur les décombres de l'Empire ottoman s'engagèrent, à des rythmes variés, dans la construction d'États-nations culturellement et linguistiquement homogènes, sur le modèle jacobin français.

LE RÊVE D'INDÉPENDANCE La Turquie d'Atatürk fut une adepte particulièrement zélée de ce modèle d'occidentalisation. Après le génocide arménien perpétré en 1915 par le gouvernement ultra-nationaliste des Jeunes-Turcs, leurs successeurs idéologiques expulsèrent en 1922 vers la Grèce quelque un million deux cent mille Grecs d'Anatolie. Cette première épuration ethnique du XXe siècle, conduite sous l'euphémisme « d'échange de populations », eut pour effet d'épurer l'Asie mineure de ses populations chré-

* KENDAL NEZAN *est président de l'Institut kurde de Paris.*

Oumma.com : la vitrine légale d'un islamisme décomplexé

Entre deux publicités, l'une pour le *hijab* à la mode iranienne et l'autre pour les éditions Tawhid qui promeuvent les vidéoconférences du fondamentaliste Tariq Ramadan, le site web oumma.com – qui s'autoproclame premier site web islamique francophone avec, selon ses administrateurs, cent vingt mille abonnés et plus de six millions de visites mensuelles – s'annonce comme le carrefour culturel et religieux de la « seconde religion de France ». Créé en septembre 1999 par Saïd Branine, oumma.com (*oumma* est une expression qualifiant la communauté des croyants comme un tout) ne se cache pas d'être la devanture des thèses de Tariq Ramadan. Le prédicateur genevois s'y exprime régulièrement et notamment lorsque les médias traditionnels ne le laissent pas diffuser ses thèses aux relents antisémites.

Le site bénéficie de moyens techniques et financiers très honorables. Il a mis en place Oumma TV, une télévision communautaire qui peut justifier le port du voile islamique, l'entrisme dans les organisations politiques comme l'appel à une laïcité ouverte sur les revendications religieuses. Parmi les intervenants, on retrouve des personnes déjà acquises de fait à la cause à l'exemple du Strasbourgeois Thomas Milcent *alias* docteur Abdallah. Ce docteur en médecine et membre du Conseil français du culte musulman (CFCM) s'est rendu célèbre en défendant avec ardeur des jeunes filles voilées. Mais on sait moins que ce Français, converti à l'islam lors de plusieurs séjours en Afghanistan, est un proche du chef de guerre afghan Gulbuddin Hekmatyar. Aux côtés des prédicateurs, Oumma TV donne la parole à des interlocuteurs d'horizons plus variés. Ainsi, la « féministe » Cécilia Baeza, membre du conseil scientifique de Sciences-Po Paris et cofondatrice de l'association Les Sciences potiches se rebellent, qui a défendu le voile islamique devenu un symbole émancipateur féministe ! L'association a pris fait et cause pour le collectif islamo-gauchiste Une école pour toutes qui considère la loi sur l'interdiction des signes religieux à l'école comme le vecteur d'une discrimination raciste. Le site se fait fort d'assurer la promotion du collectif des Indigènes de la République pour qui la colonisation serait consubstantielle de la République française. Passerelle entre les islamistes et une partie de la gauche, oumma.com donne également sans complexe la parole à des fondamentalistes. Nadia Yassine, la fille d'Abdessalam Yassine, qui dirige le mouvement islamiste marocain Al Adl Wal Ihsane (Justice et Bienfaisance) dont elle est la porte-parole, s'adresse librement aux internautes par vidéo interposée. Plus récemment comme un pied de nez à l'Onu et aux dirigeants syriens embourbés dans l'enquête sur l'assassinat de Rafic Hariri, le site a mis en ligne un long entretien avec le leader historique de la mouvance islamique des Frères musulmans, le Syrien Issam Al-Attar qui vit depuis 1978 en Allemagne.

En revanche, le site n'épargne pas ses « ennemis ». Ainsi Fadela Amara, Mohamed Abdi et les autres leaders de Ni putes, ni soumises, tout comme Malek Boutih, secrétaire national du PS, y sont régulièrement traînés dans la boue, car ils ne correspondent pas à l'image du musulman que le site veut propager. Pas de doute, oumma.com est devenu l'outil de libre expression d'un islamisme décomplexé.

Max Lagarrigue

tiennes. L'étape suivante de l'homogénéisation à la turque fut une politique d'assimilation forcée des Kurdes avec une panoplie de procédés allant de l'interdiction de la langue et de la culture à la turquisation des patronymes et des noms géographiques en passant par des déplacements forcés de populations. L'usage oral de la langue kurde n'a été autorisé qu'en 1991. Et en 2006, alors que la Turquie engage des négociations pour son adhésion éventuelle à l'Union européenne, les Kurdes ne disposent toujours pas d'écoles ou de médias audiovisuels dans leur langue[2]. Cette oppression culturelle et physique provoqua une trentaine de révoltes kurdes contre le pouvoir central turc. La dernière en date, déclenchée en 1984 par le Parti des travailleurs du Kurdistan (PKK), n'est pas encore tout à fait éteinte.

En Iran, empire multinational dominé par la minorité persane représentant environ 40 % de la population, les Kurdes ont lutté pendant des décennies contre la monarchie autoritaire des Pahlavi. En 1946, mettant à profit l'affaiblissement du pouvoir central, ils fondèrent sur une partie de leur territoire située entre les zones d'occupation soviétique et britannique une « République du Kurdistan », ayant pour capitale la ville de Mahabad. Cette république, dont le commandant en chef était le leader kurde irakien Moustafa Barzani, incarna pendant les onze mois de son éphémère existence les espoirs de toute la nation kurde qui se mobilisa pour sa défense. Sa chute, ressentie comme un traumatisme national, conduisit les mouvements kurdes à prendre conscience des réalités géopolitiques implacables de la région. Renonçant à leur rêve d'indépendance, ils limiteront ensuite leur combat à une perspective d'autonomie régionale dans le cadre de la démocratisation des États existants.

AUTONOMIE ET DÉMOCRATIE Dans l'Irak confié par les Anglais à l'élite de la minorité arabe sunnite, les Kurdes n'ont cessé de lutter, souvent par les armes, pour le statut d'autonomie qui leur avait été promis par la SDN. De 1961 à 1975, les maquisards du général Barzani surent tenir tête aux dictatures militaires successives. À la suite d'un accord irako-iranien signé à Alger en mars 1975 sous l'égide du président algérien Boumediene, par Saddam Hussein et le schah, la résistance kurde cessa provisoirement, abandonnée par l'administration Nixon, qui lui avait promis son aide pour faire contrepoids à l'alliance de l'Irak avec l'URSS. Bagdad en profita pour mener au Kurdistan une politique de la terre brûlée systématique, qui se solda notamment entre 1975 et 1991 par la destruction de 90 % des cinq mille villages et par l'internement d'un million cinq cent mille paysans kurdes. Le soulèvement général du printemps 1991, au lendemain de la guerre du Golfe, permit de libérer le Kurdistan de l'emprise du régime baasiste mais la répression féroce qui suivit provoqua l'exode vers les frontières de l'Iran et de la Turquie de plus de deux millions de réfugiés kurdes. L'émotion suscitée dans l'opinion publique obligea les Alliés à réagir et, à l'initiative de la France, l'Onu adopta la résolution 688 autorisant au nom du « droit d'ingérence humanitaire » la création d'une zone de protection échappant au contrôle du régime irakien, pour assurer le retour dans leur foyer des réfugiés kurdes. C'est dans cette zone en grande partie dévastée que les Kurdes ont progressivement mis en place les institutions nécessaires à la reconstruction matérielle et politique de leur pays. Cette expérience démocratique sert aujourd'hui de modèle au reste de l'Irak.

CONTRE LES MOLLAHS La révolution islamique iranienne, totalitaire et intolérante vis-à-vis des croyances autres que le chiisme, fut le point de départ de l'engagement militant des Kurdes iraniens d'abord sous la direction du Dr Abdoul Rahman Ghassemlou, secrétaire général du Parti démocratique du Kurdistan iranien (PDKI), puis des Kurdes d'autres pays en faveur de la laïcité. Un engagement d'autant plus aisément accepté par la population que la société kurde a toujours été multiconfessionnelle et multiculturelle et que, pratiquant la tolérance, le Kurdistan a servi de refuge non seulement aux chrétiens assyro-chaldéens et aux Juifs mais aussi à des religions dites hérétiques comme le yézidisme, le yarsanisme, les Ahli Haqq (Fidèles de vérité), sans oublier les ultimes survivants des Sabéens.
Ghassemlou, qui était un grand démocrate, fut assassiné en juillet 1989 à Vienne par les émissaires du président iranien venus « discuter » avec lui de l'autonomie kurde et de « l'ouverture démocratique » de l'Iran après la mort de Khomeyni. Tout comme le commandant afghan Massoud, il ne fut pas soutenu par les démocraties occidentales. L'Autriche a même laissé partir librement ses assassins sous le prétexte qu'ils étaient couverts par leur immunité diplomatique, ce qui fit croire aux dirigeants de Téhéran qu'ils pourraient agir à leur guise en plein cœur de l'Europe. Ils récidivèrent en faisant assassiner le Dr Sharafkandi, successeur de Ghassemlou, et trois de ses collaborateurs à Berlin, en 1992, en marge du congrès de l'Internationale socialiste auquel ils avaient été invités. Un tribunal allemand établit clairement que le quadruple assassinat avait été ordonné par le sommet de l'État iranien. S'ensuivit une brouille diplomatique avec Téhéran qui dura quelques mois. Ensuite les pays européens reprirent leur « dialogue critique » avec le régime des ayatollahs. Sans illusions sur le soutien de l'Europe, les Kurdes iraniens poursuivirent dans un contexte difficile leur combat pour un Iran fédéral, démocratique et laïc.

La société kurde a toujours été multiconfessionnelle et multiculturelle et, pratiquant la tolérance, le Kurdistan a servi de refuge non seulement aux chrétiens assyro-chaldéens et aux Juifs mais aussi à des religions dites hérétiques comme le yézidisme, le yarsanisme, les Ahli Haqq (Fidèles de vérité), sans oublier les ultimes survivants des Sabéens.

Le fédéralisme semble également recueillir l'adhésion d'une large majorité de Kurdes de Turquie qui, après la fin de la grande illusion d'un Kurdistan unifié et socialiste promis par le PKK, souhaite un compromis raisonnable entre ses aspirations à l'indépendance et les contraintes géopolitiques.
Une pétition signée par plus de deux cents personnalités représentatives de la diversité politique et culturelle des Kurdes de Turquie est parue en décembre 2004 dans la presse européenne[3]. Elle invite la Turquie et l'Europe à œuvrer pour une solution pacifique de la question kurde en s'inspirant des modèles catalan et basque en Espagne, écossais et gallois au Royaume-Uni. Le processus

d'adhésion à l'Union européenne leur paraît une chance historique pour sortir pacifiquement du tête-à-tête conflictuel avec le nationalisme turc. La minorité kurde annexée par la France à la Syrie en 1921 se bat, elle, pour la réintégration de quelque trois cent mille Kurdes déchus arbitrairement de leur nationalité syrienne. Elle est forte aujourd'hui de près de deux millions de personnes habitant des terres fertiles et pétrolifères de la Djézireh à la frontière turco-irakienne et les vertes vallées de Kurd-Dagh, au nord d'Alep. Elle revendique des droits culturels et linguistiques, des écoles et des médias dans sa langue. Et comme on l'a vu lors des événements du printemps 2005, elle joue un rôle de premier plan dans le combat contre le régime baasiste et pour la démocratie.

L'ENJEU IRAKIEN Cependant, c'est en Irak que se joue actuellement l'avenir de la nation kurde. Les Kurdes irakiens sont parvenus à obtenir un statut fédéral dans le cadre d'un Irak démocratique, statut consacré par la Constitution irakienne du 15 octobre 2005 approuvée par plus de 78 % des électeurs irakiens. Cette constitution fait du kurde l'une des deux langues officielles de l'Irak et reconnaît aussi aux minorités assyro-chaldéenne et turkmène de larges droits culturels et linguistiques. L'exemple irakien a créé une dynamique nouvelle en faveur du fédéralisme en Turquie et en Iran. Une fraction importante des mouvements kurdes de Turquie revendique désormais à son tour un statut fédéral. En Iran des manifestations populaires importantes en faveur de la démocratie et du fédéralisme ont été, au printemps et à l'été 2005, réprimées brutalement dans plusieurs villes du Kurdistan, dont Mahabad et Sanandad. Le fédéralisme se présente comme la chance ultime de préserver les actuelles frontières étatiques du Proche-Orient dans le respect de la diversité des populations et de leurs aspirations identitaires et démocratiques. Si ce projet finit par se matérialiser en Iran et en Turquie, aussi à défaut d'une unité politique, des relations de coopération transfrontalière entre régions fédérées pourront permettre aux diverses composantes du peuple kurde de se retrouver.

Le fédéralisme se présente comme la chance ultime de préserver les actuelles frontières étatiques du Proche-Orient dans le respect de la diversité des populations et de leurs aspirations identitaires et démocratiques.

L'échec éventuel du projet d'un Irak fédéral et démocratique ou l'éclatement de cet État entre ses entités kurdes, chiites et sunnites serait porteur de tensions et de conflits dans les relations des Kurdes avec leurs voisins. Un Kurdistan irakien indépendant serait certes économiquement parfaitement viable en raison de ses ressources hydrauliques, pétrolières et agricoles considérables. Politiquement, son enclavement l'obligerait soit à chercher la protection militaire des États-Unis pour empêcher l'intervention des États voisins, soit à trouver avec la Turquie un compromis qui paraît très difficile dans la mesure où Ankara ne cesse de répéter son intention d'intervenir militairement pour empêcher toute tentative de création d'un État kurde indépendant.

Après un XXe siècle où il a connu tant d'épreuves et de malheurs, le peuple kurde aborde le XXIe siècle avec beaucoup d'espoirs et aussi d'incertitudes. La fin de la dictature de Saddam Hussein, le projet de démocratisation du Moyen-Orient, le processus d'adhésion de la Turquie à l'Union européenne, la présence d'une diaspora de plus d'un million de Kurdes en Europe lui ouvrent des perspectives nouvelles. Mais il sait d'expérience que dans cette partie du monde les évolutions sont lentes, douloureuses et conflictuelles. En attendant, il lutte pour la survie de sa langue et de sa culture menacées en Turquie par l'exode rural, les déplacements forcés de sa population et l'invasion des images télévisées dans les langues dominantes.

Malgré une démographie florissante et les progrès de l'éducation, le peuple kurde n'aura d'avenir que s'il réussit à sauvegarder son identité et si son combat bénéficie du soutien des forces démocratiques de la région et des démocraties occidentales. ■

1. D'après la Commission européenne quinze à vingt millions de Kurdes vivent en Turquie.
2. Depuis juin 2004, une chaîne de télévision publique turque diffuse une émission hebdomadaire de 45 minutes en kurde et six cours privés de kurde pour adultes ont été autorisés.
3. Notamment dans l'édition du *Monde* du 10 décembre 2004.

FAUT-IL AVOIR PEUR DU PAKISTAN ?

BRUNO TERTRAIS

Vu d'Europe, le Pakistan semble un concentré des risques stratégiques de ce début de XXIe siècle : islamisme, terrorisme, nucléaire... À tel point qu'il est devenu l'incarnation du cauchemar de l'Occident. La réalité pakistanaise est pourtant plus complexe.

Souvent présenté comme au bord de l'explosion, le Pakistan est devenu un fantasme alimenté par les réflexions de nombreux stratèges occidentaux prompts à élaborer des « scénarios catastrophes » et par certaines enquêtes journalistiques enclines à la dramatisation – mais aussi parfois, par l'armée pakistanaise elle-même, soucieuse de s'assurer du soutien des États-Unis et de l'Europe (« Nous ou le chaos »).

UN RÉGIME MILITAIRE SOLIDE Tout au long de la jeune et tumultueuse existence du Pakistan, marquée notamment par quatre coups d'État réussis, l'armée a assuré la stabilité du régime. Une plaisanterie locale veut que la plupart des pays du monde disposent d'une armée, sauf le Pakistan, où c'est l'armée qui dispose d'un pays...
Ainsi, même pendant les périodes de pouvoir théoriquement civil, le Pakistan a été une sorte d'État-garnison avec une économie de guerre. La dépense militaire réelle y représenterait près de 50 % du budget de l'État. C'est l'un des rares pays au monde ayant accru le volume de ses forces au cours des quinze dernières années.
Les militaires sont d'abord et avant tout la « caste supérieure » du système pakistanais, dont ils se partagent les prébendes. Au cœur de chaque grande ville du pays, on trouve le *cantt* (« cantonnement »), quartier général du corps d'armée qui contrôle la région. Ce système garantit l'emprise des militaires sur la vie locale.
La majorité de la population perçoit l'armée comme garante de l'ordre, instrument d'ascension sociale et symbole de l'unité nationale. Elle n'a qu'une confiance limitée dans une classe politique il est vrai souvent peu reluisante. En outre, les militaires contrôlent une part croissante de l'administration, des universités et de l'économie, de manière plutôt efficace au vu du haut niveau de corruption régnant dans le pays. Il existe aujourd'hui une véritable « colonisation des institutions civiles par les militaires[1] ».
L'armée reste la colonne vertébrale d'un pays dirigé par un establishment au mode de vie occidental de quelques centaines de personnes (militaires, bureaucrates, féodaux), une « oligarchie modérée[2] ». Les élites civiles sont cooptées sous condition d'accepter le credo militaire pakistanais ainsi que la captation par l'armée d'une large partie des ressources de l'État.
En fait, loin de présenter des risques de délitement, le Pakistan semble entrer dans une phase de *consolidation de l'État*.
Depuis la prise du pouvoir par le général Musharraf, l'armée a encore accru son importance institutionnelle avec la création d'un Conseil de sécurité nationale. Une réforme constitutionnelle a clarifié le rôle du Premier ministre, désormais clairement subordonné au Président. L'armée a également étendu son emprise territoriale. En juin 2003, pressée par les États-Unis de lutter plus ardemment contre Al Qaïda et les taliban, elle a pénétré, pour la première fois depuis la création du pays, dans les zones tribales de l'Ouest. Pas moins de quatre-vingt mille soldats sont impliqués dans les opérations en cours. L'armée patrouille désormais le long de la « ligne Durand » (frontière avec l'Afghanistan, qui divise le territoire des tribus pachtounes). Le pouvoir central a eu l'intelligence d'accompagner cette intrusion de programmes de développement local, afin de s'assurer du soutien des chefs tribaux.
L'économie pakistanaise est en bien meilleure santé qu'il y a quelques années. Le pays connaît aujourd'hui une croissance « aux normes asiatiques ». Il a reconstitué ses réserves de change, les transferts financiers de la diaspora sont en augmentation, et les investissements étrangers ont triplé depuis 2001. Le Pakistan s'est même payé le luxe de refuser un prêt du FMI. L'aide américaine est revenue : Washington s'est engagé à verser

* BRUNO TERTRAIS *est maître de recherche à la Fondation pour la recherche stratégique et chercheur associé au Centre d'études et de recherches internationales. Il est notamment l'auteur de* Quatre ans pour changer le monde *(Autrement, 2005). Cet article est écrit en hommage à Isabelle Cordonnier, trop tôt disparue, mais qui a su faire partager sa connaissance de ce pays et son attachement pour lui.*

3 milliards de dollars à Islamabad en cinq ans. Les États-Unis ont également octroyé en mars 2004 le statut convoité de « Major Non-NATO Ally » (« grand allié hors Otan ») au Pakistan, permettant la livraison de matériel militaire moderne.

PAS DE RÉEL DANGER ISLAMISTE L'islam est un élément central de l'unité du pays : il était au cœur de l'idée même du Pakistan, mosaïque d'ethnies et de langages.

La paix civile dans le pays repose traditionnellement sur la cooptation des leaders religieux (d'où les politiques d'islamisation de la vie sociale) et des groupes violents (d'où le soutien accordé aux militaires pour leur action au Cachemire).

Toutefois il n'y a pas réellement de risque de prise du pouvoir par les islamistes au Pakistan. Les mouvements d'inspiration religieuse ont une capacité d'attraction limitée, ils sont extrêmement divers et divisés. L'islamisme politique au Pakistan est incarné par le Muttahida Majlis-e-Amal (MMA), qui a remporté 11 % des voix lors des élections d'octobre 2002, devenant ainsi le second parti d'opposition derrière le Pakistan People's Party de Benazir Bhutto. Mais il n'a pas de base nationale. Le vote islamiste au Pakistan est stagnant depuis les années 70 en pourcentage des électeurs inscrits.

L'islamisme pakistanais est une nébuleuse dont la cartographie est devenue complexe, à force de scissions et de changements de noms. Il y aurait quelque cinquante mille djihadistes au Pakistan, mais « l'islamiste pakistanais » n'existe pas. Comme le dit Stephen Cohen, « certains sont des criminels drapés dans le manteau de la justice divine ; certains ont des objectifs modestes limités au Pakistan ; et d'autres sont animés par la haine sectaire[3] ». Il assimile la composition du MMA à « des léninistes et des trotskistes en attelage avec des mencheviks[4] ». Dans les faits, il n'y a pas de force islamique organisée qui ait la volonté, les moyens et le soutien populaire nécessaires pour prendre le pouvoir au Pakistan.

Au demeurant, depuis deux ans, l'armée contrôle de plus près les activités de ces groupes. Le choix de la lutte contre le terrorisme s'est fait dans la douleur, car la manipulation des mouvements radicaux est traditionnellement partie intégrante de la stratégie des militaires pakistanais. Elle présente de multiples intérêts pour Islamabad : encourager la rébellion au Cachemire indien, laisser une soupape de sécurité ouverte pour la contestation politique tout en affaiblissant les partis traditionnels, garantir la légitimité de l'armée face au « péril islamiste » et, jusqu'en 2001, soutenir le djihad afghan afin de s'assurer d'un pouvoir amical à Kaboul. Mais l'armée était sans doute allée trop loin, et désormais elle le sait. Un premier tournant avait été pris en 2002, Musharraf inscrivant ses efforts de répression dans le cadre de la construction d'un État musulman « modéré ». Mais lors des élections organisées en octobre de la même année, la réussite des partis islamistes était allée au-delà des calculs de l'armée et avait constitué un premier signal d'alarme. La double tentative d'attentat contre Musharraf en décembre 2003 a sans doute définitivement changé la donne. Si elle n'avait agi, l'institution militaire aurait pu être confrontée au « syndrome de Frankenstein » et voir le mécontentement des terroristes se retourner contre elle. La répression est désormais sévère.

Pourrait-on toutefois, au vu du précédent de 1971 (indépendance du Bangladesh), imaginer la sécession d'une province pakistanaise ? Ce risque paraît minime. Le MMA est trop divisé et trop faible pour emmener la Province de la frontière du nord-ouest, où il est majoritaire depuis 2002, vers une hypothétique indépendance. Le risque est également faible pour le Baloutchistan, « Far West » du Pakistan : le séparatisme baloutche est loin d'avoir la force et les soutiens nécessaires pour emporter la Province (dont la population est éparpillée et peu homogène) vers la sécession. L'intégration politique et économique des élites locales fait le reste : comme le souligne Christophe Jaffrelot, chercheur au Centre d'études et de recherche internationales, « la capacité des Punjabi à coopter des leaders issus des provinces dites "minoritaires" a contribué à faire perdre de leur vigueur aux séparatismes baloutche, pathan, et même mohajir à l'occasion[5] ».

Il n'y a pas réellement de risque de prise du pouvoir par les islamistes au Pakistan. Les mouvements d'inspiration religieuse ont une capacité d'attraction limitée, ils sont extrêmement divers et divisés.

UN POUVOIR VERROUILLÉ Simultanément à un accroissement de la répression contre la plupart des mouvements violents, Musharraf a consolidé son pouvoir personnel. En 2004, il a procédé à des changements importants au sein de l'armée, nommant des officiers généraux plutôt jeunes mais fidèles à des postes clés. En outre, contrairement à sa promesse, faite en 2003, il gardera sa « double casquette » de président et de chef de l'armée jusqu'au terme de son mandat présidentiel, en 2007.

Et si le président Musharraf disparaissait ? C'est sans doute un « clone » qui le remplacerait… Il n'y a pas de raison de craindre un « coup d'État islamiste ».

Certes, de jeunes officiers, ainsi que des officiers à la retraite peuvent être tentés par les sirènes de l'extrémisme. Mais l'islamisme combattant ne dispose d'aucun relais organisé au sein de l'armée. Le système de sélection des officiers appelés à servir au sein du General Headquarters (GHQ) de Rawalpindi, le cœur du pouvoir au Pakistan, assure une reproduction homogène des élites militaires.

Quid du fameux Inter Services Intelligence (ISI), souvent présenté comme un « État dans l'État » ? On a beaucoup glosé sur le rôle présumé de cette institution mystérieuse. Elle avait, il est vrai, joué un rôle central dans le soutien aux moudjahidin afghans et aux taliban, cherchant à donner une « profondeur stratégique » au Pakistan. Il est vrai également que certaines de ses sources de financement (commerce des stupéfiants, subsides saoudiens) ne sont pas exactement celles d'un État démocratique moderne.

Mais le halo de mystère qui entoure l'ISI participe largement d'une légende soigneusement entretenue par Islamabad. Car en dépit du rattachement de l'agence aux services du Premier ministre, il n'y a pas de réelle séparation entre l'institution militaire et l'ISI. L'agence a bien souvent été l'instrument des coups tordus et des manipulations politiques, mais elle agissait au nom du pouvoir militaire, qui pouvait en cas de dérapage faire porter le chapeau à quelques responsables ayant agi « de leur initiative personnelle »... D'où les purges régulières de cet organisme. En fait, le système pakistanais génère ses propres contre-pouvoirs internes : la plus discrète Military Intelligence (MI), au sein du GHQ, surveille sans doute les activités de l'ISI pour le compte de la présidence.

UN RISQUE NUCLÉAIRE SURÉVALUÉ Un mot du risque ultime : les armes nucléaires pakistanaises pourraient-elles tomber entre de mauvaises mains ? Ce risque est surévalué. Les autorités pakistanaises ne semblent pas aujourd'hui souhaiter partager la bombe. Certes, le « père » du programme nucléaire pakistanais, Abdul Qadeer Khan, a fourni la technologie de l'enrichissement de l'uranium à plusieurs pays, dans certains cas avec, à l'évidence, l'assentiment du pouvoir. Mais ces pratiques sont désormais révolues.

Il est peu crédible d'imaginer un savant pakistanais ayant à la fois la capacité et la volonté de « donner la recette de la bombe atomique » à Ben Laden.

En 2001, deux scientifiques pakistanais se sont rendus en Afghanistan et ont rencontré des membres d'Al Qaïda. Un transfert de savoir-faire a peut-être eu lieu à cette occasion, et on a retrouvé en Afghanistan d'incontestables signes de l'intérêt d'Al Qaïda pour les armes nucléaires et radiologiques. Mais cette initiative isolée ne semble pas avoir eu de prolongement concret.

Les programmes nucléaires sont généralement très « compartimentés » : l'immense majorité des participants à ces programmes n'en ont qu'une vision partielle, et n'ont qu'une expertise limitée à un domaine particulier. Seuls quelques individus maîtrisent la totalité du processus de fabrication des armes. Or, au Pakistan, ces derniers sont très surveillés et surtout cooptés, c'est-à-dire dotés de privilèges destinés à acheter leur bonne conduite. Autrement dit : il est peu crédible d'imaginer un savant pakistanais ayant à la fois la capacité et la volonté de « donner la recette de la bombe atomique » à Oussama Ben Laden.

Il reste, bien sûr, la possibilité d'un emploi de l'arme nucléaire par Islamabad en cas de conflit avec l'Inde. Dans les conditions actuelles, la probabilité d'une guerre majeure avec l'Inde paraît faible. Et la dissuasion fonctionne plutôt bien entre les deux pays. Depuis que ceux-ci ont atteint le seuil nucléaire au tournant des années 90, aucune crise n'a dégénéré jusqu'à devenir une guerre de haute intensité. Le nucléaire, conformément aux prévisions de la théorie de la dissuasion, empêche le recours à la guerre à grande échelle entre deux adversaires dotés de cette arme. Bien sûr, une escalade est toujours possible par mauvais calcul de l'un ou de l'autre. Mais le contexte actuel est favorable à une détente de longue durée et à une coexistence relativement pacifique des deux pays. Du côté d'Islamabad, l'issue de la dernière crise (le face-à-face de 2002, qui avait vu les deux États mobiliser leurs forces militaires de chaque côté de la frontière), non défavorable au Pakistan, a été perçue comme rétablissant un équilibre régional, alors que la crise précédente (la guerre limitée de Kargil, en 1999) s'était terminée de manière humiliante pour Islamabad. Et depuis le 11 septembre, le Pakistan, qui bénéficie d'un appui économique et stratégique américain beaucoup plus fort qu'au cours des années 90, se sent plus sûr de lui que par le passé.

NI DÉMOCRATIE NI DICTATURE Le Pakistan n'est pas vraiment une démocratie. L'État de droit peine à s'y imposer face au poids des traditions (qui s'exercent tout particulièrement au détriment des femmes) et à la gangrène de la corruption. Le pays ne connaît pas d'élections réellement libres. Est-ce pour autant une dictature ? Pas vraiment non plus. La presse y critique vigoureusement le gouvernement (même si elle s'autocensure volontiers), et l'opposition fait de même au Parlement (même si elle manque souvent de crédibilité auprès de l'opinion publique). On peut envisager l'évolution du régime vers une sorte de modèle turc par la cooptation de responsables politiques civils jusqu'à la transformation du pays en véritable démocratie, mais avec une sorte de droit de veto laissé à l'institution militaire.

Il ne s'agit pas d'être naïf, et la situation du pays reste porteuse de grands dangers. L'armée est sans doute incapable d'abandonner totalement ses stratégies de manipulation, et continuera de jouer un rôle de « pompier pyromane », avec les risques inhérents. Un attentat majeur en Inde pourrait faire brusquement remonter la tension entre les deux voisins. Le Pakistan est encore en phase de croissance démographique, au point qu'il devrait être en 2015 le cinquième État du monde par la population, et en 2050, le quatrième avec près de trois cents millions d'habitants. La sous-alimentation touche encore quelque 20 % de la population, et l'accès à l'eau est de plus en plus problématique. Le pays ne dépense que 2 % de son produit national brut pour l'éducation, négligée par les gouvernements civils des années 90.

S'il dispose d'universités de bon niveau, notamment dans les domaines scientifique et technique, les écoles primaires sont pratiquement laissées à l'abandon ; le taux d'alphabétisation n'est que de 35 %. Cela favorise le succès des *madrasas* (écoles religieuses), dont la création avait été encouragée par le général Zia ul-Haq à l'époque de l'islamisation volontariste du pays, et qui reçoivent d'importants financements saoudiens. Les *madrasas* – qui sont désormais tenues de s'enregistrer officiellement et de ne plus accepter d'étudiants étrangers – génèrent une culture de l'intolérance et produisent des bataillons de jeunes gens dont le niveau de connaissance religieuse est inversement proportionnel à leurs compétences professionnelles, un « Lumpenprolétariat religieux[6] ». Cette évolution est d'autant plus inquiétante que les jeunes Pakistanais auront de moins en moins accès au bassin d'emploi du golfe Persique. Or le pouvoir actuel, pour assurer la paix sociale, reste enclin aux concessions politiques (retour de la mention de la religion sur les passeports). Allié aux grandes familles féodales mais contraint de donner des gages aux islamistes, le général Musharraf est engagé sur une voie qui ne se prête guère aux réformes politiques et sociales. Cela est d'autant plus préoccupant que l'oligarchie au pouvoir reste très conservatrice. Comme le dit Pervez Hoodbhoy, scientifique pakistanais, « l'armée [...] est assez forte pour empêcher un délitement de l'État mais pas assez imaginative pour conduire un changement réel[7] ». Elle a fait preuve, lors du tremblement de terre d'octobre 2005, d'une inquiétante incapacité à porter secours aux populations, alors que, de leur côté, les islamistes étaient beaucoup plus efficaces. Le divorce entre la nation et ses élites est de plus en plus flagrant. Le Pakistan n'est pas à la veille de l'explosion, mais la ville de Karachi, ce « Beyrouth de l'Asie du Sud[8] », pourrait devenir la proie de la violence sectaire et sombrer dans le chaos, ce qui aurait de graves conséquences pour le pays puisqu'elle est la principale métropole économique. Dans le domaine nucléaire aussi, le Pakistan continuera de poser problème. Nous ne savons pas encore tout des trafics nucléaires réalisés par M. Khan : les voyages passés de ce dernier dans certains pays musulmans alimentent des interrogations et pourraient encore nous réserver quelques mauvaises surprises. La coopération nucléaire entre Riyad et Islamabad est sans doute une possibilité envisagée sérieusement de part et d'autre[9]. Et on trouvera encore au sein du complexe nucléaire pakistanais certains scientifiques ou des ingénieurs prêts à donner ou à vendre leur expertise à des groupes islamistes. Mais l'effet de loupe actuel sur le Pakistan est finalement, d'une certaine manière, un moyen pratique de simplifier nos analyses des risques stratégiques contemporains. Ce n'est pas « l'effondrement » ou « l'islamisation » du Pakistan qui nous menace, mais bien plutôt la contribution de ce pays à la formation et à l'endoctrinement, depuis les années 70, de deux générations de jeunes extrémistes et à la haine savamment cultivée de l'Occident. ■

Le général Musharraf est engagé sur une voie qui ne se prête guère aux réformes politiques et sociales.

1. Interview de Hasan Askari Rizvi, *The Herald*, Karachi, octobre 2004.
2. Stephen Philip Cohen, *The Idea of Pakistan*, Brookings Institution Press, 2004, p. 4.
3. Stephen Philip Cohen, « The Jihadist Threat to Pakistan », *The Washington Quarterly*, vol. 26, n° 3, été 2003.
4. Stephen Philip Cohen, *The Idea of Pakisnan*, *op. cit.*, p. 188.
5. Christophe Jaffrelot, « Le Pakistan au cœur de tensions ethniques et de conflits régionaux » dans Christophe Jaffrelot (s.l.d), *Le Pakistan, carrefour de tensions régionales*, Complexe, 2002, p. 27.
6. Stephen Philip Cohen, *The Idea of Pakistan*, *op. cit.*, p. 182. Le nombre de *madrasas* est difficile à évaluer et les chiffres les plus fantaisistes circulent. Seule une faible partie d'entre elles mériterait d'être catégorisée comme « extrémiste ».
7. Pervez Hoodbhoy, « Can Pakistan Work ? A Country in Search of Itself », *Foreign Affairs*, novembre-décembre 2004, p. 127.
8. William Dalrymple, « Murder in Karachi », *The New York Review of Books*, 4 décembre 2003.
9. Bruno Tertrais, « La tentation nucléaire saoudienne », *Politique internationale*, n° 104, 2e trimestre 2004.

Ne pas confondre résistants et terroristes

Résistants ? Insurgés ? Rebelles ? Comment désigner les barbares qui, quotidiennement, par des attentats aveugles, s'efforcent d'empêcher toute stabilisation de l'Irak et tentent de précipiter ce pays dans la guerre civile ?
Au fur et à mesure que se détériore la situation irakienne, on sent grandir une évolution sémantique dans les médias français. Il était temps ! Car pendant les deux années qui suivirent l'intervention des Américains et de leurs alliés en Irak, on entendit parler trop souvent, y compris dans la bouche de certains ministres, des « résistants » irakiens.
Certes, l'Irak ayant effectivement été envahi par la force, ceux qui s'opposent à cette force les armes à la main ne feraient donc que « résister ». Cette argumentation peut s'appuyer sur une définition neutre du verbe « résister » qui ne prend en compte ni la nature ni le contenu de cette « résistance ». Au premier abord, elle ne paraît pas infondée, les Américains eux-mêmes ayant revendiqué le statut de puissance occupante au lendemain du renversement de Saddam Hussein. Peut-on cependant s'en tenir là ? Non. Évidemment.
Car en France, comme dans la plupart des pays européens, la résistance demeure à juste titre la référence politique et morale la plus noble alors que la collaboration ou l'occupation désignent ce qu'il y a de pire. Quand on entend ces mots, on pense forcément à l'occupation nazie.
Aujourd'hui encore, lorsque l'on parle « d'ancien résistant », « d'ancien collabo » ou de « l'Occupation », toute précision est inutile. Il ne viendrait à l'idée de personne – sauf de certains provocateurs d'extrême droite – de qualifier de « résistance » l'action militaire des Allemands face à l'invasion alliée en 1945 et chacun serait scandalisé d'entendre qualifier de « collabo » le chancelier allemand de l'après-guerre Konrad Adenauer, pourtant favorable à une entente avec les occupants de son pays.
Certes la situation irakienne n'est pas identique à celle de l'Allemagne de 1945. Mais elle diffère grandement de celle de la France occupée par l'Allemagne nazie.
Car les Américains et leurs alliés ne sont pas des nazis ! Contrairement aux nazis, en effet, ils n'ont pas envahi un pays paisible et démocratique, mais ils ont renversé une des pires dictatures du XXe siècle, responsable de la mort, dans d'atroces conditions, de centaines de milliers d'Irakiens. Ils s'y prennent mal peut-être, mais leur objectif n'est pas l'annexion de l'Irak ni son asservissement, plutôt sa libération et l'instauration de la démocratie.
Contrairement aux résistants des pays occupés par les nazis pendant la Seconde Guerre mondiale, les ennemis des Américains aujourd'hui en Irak ne sont pas acculés à la violence : il ne tenait qu'à eux de participer aux différentes élections comme l'ont fait des millions d'Irakiens et la plupart des courants politiques du pays, de l'extrême gauche laïque aux musulmans les plus conservateurs !
Imagine-t-on Hitler aidant Pétain à organiser des élections dans la France occupée auxquelles les gaullistes et les communistes auraient pu participer librement ? Autre différence qui saute aux yeux : nos résistants, eux, voulaient vraiment le départ de l'occupant. Les « résistants » irakiens semblent viser exactement l'objectif inverse : chaque attentat contribue à l'enlisement des GI dans un bourbier dont l'Administration et l'opinion publique américaines souhaitent au contraire les extraire au plus vite.
Enfin, et surtout, les résistants antifascistes en Europe n'avaient pas comme principale cible… leur propre population ! Or, et là sans doute réside l'exceptionnelle caractéristique de la « résistance irakienne », elle tue bien plus de civils irakiens que de soldats américains ! Sur le plan moral la différence est abyssale. En tant qu'auteur d'un livre sur le chef du maquis limousin Georges Guingouin, j'ai eu la chance de connaître de nombreux résistants. Je ne les idéalise pas, ce n'étaient pas tous des tendres et certains parfois se sont mal comportés. Mais ils inscrivaient leur action militaire dans une stratégie politique qui visait à terme la reconstruction du pays. Leur violence était limitée par les contraintes de la politique et de la morale. Ainsi en Limousin des jeunes maquisards communistes refusèrent un jour l'opportunité de « faire un carton » en tuant des dizaines de soldats allemands surpris en train de se baigner dans une rivière. Une tentation immense. Ils avaient hésité… ils n'y avaient pas cédé. Et à l'autre bout de l'Europe, cette autre tentation racontée il y a quelques années par Marek Edelman, l'un des chefs de l'insurrection du ghetto de Varsovie qui sera aussi plus tard un des fondateurs de Solidarnosc. Avec ses camarades de la résistance juive, ils avaient failli faire exploser l'immeuble dans lequel se trouvait l'état-major de la SS d'une grande ville polonaise. Tout était prêt et cet attentat aurait constitué un grand succès militaire pour la résistance polonaise dans son entier. Juifs, antifascistes et Polonais, ces résistants avaient toutes les bonnes raisons de ne faire aucun quartier. Et pourtant… au dernier moment ils décidèrent de renoncer car ils avaient appris que dans l'immeuble visé, se trouvaient non seulement les officiers SS mais aussi leur femme et leurs enfants. Ces résistants combattaient ce qu'il y avait de pire, le nazisme, mais ils refusaient de s'abaisser à son niveau. Leur mémoire à tous est salie chaque fois que l'on désigne comme résistants les terroristes nihilistes sévissant actuellement en Irak.

Michel Taubmann

BRONISLAW GEREMEK

GUERRE ET PAIX

ENTRETIEN AVEC MICHEL TAUBMANN

Bronislaw Geremek, qui fut jadis un des fondateurs de Solidarnosc, est aujourd'hui une des consciences de l'Europe réunifiée. Rarement interrogé sur les bouleversements consécutifs au 11 septembre 2001, il s'exprime ici sur ces questions.

MICHEL TAUBMANN. *Après le nazisme et le communisme, l'islamisme radical représente-t-il un troisième type de totalitarisme ?*

BRONISLAW GEREMEK. Je suis sûr d'une chose : l'islamisme radical représente un danger auquel notre époque est confrontée. Cependant, en tant qu'historien je ne peux le considérer pour l'instant au même niveau que le nazisme et le communisme. Son idéologie n'a pas franchi l'épreuve du pouvoir avec les mêmes succès et les mêmes conséquences que le nazisme et le communisme. Bien sûr, il y a eu les taliban, il y a encore l'Iran, il y a des régimes tyranniques, criminels mais ils n'ont, heureusement, pas répandu leurs méfaits à l'extérieur comme l'Allemagne de Hitler ou l'URSS de Staline. L'Iran disposant d'armes nucléaires peut devenir un très grand danger pour la paix mondiale. Le choc des civilisations n'est pas totalement à exclure. Mais il peut être évité, il n'est pas inéluctable. Huntington, avec son livre [1], est venu à temps pour nous mettre en garde mais il me semble que ses prédictions ne se réaliseront pas. Il ne faut pas entrer en guerre contre l'islam. Toute religion contient la possibilité d'exploiter la vérité ou une vérité, de travestir un message religieux en message totalitaire. Souvenez-vous des jésuites au Paraguay ou de la Genève de Calvin ! L'islam ne doit pas être considéré comme le terrain par excellence du totalitarisme, ce n'est pas le Coran qui impose cette vision. Mais ceux qui l'utilisent aujourd'hui n'y cherchent que le pire : la haine de l'autre, la haine du riche. Ce n'est pas l'expression de la misère, d'ailleurs les dirigeants islamistes figurent parmi les hommes les plus riches ! Mais ils exploitent la colère des pauvres, la haine des Juifs et des chrétiens. On dit qu'ils ont fait du Coran le *Capital* de notre époque. Je peux comparer *Le Capital* et le Coran, par mes propres lectures ! Le Coran n'est pas un livre politique, c'est un message sur Dieu et les hommes mais ce n'est pas une idéologie. Évidemment, on peut comparer l'islamisme agressif et les totalitarismes du passé. Le rôle du clergé dans certains pays musulmans ressemble à celui du parti sous le communisme comme vecteur de la transmission des idées totalitaires : l'éducation religieuse dans la haine des autres. On peut comparer la haine de classe des bolcheviks et la haine islamiste envers l'autre, celui qui ne partage pas la vérité de la religion vraie. Toutefois, rien, dans l'islamisme, ne remplace le rôle du parti unique qui exerce le pouvoir totalitaire. Et puis, le message religieux, exploité par les islamistes, diffère du message matérialiste marxiste-léniniste. L'islamisme vient de très loin alors que le nazisme et le communisme étaient des phénomènes modernes nés sur le sol européen. Donc il ne faut pas abuser des comparaisons. Nous sommes face à un nouveau danger, il ne faut pas le regarder exclusivement dans le miroir du passé mais chercher à saisir ce qu'il y a de nouveau. Quand on compare, le plus important ce ne sont pas les ressemblances mais les différences.

D.R.

* *Intellectuel francophone, homme politique polonais, fervent européen,* BRONISLAW GEREMEK *est aujourd'hui député européen (groupe Alliance des démocrates et des libéraux pour l'Europe) après avoir été ministre des Affaires étrangères de son pays de 1997 à 2000.*

M. TAUBMANN. *Comment avez-vous ressenti les réactions européennes face au 11 septembre 2001 ?*

B. GEREMEK. Le 11-Septembre n'a pas changé la situation du monde. Il l'a révélée : mondialisation de la violence, privatisation des guerres, explosion de la haine, rôle des technologies modernes comme Internet. Nous nous sommes réveillés dans un monde différent. Il y eut d'abord une réaction commune à l'Occident et même au-delà. Étonnement, surprise totale et solidarité, le fameux « Nous sommes tous américains » en une du journal *Le Monde* et les gouvernements qui invoquent unanimes l'article 5 du traité de Washington impliquant la solidarité de l'Otan après l'attaque d'un de ses membres sur son propre sol. Mais à ces lendemains unanimes du 11 septembre ont succédé des surlendemains plus déplaisants : l'Europe, après le réflexe moral, a cédé au réflexe politique, cherchant des raisons de se dissocier des États-Unis. Le fossé s'est élargi : le sentiment de guerre ressenti aux États-Unis reste inconnu en Europe. Et la solidarité s'est transformée parfois en hostilité. Dans une partie de l'Europe, à l'Ouest surtout, en France et en Allemagne, l'antiaméricanisme a pris le dessus. C'est très grave. Face à une idéologie totalitaire, l'unité de l'Occident est indispensable, il faut se référer aux valeurs communes. Il faut sortir de ce conflit entre l'Europe et l'Amérique.

M. TAUBMANN. *Pensez-vous qu'il existe aujourd'hui une différence importante entre Européens de l'Ouest et de l'Est dans le rapport aux États-Unis ?*
B. GEREMEK. Contrairement à ce qu'écrivait Fukuyama [2] il y a une quinzaine d'années, nous sommes loin de la fin de l'histoire, d'un monde apaisé. On l'a vu d'ailleurs peu après la sortie de son livre avec les guerres balkaniques.
En même temps j'ai quelques motifs d'optimisme : il n'existe pas de décalage profond aujourd'hui entre le comportement d'un Français et celui d'un Polonais ou même d'un Américain. Ils partagent un même attachement à la démocratie et un rejet commun des systèmes totalitaires. Depuis les années 70-80, la condamnation du système soviétique est acquise, en Europe de l'Ouest la vérité sur le Goulag, présentée par Soljenitsyne, empêche de nouveaux procès Kravtchenko. Il ne faut pas accepter une séparation culturelle entre l'Europe et l'Amérique. Les points communs – État de droit, liberté individuelle, tolérance – sont plus nombreux que les différences. Il me semble que de tous les côtés on attend en ce qui concerne la guerre d'Irak une stratégie de sortie qui mettrait fin à la guerre civile.
Les modes de vie se rapprochent. Où le jeune Français rêve-t-il d'aller à l'université ? À Harvard. Quels habits porte-t-il ? Quelle musique écoute-t-il ? Quels films voit-il ? Malheureusement, à côté de ce rapprochement des comportements et peut-être à cause de lui, se développe un discours médiatique qui définit un climat antiaméricain. Je n'arrive pas à accepter que la mémoire française soit aussi courte et aussi pauvre. Les Américains ont aidé les Européens à sortir des deux guerres mondiales. Ils ont ramené en Europe cette vieille idée des libertés qu'ils

Contrairement à ce qu'écrivait Fukuyama il y a une quinzaine d'années, nous sommes loin de la fin de l'histoire, d'un monde apaisé.

avaient emportée chez eux il y a deux cents ans. Pour se faire comprendre, il faudrait recourir à une branche de l'historiographie que les historiens n'apprécient guère : l'histoire probabiliste. Churchill l'a bien fait dans les années 30 en collaborant à un livre de politique-fiction, *If*, préfigurant la victoire du nazisme.
Aujourd'hui les Français devraient imaginer leur sort dans une Europe devenue communiste après l'appel de Stockholm quand des millions d'entre eux se mobilisaient pour le désarmement américain !
L'antiaméricanisme actuel m'inquiète profondément : quand je vois un sondage, paru en avril 2003, selon lequel les Français préféraient la victoire de Saddam Hussein à celle de Bush… Cet antiaméricanisme entraîne une sorte de tolérance au totalitarisme. Le refus du totalitarisme est consubstantiel à l'idée européenne. Et l'antiaméricanisme peut détruire l'idée européenne.

M. TAUBMANN. *Les pays de l'Est ne sont-ils pas eux aussi menacés à terme par un effacement de la mémoire ?*
B. GEREMEK. La mémoire du totalitarisme, encore fraîche, rend plus difficile l'antiaméricanisme. À l'Est on sait que la liberté est venue par Omaha Beach et non par Stalingrad. Pour un Polonais de plus de trente-cinq ans, la mémoire de la dictature n'appartient pas encore aux manuels d'histoire. Mais le temps passe et la nouvelle génération considère déjà le XXe siècle comme l'histoire de Sparte ou d'Athènes, quelque chose d'irréel. Le cadavre du système totalitaire se décompose encore dans nos rues, où l'on voit les problèmes économiques et sociaux qu'il nous a légués. Mais son souvenir s'efface peu à peu dans les mémoires. À l'Est, nous avons perdu cette guerre de la mémoire, cela a permis le retour des anciens communistes qui pallient le manque de social et d'humain de l'économie de marché. La mémoire devient le problème clé de notre temps et cela dans toute l'Europe. Il faut faire connaître les expériences différentes, celles des fascismes et du colonialisme à l'Ouest et celle, spécifique, du communisme à l'Est. Et il faut proposer une mémoire européenne. Cela résulte d'un choix d'éducation, de formation. C'est une tâche importante pour les institutions européennes. On ne construira pas l'Europe sans faire ce travail de mémoire.

M. TAUBMANN. *Le rapport différent à la religion, très présente dans la vie publique aux États-Unis et en voie de disparition en Europe, accroît-il le fossé entre les deux rives de l'Atlantique ?*
B. GEREMEK. L'analyse faite par Tocqueville d'une nation américaine fondée sur le religieux reste valable. Et c'est évidemment une grande différence avec l'Europe. Mais je ne dirais pas que le religieux a déserté définitivement le Vieux Continent. Et l'avenir donnera peut-être raison à Malraux qui prévoyait un retour du religieux au XXIe siècle. Pour l'instant, nous voyons se dessiner une société européenne où le religieux ne joue pas un rôle aussi puissant qu'en Amérique mais où le spirituel, la recherche de

sens prennent une importance croissante. Face à cela se manifeste avec force une certaine tendance nihiliste de la pensée européenne. Elle a joué un rôle dans la formation du totalitarisme. Elle reste présente. Plus que le religieux c'est l'Église catholique qui est en crise. En vingt-cinq ans, elle a reculé presque partout en Europe de l'Ouest : désertée par les fidèles, elle ne suscite plus assez de vocations. Et ce phénomène n'épargne pas la Pologne même si Jean Paul II a ralenti la sécularisation de la société polonaise. Mais on imagine difficilement un président européen évoquant Dieu dans ses discours comme Bush le fait à la grande stupéfaction des Européens ! Le protestantisme américain et européen est beaucoup moins touché par cette crise. Les pasteurs, comme les rabbins d'ailleurs, ne sont pas des intermédiaires ordonnés entre Dieu et les hommes, ils sont égaux aux autres hommes, la culture de l'office chez eux est plus démocratique. Plus que la fin du religieux, c'est l'absence de démocratie que paie aujourd'hui l'Église catholique. Les hommes ressentent toujours un besoin d'au-delà et le religieux revient à travers les médias électroniques qui amènent Dieu dans les foyers, avec le risque d'une manipulation par des imposteurs. Nous vivons un temps de changements extrêmement profonds, une crise de civilisation, toutes nos certitudes sont ébranlées, nous n'avons plus d'idéologie ni de religion comme boussole, les outillages mentaux et émotionnels de l'homme se modifient. C'est en apparence désespérant ! Mais reconnaissons humblement que le chaos du monde est la conséquence de la liberté de l'homme. Il est préférable en tout cas aux sociétés qui se prétendent parfaites, fondées uniquement sur l'ordre et l'autorité.

M. TAUBMANN. *Avec le recul, regrettez-vous d'avoir soutenu l'intervention américaine en Irak ?*

B. GEREMEK. Non. J'étais sûr que l'Occident de mes rêves n'adopterait pas une attitude munichoise. Je voyais dans l'intervention en Irak une manifestation active de l'intérêt porté aux Irakiens. Cette opération militaire était justifiée au-delà des armes de destruction massive, car Saddam Hussein représentait un danger à terme. Il faut combattre les régimes totalitaires à leurs débuts : cette leçon du XXe siècle européen, nous n'avons pas le droit de l'oublier, elle nous pousse à réagir préventivement. Mais en politique, il faut aussi du pragmatisme. Dans le nouveau catéchisme catholique, la guerre juste n'est plus seulement définie par ses objectifs mais aussi par son efficacité. La guerre d'Irak fut gagnée facilement mais l'après-guerre n'avait pas été préparé. Les moyens utilisés ont-ils été efficaces ? Je me pose la question. Mais y avait-il une autre solution ?

Plus que la fin du religieux, c'est l'absence de démocratie que paie aujourd'hui l'Église catholique.

Le système des Nations unies est inefficace, lourd, désuet, il date de 1945 et doit être adapté aux nouvelles circonstances. Quelle est la légitimité d'une assemblée composée en partie de dictatures ? À côté de l'Onu, j'ai préconisé en 2000 avec Madeleine Albright et quelques autres dans la déclaration de Varsovie signée par cent vingt pays la création d'une Communauté des démocraties. Pour y être admis et en bénéficier, il faudrait remplir des conditions en matière de droits de l'homme, de libertés, etc. Cet outil pourrait aider à faire pression sur les régimes non démocratiques.

C'est seulement avec de nouvelles institutions, fondées sur des références morales, que l'on pourra empêcher l'unilatéralisme américain.

M. TAUBMANN. *Estimez-vous que les Américains peuvent gagner leur pari de la démocratisation du Moyen-Orient ?*

B. GEREMEK. D'un certain point de vue les événements leur ont donné raison. Ils sont en train de valider la liberté comme projet pour cette région. On peut retourner le problème dans tous les sens : aucune avancée démocratique n'était en vue en Irak. Le régime totalitaire avait anéanti toutes les oppositions potentielles.

Il n'y a pas eu échec de l'opération militaire. En revanche, il y a eu naïveté et impréparation de l'entourage néoconservateur du président américain.

Contrairement à leurs espoirs, l'instauration de la démocratie dans le monde arabe s'avère bien plus difficile qu'en Allemagne ou au Japon. Aujourd'hui, l'Europe doit absolument aider au succès de la démocratisation, indissociable d'une solution pacifique des conflits au Moyen-Orient. Nous devons dépasser le simple stade de la tolérance de l'état de fait provoqué par les Américains. Il faut s'engager dans une coopération ambitieuse avec eux. Dans le combat pour la liberté, l'alliance entre l'Europe et l'Amérique est vitale. La liberté, plus que le besoin de prospérité, a guidé les pas des dissidents, notamment en Pologne, pays qui, il faut le rappeler, avant l'effondrement du mur de Berlin, a ouvert la voie aux changements démocratiques en Europe. Ce que nous, Européens de l'Est, pouvons apporter aujourd'hui, ce ne sont pas les obsessions de l'histoire mais les leçons de l'histoire. Et la première d'entre elles c'est la fragilité des démocraties et la force irremplaçable de la liberté. ■

1. Samuel Huntington, *Le Choc des civilisations*, Odile Jacob, 1997.
2. Francis Fukuyama, *La Fin de l'histoire et le dernier homme*, Flammarion, 1992.

Le rapport Obin enterré par Gilles de Robien ?

Les questions religieuses et communautaires semblent embarrasser le ministère de l'Éducation nationale. En décembre 2005, il n'avait toujours pas donné son accord à la publication par la Documentation française du rapport rédigé par l'inspecteur général de l'Éducation nationale Jean-Pierre Obin. Ce spécialiste en mécanique des solides, docteur ès lettres et sciences humaines et observateur averti du système éducatif, a pourtant réalisé une étude de terrain minutieuse et fouillée « des signes et manifestations d'appartenance religieuse » dans les établissements scolaires de l'Hexagone. Rendu en juin 2004 à François Fillon, le rapport n'avait pas suscité d'enthousiasme, ni d'ailleurs de médiatisation à l'exception des sites web défendant la laïcité. Sa publication, annoncée pour février dernier, a finalement été renvoyée *sine die*. Seule une version numérique fut discrètement mise en ligne au printemps sur le site du ministère de l'Éducation nationale. Depuis, Jean-Pierre Obin, qui souhaite que son enquête soit publiée, s'est entendu rétorquer par le ministère que les conclusions de son rapport étaient devenues caduques, la situation ayant changé depuis 2004 !

Mais qu'y a-t-il donc de si dérangeant pour que le ministère de l'Éducation nationale enterre le rapport de l'un de ses hauts fonctionnaires ? L'expertise, portant sur soixante et un établissements scolaires répartis dans une vingtaine de départements, dévoile, en effet, de nombreuses dérives « le plus souvent [émanant] de la religion musulmane ». Ainsi, le rapport divulgue des écarts, même s'ils sont rares, à la laïcité dès l'école primaire. On apprend que des « élèves d'une école primaire avaient institué l'usage exclusif des deux robinets des toilettes, l'un réservé aux "musulmans", l'autre aux "Français" ». Dans le secondaire, les cas d'entorse sont plus nombreux. Ils concernent en premier lieu les jeunes filles musulmanes qui « dans tel lycée enfilent leur manteau avant d'aller au tableau afin de n'éveiller aucune concupiscence ». Si la tenue vestimentaire demeure la partie la plus visible du phénomène, les prescriptions alimentaires ne sont pas absentes. Ainsi, le rapport confirme la pression continue des familles musulmanes afin que les cantines offrent de la viande *halal* à leur progéniture. Deux exemples significatifs sont cités : « Un proviseur a cru bon d'imposer la viande *halal* à l'ensemble des rationnaires, provoquant d'ailleurs la démission de son gestionnaire. Enfin, dans d'autres établissements, on a institué une ségrégation entre musulmans et non-musulmans en composant des tables distinctes ou en imposant un menu à chaque catégorie : ici par exemple l'agneau est "interdit aux non-musulmans", là les tomates sont "réservées aux musulmans". » Dans le même temps, les fêtes religieuses sont l'objet de revendications : « En plus d'un endroit, on nous a rapporté la demande d'élèves ou de familles de supprimer "l'arbre de Noël" et la fête scolaire traditionnellement organisée à cette occasion par l'école ou le collège ; ce qui a parfois été obtenu. » Ces exigences sous-tendent d'autres requêtes religieuses particulièrement durant le ramadan : « Massivement suivie, pratiquée par des enfants de plus en plus jeunes (depuis le cours préparatoire), l'observance du jeûne est manifestement l'objet de surenchères [...] qui aboutissent à [...] des pratiques de plus en plus éprouvantes pour les élèves : ainsi de l'interdiction d'avaler le moindre liquide, y compris sa propre salive, qui entraîne la pollution des sols par les crachats. » Durant ce mois de carême, le prosélytisme est « intense au sein des établissements ». Les enfants originaires de pays musulmans et ne pratiquant pas le carême sont contraints au jeûne tandis que « certains élèves d'origine européenne observent aussi le jeûne sans que leurs familles en soient forcément informées ».

Le rapport confirme également que les agressions antisémites sont en constante progression et ce dès le plus jeune âge. Elles n'épargnent personne, à l'instar d'une « collégienne turque nouvellement arrivée en France et devenue le souffre-douleur de sa classe parce que son pays "est un allié d'Israël" ». Certains enseignements tels que le sport, les sciences de la vie et de la terre ou l'histoire sont sujets à de nombreuses contestations religieuses. À l'exemple de « ce professeur [d'histoire] enseignant avec le Coran sur son bureau et qui y recourt dès que des contestations se manifestent. On peut alors parler, conclut le rapport, d'une véritable théologisation de la pédagogie ».

Loin d'être exhaustifs, ces exemples font écrire au rapporteur : « Dans certains quartiers [...] se sont déjà édifiées des contre-sociétés closes dont les normes sont le plus souvent en fort décalage, voire en rupture avec celles de la société moderne et démocratique qui les entoure. » Le rapport Obin confirme les travaux du collectif d'enseignants qui ont participé au livre *Les Territoires perdus de la République*[1]. Il fait également écho à la responsabilité des manuels scolaires récemment mis en perspective par Barbara Lefebvre et Ève Bonnivard dans *Élèves sous influence*[2].

Max Lagarrigue

1. Emmanuel Brenner (sld.), *Les Territoires perdus de la République*, Mille et une nuits, 2002.
2. Barbara Lefebvre, Ève Bonnivard, *Élèves sous influence*, Louis Audibert, 2005.

MONIQUE CANTO-SPERBER
LA GUERRE JUSTE

ENTRETIEN AVEC MICHEL TAUBMANN

Renverser puis juger un dictateur, contrer une menace stratégique, introduire le ferment de la démocratie au cœur du Moyen-Orient, apporter le développement à une population pauvre... Autant de bonnes intentions qui auraient pu faire de la guerre menée par les États-Unis en Irak une « guerre juste ».

MICHEL TAUBMANN. *Quelle est l'origine du concept de guerre juste ?*

MONIQUE CANTO-SPERBER. La question de la guerre juste trouve sa source dans l'idée d'une éthique de la violence. La guerre et le recours à la force posent depuis l'Antiquité de redoutables problèmes moraux. La guerre est aujourd'hui considérée comme un échec international. L'idéal moral spontané que chacun entretient est en effet celui d'un monde sans guerre. Jusqu'à l'Antiquité, la guerre ne posait pas en tant que telle de problème moral. Elle était considérée comme le produit naturel de l'interaction entre les cités et les hommes. Ce qui n'empêchait pas de chercher à formuler des règles précises permettant de distinguer entre les conflits légitimes et les conflits illégitimes et de vouloir modérer l'usage de la force. Tout change avec le christianisme. Les premiers chrétiens furent en général hostiles à l'emploi de la violence qu'ils considéraient comme une forme de mal. Dans les premiers siècles de l'ère chrétienne, les réflexions de saint Ambroise et de saint Augustin contribuèrent à définir une légitimité de la guerre en reconnaissant une justification partielle à l'emploi de la force. La notion de guerre juste postule qu'il peut exister une légitimité de la guerre entre le pacifisme (dont les tenants considèrent que la guerre est toujours un mal, quelles que soient ses circonstances et ses finalités) et le « militarisme » qui soutient qu'à la guerre la morale n'est pas de mise. Les partisans de la guerre juste ne nient pas les horreurs de la guerre, mais tout en souhaitant recourir le moins possible à celle-ci, ils admettent qu'elle est parfois justifiée. Une telle attitude, marquée par un certain réalisme quant au caractère inévitable de la guerre comme moindre mal, est vivement critiquée par les pacifistes qui reprochent au concept de guerre juste de justifier certaines guerres en les recouvrant d'un alibi moral. Cette critique pacifiste me semble aujourd'hui assez répandue dans les opinions publiques européennes, alors même que nous connaissons une situation internationale où des groupes terroristes pratiquent la guerre totale et la violence illimitée.

© Ulf Andersen/Gamma

* MONIQUE CANTO-SPERBER, *spécialiste de philosophie morale et politique, prolonge ici la réflexion entamée dans son dernier ouvrage,* Le Bien, la guerre et la terreur *(Plon, 2005).*

M. TAUBMANN. *Quels sont les critères permettant de définir une guerre juste ?*

M. CANTO-SPERBER. Pour apprécier la « légitimité » d'une guerre, il existe deux types de critères : les critères relatifs aux raisons de la guerre, qui définissent le droit de faire la guerre (*jus ad bellum*), et les critères relatifs aux moyens de la guerre, le droit dans la guerre (*jus in bello*). Parmi les raisons de faire la guerre, l'autodéfense est en général considérée comme une cause légitime, sous la condition qu'elle traduise une riposte raisonnable à une agression, qu'aient été essayés tous les moyens d'empêcher la guerre, que la guerre se réclame d'une autorité légitime et qu'elle dispose de chances réelles de succès. Dans la conduite de la guerre, les principaux critères ont trait à la discrimination nécessaire entre combattants et non-combattants et à la proportionnalité de la riposte, qui ne doit pas causer des dommages exorbitants par rapport à ceux provoqués par les agresseurs. Ces limites imposées à l'usage de la force sont désormais reconnues par le droit international, comme en témoigne l'obligation d'épargner les civils et les prisonniers. Surtout, l'existence de telles limites morales à la guerre exige que les actes de guerre des belligérants soient justifiés, elle entraîne la nécessité de rendre des comptes.

M. TAUBMANN. *Si le pacifisme est dominant dans les opinions publiques occidentales, les États eux ne sont-ils pas plutôt acquis au concept de « guerre juste » ?*

M. CANTO-SPERBER. Aujourd'hui, dans le monde occidental en tout cas, les guerres d'agression, qu'elles soient inspirées par une volonté prédatrice ou par un nationalisme exacerbé, ont disparu. Ce qui ne veut pas dire que nous entrerons dans le règne de la paix perpétuelle. Je pense que se développera dans les décennies qui viennent un autre type de guerre, que j'ai appelé faute de mieux les « guerres à prétention morale », ou guerres menées en vue d'un bien. Ce sont là des guerres dont la légitimité morale est souvent incontestable, étant donné leurs objectifs : éviter un massacre, restaurer un régime politique légitime, voire, de façon plus contestable, répandre la démocratie et la liberté. Mais ces guerres peuvent aussi parfois se révéler dangereuses. Par certains aspects, la Deuxième Guerre mondiale a été une des premières guerres de ce type. C'était aussi en partie le cas de la guerre du Golfe en 1991 (après l'annexion du Koweït par l'Irak de Saddam Hussein) et surtout de la guerre du Kosovo en 1999, où l'Otan est intervenue pour faire cesser la violence exercée par le régime de Milosevic contre les Kosovars. La moralisation du monde, la définition en termes moraux des acteurs internationaux, la peur occidentale face au terrorisme, la volonté d'éradiquer les menaces et l'obligation surtout de se justifier en termes moraux sur la scène internationale expliquent que des guerres de ce type soient les seules que les Occidentaux puissent aujourd'hui livrer.

M. TAUBMANN. *La guerre d'Irak appartient-elle à la catégorie des guerres justes ?*

M. CANTO-SPERBER. La guerre d'Irak de mars 2003 peut être à certains égards présentée comme une guerre juste. Le renversement d'une dictature sanglante, la neutralisation des armes de destruction massive ou encore l'extension de la démocratie semblent bien être à première vue des objectifs légitimes de conflit. Néanmoins, dès le début, de nombreuses ambiguïtés conduisaient à s'interroger sur la légitimité des causes de la guerre. Avait-on tout fait pour éviter la guerre ? Manifestement, non. Voilà un des critères de la guerre juste qui, dans le cas de ce conflit, n'était pas satisfait. Par ailleurs, même en admettant qu'au moment de déclencher la guerre, les Américains et les Britanniques aient sincèrement cru à l'existence en Irak d'un dangereux arsenal d'armes de destruction massive, même en considérant qu'en mars 2003 la nécessité d'éradiquer une telle menace ait été à leurs propres yeux légitime, le fait – aujourd'hui établi – qu'il n'y avait pas d'armes de destruction massive en Irak rétroagit inévitablement sur la légitimité des motifs qui ont été avancés pour entrer en guerre, ces motifs ayant été invalidés deux ans après lorsque l'on a su que ces armes étaient en fait inexistantes – et sans préjuger des raisons qui devront être données pour expliquer qu'elles aient disparu. La principale raison invoquée pour le déclenchement de la guerre d'Irak ayant été falsifiée, il est difficile de ne pas remettre en cause la légitimité morale de tout le conflit.

Quant à l'autre raison de faire la guerre qui pouvait en garantir la légitimité, à savoir l'instauration de la démocratie, elle est sans doute louable dans l'abstrait, mais on sait, on aurait dû savoir, qu'un tel projet est très difficile à mettre en œuvre pratiquement. Certes les Irakiens ont pu l'an dernier et pour la première fois de leur histoire récente voter librement, ils sont dotés désormais d'une représentation pluraliste, mais cette démocratie naissante est accompagnée aussi de violentes oppositions et d'un regain de l'activité terroriste.

Enfin, la conduite de la guerre d'Irak par l'armée américaine n'a rien d'exemplaire. Les bombardements aériens pendant la campagne de mars-avril 2003 ont entraîné des victimes civiles, même si le nombre de celles-ci a été limité. Surtout, les difficultés de l'après-guerre, face à un terrorisme ne reculant devant aucun moyen, ont fait que les Américains ont dérogé aux règles de la guerre juste : le traitement des prisonniers d'Abou Ghraib en fut la principale illustration. À l'exception du renversement de Saddam Hussein, principal objectif atteint au terme de la guerre, la légitimité de la guerre d'Irak de 2003 fut malgré tout placée sous le sceau de l'ambiguïté : de bonnes intentions, mais une impréparation intellectuelle et morale totale, un manque de réalisme quant aux difficultés liées à la situation et à l'émergence des institutions démocratiques et une négligence, parfois délibérée et toujours coupable, dans la conduite de la guerre.

M. TAUBMANN. *Comment expliquer que la guerre d'Irak ait suscité autant d'hostilité de la part des opinions publiques occidentales ?*

M. CANTO-SPERBER. Beaucoup d'Américains ont considéré que la guerre d'Irak était une entreprise nécessaire dans le cadre de la lutte contre les terroristes. L'idée, inexacte, que les terroristes du 11-Septembre étaient liés au pouvoir irakien était très répandue outre-Atlantique. Les Européens, eux, ne voyaient pas les choses ainsi. La guerre en Irak leur paraissait une aventure à hauts risques. Tout en ayant une conscience aiguë des menaces internationales, ils se méfiaient des dangers ou des effets contre-productifs que pouvait entraîner trop de volontarisme démocratique. Auraient-ils été plus favorables au conflit si les raisons humanitaires, à savoir le sauvetage d'un peuple victime d'une dictature, avaient été invoquées franchement par Bush et Blair ? C'est difficile à dire. En tout cas, il est important de préciser que les Européens étaient hostiles à une telle guerre, bien avant de savoir que Saddam Hussein ne possédait pas d'armes de destruction massive. La plupart des Européens admettaient que Saddam détenait de telles armes mais ils considéraient que, dans un tel cas, il fallait ne pas lui donner l'occasion de s'en servir. Les débats autour du conflit en Irak ont du reste illustré une attitude partagée surtout par la France et l'Allemagne : le refus moral de la violence, la prudence, le scepticisme nourri d'expériences historiques à l'égard de toute volonté de rendre le monde meilleur par l'action, voire la guerre. Dans le cas des Français, la culpabilité par rapport au passé colonial tend à rendre suspecte toute guerre contre un pays arabe. Enfin, l'opinion générale en Europe était que les Américains lançaient cette guerre parce qu'elle servait leurs intérêts, stratégiques ou économiques, et que les raisons morales qu'ils pouvaient avancer n'étaient qu'un prétexte. Au-delà du cas de la guerre en Irak, il faut observer que presque toutes les actions entreprises par les États-Unis, même celles qui n'obéissent à aucun intérêt évident, comme la guerre au Kosovo, sont suspectées de dissimuler des conduites de pouvoir. Une telle incrimination n'est pas une chose nouvelle. Ainsi quand, au XIXe siècle, l'Angleterre a mené la guerre contre la traite négrière, elle l'a fait pour des raisons politiques et morales, en dépit d'un coût réel pour ses intérêts économiques immédiats. Ces motivations « nobles » ont tardé à être reconnues puisque l'on a longtemps reproché à l'Angleterre de vouloir ruiner les économies de ses concurrents dépendantes de la traite. *Mutatis mutandis*, certains expliquent aujourd'hui toutes les actions des Américains par leur cupidité à l'égard du pétrole.

M. TAUBMANN. *Les critères utilisés pour définir la guerre juste restent-ils valables alors que nous sommes entrés dans un nouvel âge de la guerre ?*

M. CANTO-SPERBER. Notre époque est caractérisée par l'effacement, limité mais réel, des États au profit de réalités supranationales, comme l'Europe, et de nombreux autres acteurs internationaux (les institutions multilatérales, les ONG). On assiste aussi dans certains États à des phénomènes de privatisation de la violence. De façon générale, on ne peut plus dire que l'État détient encore le monopole de la violence : il existe un embryon de forces militaires européennes, l'Onu peut faire intervenir des troupes en son nom, des bandes armées font régner la terreur dans certains États en voie de décomposition et des réseaux ou bandes terroristes sont capables de mettre en œuvre une violence considérable. Les progrès technologiques intervenus dans le domaine des armements (en termes de miniaturisation et d'accessibilité) mettent à la portée de n'importe quel groupe fanatique des moyens de destruction incomparables. Cette violence est particulièrement nuisible lorsqu'elle émane de groupes qui ne sont pas attachés à un territoire, comme l'est un État, car ces groupes ne peuvent pas être l'objet de mesures de rétorsion ou de dissuasion et ils s'affranchissent de toute espèce de règles. La guerre n'est plus un face-à-face entre deux adversaires clairement identifiés car l'un d'entre eux, les « terroristes », est un ennemi invisible et insaisissable. Avec l'avènement de cette nouvelle forme de terrorisme, qui frappe les populations civiles au cœur des villes, la distinction entre l'état de paix et l'état de guerre disparaît. N'importe qui peut être frappé et n'importe quand. L'illimitation de la violence qui résulte de ces phénomènes nouveaux n'est pas sans conséquence. Car la lutte contre le terrorisme qu'on lui oppose, bien que justifiée, court le risque, moral, si on peut dire, de perdre elle aussi toute limite. Au nom du juste combat contre le terrorisme, on ne doit pas faire n'importe quoi. Mais il faut dire aussi qu'il n'est pas facile de respecter des règles strictes face à un ennemi qui n'en respecte aucune.

M. TAUBMANN. *Avec quels outils, justement, pourra-t-on à l'avenir réguler le désordre mondial ?*

M. CANTO-SPERBER. Il faudra trouver un certain équilibre entre le droit et la morale. À l'heure actuelle, un véritable fossé sépare Européens et Américains, les uns privilégiant le droit et les autres une conception du monde où les valeurs, les valeurs de démocratie et de liberté (telles que les Occidentaux les entendent), doivent triompher. Cela ne signifie pas que les Américains soient irrémédiablement opposés au droit international. Il faut rappeler que c'est le président Wilson qui fut à l'origine de la Société des Nations au lendemain de la Première Guerre mondiale. Mais depuis quelques années, et pas seulement depuis George W. Bush, les gouvernements américains perçoivent à tort ou à raison le droit international comme un moyen qui peut servir à mettre en accusation les États-Unis. Ils craignent d'être victimes de procès idéologiques de la part des nombreux pays qui se réclament de « l'anti-impérialisme ». De plus, ils sont réticents face à un droit international qui met tous les pays, dictatures et démocraties, sur le même plan. C'est une des raisons pour lesquelles ils semblent parfois dénier à l'Onu une légitimité morale, la légitimité des institutions internationales ne reposant à leurs yeux que sur un consensus et non sur des valeurs. Surtout, les Américains considèrent que les institutions internationales ne sont pas adaptées pour affronter les menaces les plus graves que présente le monde contemporain, en particulier le terrorisme. Le droit est pourtant le meilleur moyen de réguler le monde. En cela, les Européens ont raison. Mais le droit seul ne peut pas transformer le monde ni permettre de remédier aux dangers les plus urgents. Pour cela, il faut de la politique, inspirée par des valeurs morales. Il faut surtout se résoudre à admettre que le *statu quo* n'est pas toujours intrinsèquement bon, et qu'une action internationale, face à une urgence ou une situation particulièrement grave, peut être nécessaire. C'est dans cette optique par exemple que l'on doit envisager une réforme de l'Onu. Née au lendemain de la Deuxième Guerre mondiale, l'Onu a su assurer une certaine stabilité entre les deux blocs au temps de la guerre froide. Mais elle défend principalement le droit des États, il faut aussi introduire en son sein des exigences morales relatives aux droits des individus et des peuples, à la nécessité d'agir pour éviter que des situations désastreuses d'un point de vue humanitaire ne se produisent. Tel est le défi des prochaines décennies. ■

BERNARD KOUCHNER
« REJETER EN BLOC LE LIBÉRALISME, C'EST ASSURER SON TRIOMPHE »

ENTRETIEN AVEC MICHEL TAUBMANN

En 2003, Bernard Kouchner n'a pas hésité à soutenir l'intervention américaine en Irak, à rebours de son propre camp et de l'opinion publique. Il demeure pourtant l'un des hommes politiques français les plus populaires. Retour sur l'Irak, le droit d'ingérence, l'ex-Yougoslavie, la Constitution européenne, le libéralisme, ou comment bousculer les idées reçues.

MICHEL TAUBMANN. *La position de Jacques Chirac avant le déclenchement de la guerre d'Irak s'inscrit-elle dans la continuité ou en rupture avec la politique extérieure traditionnelle de la France ? Mitterrand et de Gaulle auraient-ils agité la menace du veto ?*

BERNARD KOUCHNER. Il serait peu courtois de faire parler les morts. Je peux en revanche raconter ce que j'ai vécu au gouvernement à l'époque de la guerre du Golfe qui fut d'abord une bataille pour le contrôle du pétrole et aussi pour la souveraineté du Koweït : pas question de délivrer le peuple irakien de la dictature de notre « client » Saddam Hussein. François Mitterrand souhaitait, bien sûr, éviter la guerre mais il a dénoncé l'invasion du Koweït dès le début. Sa position était arrêtée : la France ne resterait pas à l'écart. Il voulait gagner du temps, quelques semaines, tenter une négociation ultime. Au bout du compte, la France ne s'est pas opposée aux Américains : cette guerre du Golfe première manière fut donc approuvée par la communauté internationale presque unanime. François Mitterrand ne songeait pas à défendre Saddam Hussein. Son soutien – tardif – aux Kurdes en atteste. La mission de Danielle Mitterrand et de moi-même sur le territoire irakien auprès des populations souffrantes et l'attentat dont nous fûmes victimes le prouve.

En 2003, plus personne ne pouvait soutenir ouvertement Saddam Hussein, un des tueurs les plus sanglants du XXe siècle, responsable de la mort de millions de ses concitoyens, orfèvre en tortures collectives et individuelles, assassin de sa propre famille, inventeur de la mort chimique de villages kurdes et iraniens. J'avais travaillé longuement auprès des Kurdes et des chiites irakiens, je connaissais leur désespoir et leur détermination. Je savais l'opération « Anfal » (butin), ethnocide scientifique, tournée contre les Kurdes sous prétexte d'arabisation. Les ruines de certains des milliers de villages rasés m'étaient familières, j'y avais traité quelques rares rescapés. J'étais au courant des cent quatre-vingt mille disparus kurdes, femmes et enfants surtout, dont on retrouve de nos jours lentement les fosses communes. Il ne faisait aucun doute que le monde serait meilleur sans Saddam Hussein. Je pensais qu'au début de la deuxième guerre, malgré notre proximité avec Saddam Hussein, nous adopterions une position de soutien critique aux États-Unis, sans participer à la guerre elle-même. Je ne suis pas sûr que la menace du veto ait été préméditée. Souvenez-vous de la visite de Jacques Chirac en Égypte et de ses paroles mesurées : « la France prendrait ses responsabilités. » La position française a dérapé après la séance du Conseil de sécurité sur le terrorisme, le 14 février 2003, où Dominique de Villepin prononça un bel et bon discours. Ce n'est que lors de la conférence de presse qui suivit que le ministre des Affaires étrangères en rajouta dans la menace

BERNARD KOUCHNER *est professeur titulaire de la chaire Santé et développement au Conservatoire national des arts et métiers. Ancien ministre, fondateur de Médecins sans frontières et de Médecins du monde, il a exercé les fonctions de représentant spécial du secrétaire général des Nations unies au Kosovo de 1999 à 2001.*

en agitant le spectre du veto. Je tiens cette conviction de mes conversations avec Colin Powell qui ne s'attendait absolument pas à cette ultime charge. Au Conseil de sécurité on devait parler du terrorisme. Dominique de Villepin avait demandé lui-même à Colin Powell d'être présent alors que ce dernier voulait célébrer le Martin Luther King Day, date importante pour la communauté noire américaine. Ce dérapage était-il prémédité ? Correspondait-il à de l'emportement, à la fatigue, à un mouvement de menton ? Ces propos devinrent la ligne officielle, d'autant plus affirmée dans le temps que la gestion américaine de l'après-guerre d'Irak fut déplorable.

La menace du veto n'est pas en rupture avec la politique dite arabe de la France, qui consiste traditionnellement, pétrole oblige, à s'opposer aux Britanniques et aux Américains ; position qui date du début du siècle et non seulement du général de Gaulle. N'oublions pas que le sanglant dictateur irakien a longtemps été « notre ami Saddam », qualifié parfois de « de Gaulle du Moyen-Orient ». Bagdad fut très longtemps notre principal acheteur d'armes. On lui « prêta » des avions de combat qui servirent aux pires bombardements contre les populations iraniennes et irakiennes. On lui pardonna même les assassinats de policiers français devant l'ambassade d'Irak lors de ses visites à Paris ! On appelait cela, à la barbe des faibles militants des droits de l'homme d'alors, une « realpolitik ». Jacques Chirac a donc assumé la continuité, en y ajoutant la maladresse. Ma propre position fut résumée dans un article que j'écrivis dans *Le Monde*, avec Antoine Veil, au nom du club Vauban : « Non à la guerre, non à Saddam ». Je pensais, au sortir du Kosovo, situation internationale assez semblable, que telle aurait dû être l'attitude de la France : pression internationale continue pour obtenir le départ de Saddam Hussein, bourreau de son propre peuple, et sanctions imposées au nom des droits de l'homme et non pour les faux prétextes avancés à l'époque, liens avec Al Qaïda ou armes de destruction massive. Face à l'intransigeance de George Bush, je reconnais que rien n'était facile ; l'exemple des abandons d'un Tony Blair sur ces deux points en témoigne. Il n'empêche : au devoir d'ingérence accompli des *French doctors*, au droit d'ingérence enfin reconnu de la communauté internationale, les Américains ont substitué le *pouvoir* d'ingérence. Nous n'avons pas fini d'en subir ni peut-être d'en apprécier les conséquences.

J'ai été frappé par le désintérêt envers le sort des populations en général et de celles de l'Irak (kurdes et chiites) en particulier. En ces temps, hors quelques militants valeureux, on se souciait peu des souffrances des Kurdes.

M. TAUBMANN. *Cette complaisance historique envers Saddam, l'avez-vous ressentie aussi au sein des gouvernements de gauche ?*

B. KOUCHNER. L'acmé de la complaisance se situe avant la présidence de François Mitterrand. Les gouvernements auxquels j'ai participé à partir de 1988 ont opéré au contraire une inflexion, certes insuffisante, en faveur de ce que certains dénonçaient et condamnent encore comme « le droit de l'hommisme ». Ceux-là, à gauche comme à droite, rêvent sans cesse du passé, de la grandeur du nationalisme, condamnent la mondialisation et détestent dans un même mouvement les Américains et la perfide Albion. Leur héros, c'est Napoléon, leur terrain de chasse, l'ancien empire colonial. Les gouvernements de gauche auxquels j'ai participé n'étaient pas à ce point caricaturaux, mais le pouvoir impose souvent des sentiments conservateurs. On reconnaît les États, disait la diplomatie française, et non les gouvernements. Vieille lune qui autorise toutes les erreurs. J'ai été frappé par le désintérêt envers le sort des populations en général et de celles de l'Irak (kurdes et chiites) en particulier. En ces temps, hors quelques militants valeureux, on se souciait peu des souffrances des Kurdes. Mon soutien à ces populations isolées et martyrisées me valait les sarcasmes de mes collègues et de la presse. On me surnommait « le Kurde », et ce n'était pas un compliment de la part des politiciens dits « sérieux ». François Mitterrand m'apostrophait gentiment en Conseil des ministres : « Monsieur le Ministre, le droit d'ingérence n'est pas encore d'actualité. » Même si nous avions condamné le bombardement d'Halabja à l'arme chimique en mars 1988, nous n'avions pas accepté de soigner les Kurdes survivants, contrairement à la Suède. À la conférence sur les armes chimiques, le représentant des victimes fut refoulé, tandis que celui de Saddam Hussein participa à la réunion. La France acceptait le régime monstrueux en prétendant qu'il n'y avait pas d'autre solution pour l'Irak, mais elle ne restait pas inactive. C'est sous le gouvernement de Michel Rocard et avec l'approbation de François Mitterrand que le droit d'ingérence (devenu « responsabilité de protéger ») fut reconnu par le droit international à l'Onu en 1988 (résolution 43131 de l'Assemblée générale).

Tentons de nous souvenir, puisque l'histoire est sans mémoire. À la fin de la première guerre, en 1991, les

Kurdes et les chiites se sont soulevés : 14 régions irakiennes sur 18 se sont libérées par elles-mêmes. Le président Bush père les avait appelés à la révolte, puis il les a abandonnés et 250 000 personnes furent assassinées par Saddam. J'avais alors plaidé auprès du président Mitterrand, du gouvernement et écrit dans *Le Monde* qu'il fallait capturer Saddam : il suffisait de pousser jusqu'à Bagdad pendant que la garde républicaine était bloquée à Bassora. Le peuple irakien aurait alors accueilli triomphalement les alliés et constitué, sans doute, un gouvernement provisoire. Notre pays, hélas, ne l'a pas voulu, pas plus que les autres Alliés.

Mais la France socialiste, au moins, soutenait efficacement les victimes. Les militants des droits de l'homme, des ONG, Danielle Mitterrand, moi-même, avons fait pression pour que l'on secoure les Kurdes. Nous avions rédigé la résolution 688 du Conseil de sécurité qui créait une zone d'exclusion permettant aux Français, aux Britanniques et aux Américains de protéger les Kurdes et les chiites. Nous avions inventé « les couloirs humanitaires » et fait raccompagner les Kurdes chez eux, sur le territoire irakien, sous la protection des soldats de l'Onu. Et nous avons « officiellement » franchi la frontière d'un État souverain pour protéger les populations souffrantes. Ce fut une grande première.

Cette année-là, les téléspectateurs supportèrent mal le spectacle des réfugiés kurdes bloqués à la frontière turque, à même le sol gelé, et imposèrent la première application officielle du droit d'ingérence : cette résolution 688 du Conseil de sécurité des Nations unies, proposée par la France de François Mitterrand et qui bouleversait la diplomatie internationale jusqu'alors dominée par le Droit des États. Elle introduisait enfin le droit des peuples et celui des minorités à être défendus. Cette avancée a été rendue possible grâce à l'appui du Premier ministre, Michel Rocard, qui l'imposa à certains mitterrandistes et téléphona aux chefs d'État récalcitrants. Et il faut aussi rendre grâce à François Mitterrand qui en avait compris la portée et dans tous les coins du monde, en bougonnant parfois, m'apporta son appui et celui des forces françaises, du Liban au Liberia. Roland Dumas, ministre des Affaires étrangères, faisait également partie du groupe des conjurés et, par ailleurs, construisait l'ingérence judiciaire avec Robert Badinter. S'occuper des affaires des autres dès lors qu'ils criaient au secours, cette idée folle des *French doctors* était devenue la politique de la France ! Quelques années plus tard, grâce à François Mitterrand et contre l'avis de nombreux diplomates, nous avons réuni les Kurdes à Rambouillet pour des pourparlers de paix qui, hélas, n'aboutirent pas.

Malheureusement, après la victoire de la droite en 1993, le terme « ingérence » retrouva un sens péjoratif et fut très mal défendu par notre diplomatie, mis à part quelques militants exemplaires, diplomates de surcroît, tels Jean-Maurice Ripert, Serge Telle, Mario Bettati, Dominique de Combes de Neve, et d'autres encore. Nous retombions dans la même contradiction : le droit d'ingérence, apport décisif de la France à la diplomatie internationale, que Kofi Annan appelait faussement « l'intervention humanitaire », fut trop souvent combattu par la France elle-même. Quinze ans après, la France n'ayant pas persévéré dans la protection juridique et pratique des minorités, ce furent les Anglo-Saxons qui triomphèrent lorsqu'en septembre 2005 l'article 139 du

© Sempé.

document final de l'Assemblée générale des Nations unies reconnut cette « responsabilité de protéger ».

M. TAUBMANN. *En 2003, la France pouvait-elle affirmer autrement son identité qu'en agitant la menace du veto ?*
B. KOUCHNER. Ce n'était pas facile ! Nous devions nous comporter en allié exigeant, pas en ennemi des États-Unis. Il eût fallu d'abord saisir toute l'importance du traumatisme psychologique du 11-Septembre. Accepter, avec les Américains, la nécessité de débarrasser le peuple irakien de son tyran. Et gagner du temps. Convaincre que nous n'étions pas à quelques semaines ni mois près, même si les troupes étaient déjà massées dans la région. Nous attendions depuis tant d'années ! Américains, Anglais et Français avaient, tour à tour, utilisé Saddam à leurs propres fins commerciales et politiques. Contre les ayatollahs iraniens ou contre nos propres alliés et concurrents. Il aurait fallu engager des négociations et les faire durer. Préparer l'opinion publique, expliquer notre attitude aux ONG, comme nous l'avions fait pour le Kosovo avec le groupe de contact, puis les pourparlers de Rambouillet. Il aurait été impératif d'associer les diverses composantes de l'opposition irakienne, de parler ouvertement de la guerre précédente, celle de 1991, de reconnaître les fautes commises, et promettre d'agir différemment afin de gagner la confiance des populations. Bâtir ensemble un plan pour l'après-guerre, avec le peuple irakien et pour lui. Aisé à dire, surtout après coup !
Avant le déclenchement de la guerre, en 2003, je suis allé débattre de ses méthodes et de ses finalités à Washington, à Londres, à New York et enfin sur place, au Kurdistan et en Iran, pour rencontrer la communauté chiite exilée. Souvent aux côtés de mon ami Sergio Veira de Mello, haut-commissaire aux Droits de l'homme de l'Onu, qui périra dans l'attentat-suicide de Bagdad contre les bureaux de l'Onu le 19 août 2003. Un camion-citerne conduit par un kamikaze islamiste explosa contre le mur de l'hôtel occupé par la mission des Nations unies dirigée par Sergio Veira de Mello. Vingt-quatre employés internationaux de cette mission de paix furent assassinés, dont Nadia Younès, Jean Sélim Kanaan et Fiona Watson, les meilleurs d'entre nous, tous conseillers politiques de l'UNMIK que je dirigeais au Kosovo.
Pour revenir à la guerre : à titre personnel, je préférais bien sûr que l'on tente de l'éviter. Mais au Kurdistan comme chez les chiites, mes interlocuteurs les plus fiables y voyaient la seule solution pour renverser la dictature. Ils semblaient donc approuver les plans américains. Il aurait fallu les écouter aussi à propos de l'après-guerre !
Réticences, manifestations, dérobades, veto : l'intervention américano-britannique s'est déroulée en dehors du cadre de l'Onu. Des projets pour construire la paix et la démocratie, la période de « nation building », avaient été sérieusement préparés par le département d'État de Colin Powell. Hélas, sur décision personnelle du président Bush, cette tâche essentielle fut confiée au Pentagone et aux faucons de Rumsfeld. Et ce fut la catastrophe de l'après-guerre. Je me souviens d'une discussion à Londres avec Ahmed Chalabi : il avait intoxiqué les néoconservateurs et les avait persuadés que le peuple irakien se soulèverait comme en 1991. Il avait tort et

mésestimait l'impact négatif de sa réputation. Paul Wolfowitz, à Washington, me disait qu'il suffirait de trouver un de Gaulle irakien et il pensait à Chalabi ! « Mais vous n'y êtes pas, lui dis-je. Ça n'a rien à voir ! Le Moyen-Orient n'est pas l'Europe ! L'Irak est un pays millénaire, très compliqué, les alliances sont changeantes. Regardez Barzani, le chef des Kurdes : jusqu'à une époque récente, il était l'allié de Saddam. Il s'est très longuement battu avec l'autre fraction des Kurdes, celle de Talabani. Quant aux chiites, la large majorité du peuple irakien, les ennemis de Saddam, ceux qui seront éventuellement vos alliés, vous devez vous en méfier, ils établiront la charia et voileront les femmes. Chalabi ne les représente pas, ils refuseront de lui obéir et il passera à leurs yeux pour un collaborateur de l'occupant. Vous aurez alors échangé l'assassin laïc, Saddam Hussein, contre l'oppression islamique des ayatollahs alliés de l'Iran ! » Bien avant la guerre, j'avais conseillé à mes interlocuteurs américains de ne rien faire qui aurait ressemblé à une occupation, de ne rien décider sans consulter toutes les tendances de tous les groupes. De préparer, longuement, avec acharnement, un gouvernement provisoire d'Union nationale. Il fallait rencontrer tout le monde, responsabiliser, c'était une tâche essentielle, jamais terminée, indispensable. Et ne pas se hâter trop. Une mission de paix s'étend sur une génération. Et j'insistais surtout sur l'impératif de conserver l'armée en place en changeant quelques têtes. Elle était, *a contrario* de la morale élémentaire, seule capable, après les crimes qu'elle avait commis, de garantir un changement.

M. TAUBMANN. *Comment expliquez-vous que votre parti, le PS, n'ait pas joué son rôle d'opposant en se démarquant de Jacques Chirac ?*

B. KOUCHNER. Les positions socialistes étaient fortement teintées d'idéologie, d'antiaméricanisme et dépourvues de toute expertise. Elles étaient hélas aussi le reflet de l'amnésie générale renforcée par une télévision qui privilégie l'instantané sur le savoir. Qui connaissait le sort réservé aux Kurdes ? Personne. Et les chiites ? Camus aurait dit : « Quelque chose en eux aspire à la servitude. » Au Parti socialiste nous étions quelques-uns à penser autrement… Mais c'était dur : nous étions considérés comme des parias, des impérialistes au petit pied. N'oublions pas qu'au plus fort de la guerre, nombre de Français souhaitaient la victoire de Saddam Hussein ! Il est plus facile d'insulter George Bush que d'expliquer la politique honteuse de la France envers le cruel Saddam Hussein. Il est difficile d'être toujours à contre-courant. Et beaucoup plus facile de hurler avec les loups. Il faut aussi se rappeler que les discours de Bush étaient vraiment insupportables.

Américains, Anglais et Français avaient, tour à tour, utilisé Saddam à leurs propres fins commerciales et politiques. Contre les ayatollahs iraniens ou contre nos propres alliés et concurrents. Il aurait fallu engager des négociations et les faire durer.

M. TAUBMANN. *Comment expliquez-vous que la France ait été le seul grand pays d'Europe où s'imposa une telle unanimité, de l'extrême gauche à l'extrême droite, contre la guerre ?*

B. KOUCHNER. Nous assistons depuis quelques années en France, et notamment à gauche, à une poussée de nationalisme sur fond d'antiaméricanisme traditionnel. L'un renforce l'autre. Ce fut confirmé, sans que cela soit comparable, par le référendum sur l'Europe du 29 mai dernier. J'y vois une conséquence de notre inadaptation au monde moderne, de nos certitudes anciennes brandies comme un bouclier contre l'évolution du monde, et de l'anxiété très grande des Français face à la mondialisation. En disant cela je dois affirmer ma détermination à ne pas accepter l'économie mondiale de marché comme une contrainte intangible. Il s'agit au contraire de modifier la donne, de ne pas accepter la dictature des capitaux et de donner à la mondialisation un contenu de progrès humain. Avec les ONG, avec Lionel Jospin et avec Jacques Chirac nous avons décidé de traiter tous les malades du sida, pas seulement les Français. Et nous avons commencé. Je sais l'insuffisance des prises en charge, mais le mouvement est lancé, l'espoir se lève. C'est cela la mondialisation positive.

Mais qui tient ce langage de vérité et d'espérance, qui fixe hardiment un tel cap ? Personne parmi les politiques. Ils sont tous, gauche et droite réunies, effrayés par la vérité du monde et le faible rôle de notre pays sur le théâtre international. Mais si nous ne voulons pas envisager les réformes nécessaires, celles qui dans un premier temps pénaliseront nos protections sociales désuètes, il nous faut un bouc émissaire. La recherche de l'ennemi fut rapide. Nous avons adoubé le plus indéfendable de nos adversaires : George Bush, un homme peu supportable et même parfois franchement inquiétant.

Ce prurit antiaméricain est dangereux. Il est sous-tendu par le refus de voir que la mondialisation semble irréversible, que le protectionnisme et le nationalisme français retrouvés, loin de nous protéger des délocalisations, du chômage ou de la perte de certains marchés, renforcent ces funestes tendances. Et, de grâce, ne confondons pas cette mondialisation qui autorisera, j'espère, les plus pauvres sur la terre à développer leurs pays avec un libéralisme excessif et débridé que je condamne. Ce nationalisme crispé me semble totalement contraire à l'esprit de la gauche, à cet internationalisme de la fraternité et du partage auquel j'ai consacré ma vie.

Avant la guerre, pour ne pas parler sans savoir, j'ai souhaité revoir les Kurdes, recueillir leur avis. J'y suis allé. Peu de gens au PS partageaient cette préoccupation élémentaire et se souciaient de l'avis des intéressés. Ce constat me laisse un goût amer. La au nom d'une vision fantasmatique d'un monde arabe identifié à ses dictateurs...

M. TAUBMANN. *Avec le recul ne considérez-vous pas que la suite des événements a donné un peu raison à Jacques Chirac ?*

B. KOUCHNER. Pas vraiment. La politique de la France n'a pas évité la guerre, elle n'en a pas infléchi la mauvaise stratégie : elle a donc échoué. Elle a mis de l'huile sur le feu. Ne jugeons pas trop vite, la messe n'est pas dite. Je continue à souhaiter la victoire des forces de paix irakiennes. J'estime que les élections furent un formidable succès, et on peut rarement juger des effets d'une mission

La découverte des autres au péril de ses propres certitudes, l'écoute indispensable des peuples opprimés a été le fondement même de mon militantisme. Pourquoi la gauche ne lutte-t-elle pas toujours contre la torture et les assassinats ? Contre toutes les dictatures ? Ces principes ont-ils été sacrifiés sur l'autel de l'antiaméricanisme ?

découverte des autres au péril de ses propres certitudes, l'écoute indispensable des peuples opprimés a été le fondement même de mon militantisme. Pourquoi la gauche ne lutte-t-elle pas toujours contre la torture et les assassinats ? Contre toutes les dictatures ? Ces principes ont-ils été sacrifiés sur l'autel de l'antiaméricanisme ?

Les nombreuses manifestations contre la guerre auxquelles nous avons assisté à l'époque ne disaient rien ou presque des crimes de Saddam Hussein. L'extrême gauche défilait avec des slogans d'extrême droite, à la limite de l'antisémitisme. Tout cela de paix en moins de dix ans. Mais la situation n'est pas bonne. L'Irak est devenu le foyer du terrorisme international. Et voilà que M. Chalabi, qui fut récemment banni, occupe un siège de ministre. On croit rêver. Le plus grave reste devant nous : une coalition des extrémistes religieux chiites, de l'Iran comme de l'Irak. Le plus grand allié des États-Unis, l'Arabie Saoudite, prend peur. Un Président impossible à Téhéran profère des propos antisémites et les pires menaces contre la paix, prépare la bombe atomique et les Américains ne peuvent s'y opposer craignant de déplaire à leurs amis chiites irakiens qui pensent comme au Moyen Âge ! Tout cela semble bien improvisé !

Les opérations militaires achevées, dès le premier jour de « paix », l'ambiance était gâtée. Pourquoi ne pas avoir monté la garde devant les hôpitaux ? Si l'on ne protège pas les hôpitaux, pourquoi occuper un pays ? Si les femmes venues d'un quartier chiite ne peuvent pas se faire soigner dans un quartier sunnite, tout est déjà perdu. Je connais bien Bagdad : il y avait une quinzaine d'hôpitaux à garder. Avec deux chars devant chacun d'eux, ce n'était pas sorcier !

Les Américains ont commis toutes les erreurs possibles. La plus manifeste fut de se conduire comme en pays conquis, de ne pas immédiatement rendre visite aux principaux chefs des factions et des groupes, les religieux et les civils, pour leur faire une allégeance théorique. De ne pas se préoccuper, aussitôt arrivés, de la sécurité des civils, quitte à garder un temps la même police. Et surtout de démobiliser l'armée, de renvoyer chez eux des soldats sans argent pour nourrir leur famille. C'est la règle la plus élémentaire, celle qu'appliquèrent les Soviets en formant l'Armée rouge avec 70 % des troupes du tsar, celle de Mao Tsé-toung et celle que choisit en 1944 le gouvernement de la Libération de la France avec sa police. La première des leçons apprises des opérations de maintien de la paix de l'Onu...

Je me suis longuement entretenu avec l'administrateur américain en Irak, Paul Bremer. Il m'a avoué n'avoir jamais rencontré l'ayatollah Sistani, le grand chef religieux chiite. C'était pourtant la première chose à faire, dès le premier jour : prendre le thé avec Sistani ! Mais il a attendu trop longtemps et, quand il a demandé à rencontrer Sistani, l'ayatollah ne voulait plus le voir. Les Américains étaient considérés comme des occupants ! Bremer eut beau tenter de me convaincre qu'une telle rencontre était très difficile, notamment pour des questions de sécurité, le résultat est là : il n'a jamais rencontré le chef spirituel de ceux qu'il venait libérer !

« Pourquoi avoir démobilisé l'armée ? » ai-je demandé à Paul Bremer. Il m'a répondu d'abord : « C'était une demande des Kurdes. » J'ai donc vérifié l'information auprès des Kurdes et de Wolfowitz, qui m'a dit : « Il n'y a jamais eu de demande. » Bremer m'a dit ensuite : « La moitié n'était pas une armée de métier. » Et alors ? Il fallait dédommager les uns, ce qui fut fait trop tard, et conserver les autres. D'autant que maintenant, débordés, les Américains recrutent à nouveau, et à prix d'or, les anciens officiers qu'ils ont chassé intempestivement !

Au Kosovo, ça a duré six mois, ça a été dur, il y a eu des assassinats, mais on a transformé l'armée de l'UCK en un corps théorique de sécurité civile dont certains membres ont gardé leurs armes.

La même remarque élémentaire vaut pour une partie de l'administration irakienne, qui était solide, moderne, relativement efficace, les fonctionnaires sunnites en particulier, et qui a été démolie au point que ce vaste pays est devenu bien difficile à gouverner.

M. TAUBMANN. *Les Américains pouvaient-ils agir autrement face à un appareil d'État totalitaire semblable à celui trouvé par les Alliés en Allemagne en 1945 ?*

B. KOUCHNER. Cette comparaison fut l'une des causes des erreurs américaines. Elle ne me semble pas licite. Pour Paul Wolfowitz, l'Irak de 2003 ressemblait à l'Allemagne de 1945. Erreur ! L'Allemagne était finie en 1945, elle n'existait plus !

J'ai revu Paul Wolfowitz à une conférence, il y a quelques mois, il était déjà président de la Banque mondiale. Il m'a dit : « C'est toi qui avais raison, la démobilisation de l'armée était une erreur, mais je n'en suis pas responsable.

– Quand même, tu étais le numéro 2 du Pentagone ?

– C'est Rumsfeld qui décidait avec le Président. J'ai discuté avec Colin Powell, il m'a dit avoir demandé au département d'État de ne pas démobiliser l'armée, il était ministre des Affaires étrangères, mais l'armée dépendait de Rumsfeld. »

Powell ne l'a pas dit publiquement. Mais les propos de Wolfowitz sont crédibles.

On ne peut évoquer les faux pas des Américains sans évoquer les méthodes des différentes armées engagées. Les Britanniques, que je connais bien pour en avoir dirigé au Kosovo, n'ont pas les mêmes règles d'engagement que les Américains. C'est pourquoi ils ont eu beaucoup moins d'ennuis à Bassora, certes fief chiite, que les Américains à Bagdad. À Bassora, les soldats britanniques ne portaient pas de gilet pare-balles. Ils étaient dans la foule, c'était risqué, mais ils parlaient aux gens et essayaient d'instaurer le dialogue.

Les Américains, eux, sortent de leurs bases complètement harnachés. Ils se précipitent, circulent dans des convois blindés puis rentrent chez eux, dans des camps très isolés de la population. Je ne dis pas que c'est facile, mais la guerre est une activité à risques, même quand on l'affirme libératrice. Quand on n'est pas chez soi, on ne se conduit pas en pays conquis. On n'est pas forcé d'aimer les gens qu'on aide, c'est même parfois impossible… Mais on doit faire semblant.

On n'impose pas la démocratie, on la propose, encore et encore !

M. TAUBMANN. *Les erreurs passées condamnent-elles l'expérience irakienne à l'échec ?*

B. KOUCHNER. J'espère que non, mais je ne suis pas optimiste. Échec, victoire, quels en sont les critères ?

La très bonne surprise a été la participation des Irakiens aux élections de janvier 2005, puis au référendum d'octobre et aux législatives de décembre, avec de faibles taux d'abstention malgré la terreur et le danger. Autre fait positif : un parti sunnite a décidé d'accepter la Constitution et pour la première fois l'autonomie kurde est reconnue dans un cadre fédéral. Certes, la Constitution commence par « Allah le miséricordieux ». Mais l'essentiel est que les Irakiens se soient approprié les procédures démocratiques. C'était la seule voie possible. Les Américains doivent se retirer. À quel moment ? Je n'en sais rien. Peut-

être commenceront-ils le retrait en 2006 si la situation se stabilise. J'espère aussi que l'armée irakienne se renforcera. Les attentats cesseront-ils pour autant ? Non. Car la présence américaine n'en est pas la seule cause. On peut imaginer toutes les nuances du spectre des résultats. Se retirer sans désastre humain supplémentaire pour les soldats, mais en laissant un gouvernement chiite religieux qui maîtriserait suffisamment la situation serait un demi-échec que les Américains pourraient transformer en demi-victoire. Le pire serait que l'Iran continue d'enflammer la région, que le gouvernement syrien responsable des meurtres du Liban demeure en place, à côté d'un Irak ravagé par le terrorisme auquel ni l'armée ni la police ne sauraient faire face. Dans tous les cas l'inimaginable a eu lieu : nos amis kurdes sont devenus autonomes. Puissent-ils en faire un bon et démocratique usage.

M. TAUBMANN. *Aujourd'hui, la France peut-elle jouer un rôle en Irak ?*
B. KOUCHNER. Attendons que les choses changent dans notre pays. Pourquoi pas en 2007 ? D'ici là, je crains qu'il n'y ait pas grand-chose à attendre de Jacques Chirac. Mais ne sous-estimons pas Dominique de Villepin. Immédiatement, il faudrait une demande du gouvernement irakien. Ne nous faisons pas d'illusions : la France a perdu son crédit à Bagdad. Nous apparaissons comme ceux qui ont soutenu Saddam jusqu'au bout. Il faut admettre que si les Irakiens veulent le départ des Américains, ils ne souhaitent pas les Français pour autant. Il est devenu difficile de passer pour le pays des droits de l'homme, sauf peut-être auprès des Kurdes. Et encore, pas tous.
Avant de retourner en Irak, il faudra d'abord que nous soyons capables de reconnaître nos erreurs et de nous expliquer sur le passé. On découvre tous les jours de nouvelles fosses communes, des cadavres tués par des armes françaises. Méfions-nous de ce qui se passe entre les chiites de part et d'autre de la frontière Iran-Irak. Le nouveau président iranien tient le langage assassin que l'on sait et entretient le projet d'une menace nucléaire potentielle. Comment réagissons-nous ? Par le silence. Et pourtant l'on sait que l'Europe s'est enlisée et que les États-Unis sont bloqués. Y aura-t-il des manifestations en France en faveur du président iranien si nous nous montrons plus fermes ? Ce n'est pas impossible.

M. TAUBMANN. *Les États-Unis n'ont-ils pas péché aussi par optimisme en envoyant trop peu de troupes ?*
B. KOUCHNER. Bien sûr. Paul Bremer l'a reconnu, avant de le démentir. Avec 140 000 hommes, on ne pouvait même pas boucler les frontières qui devenaient des passoires à kamikazes. De très nombreux terroristes sont accourus : ne pouvait-on pas s'y attendre ? Il aurait fallu plus de soldats pour assurer la sécurité du pays : 400 000, 500 000 peut-être. Pour cela, l'intervention – ou comme je l'espérais naïvement, la pression – aurait dû être réalisée dans un cadre international, idéalement l'Onu, mais pourquoi pas l'Otan avec des soldats d'autres pays alliés des États-Unis.

M. TAUBMANN. *Le consensus anti-américain qui a culminé en France contre la guerre en Irak annonçait-il l'échec du référendum sur la Constitution européenne ?*
B. KOUCHNER. Ne mélangeons pas tout. Voulez-vous dire que le lien serait le nationalisme, ou le conservatisme, ou l'antiaméricanisme ? Cette analyse reste un peu courte. La Constitution européenne a-t-elle été combattue par une partie des forces qui soutenaient le *statu quo* en Irak, avec les mêmes arguments et les mêmes outrances ? Certes. Mais cela ne clôt pas l'analyse. Il existe en France une lourde anxiété sociale, un chômage insupportable, un avenir incertain pour nos enfants, une peur légitime de ne pouvoir conserver les avantages sociaux acquis par des luttes anciennes et qui sans doute ne rendent pas le présent plus doux. Cela n'a rien à voir avec les Américains en Irak.
Il faudrait plus de place pour en

rendre compte. Les refus solitaires nous condamnent. Nationalistes et populistes, de droite comme de gauche, se trompent. L'Europe sociale – comme on dit à tort – se réduit-elle à la conservation égoïste de nos avantages quand ils deviennent incompatibles avec les exigences du monde ? La France doit comprendre qu'elle ne peut profiter de ses immenses atouts si elle se condamne à l'isolement. Elle ne peut se contenter de glorifier un système social qui a engendré 10 % de chômeurs – un taux record en Europe ! Ceux qui ont promis plus de travail et de croissance en votant « non » ont trompé les plus dépourvus d'entre les Français. Seul le populisme y a gagné.

Ce n'est pas mon idée de la gauche, ni ma conception de la solidarité internationale. Malgré la satisfaction illusoire d'avoir rué dans les brancards, les Français seront plus malheureux d'avoir voté non que s'ils avaient voté oui. La fracture se situe entre ceux qui, dans le monde, ont une protection sociale et ceux qui n'en ont pas.

M. TAUBMANN. *La Constitution européenne a-t-elle encore un avenir ?*

B. KOUCHNER. Certainement pas avant 2007 et un nouveau gouvernement français qui aura éclairci sa position pendant la campagne électorale. Des amendements substantiels ? Je ne crois pas que l'on puisse négocier avec nos partenaires autre chose qu'un traité différent. Une seule certitude : nous avons assuré le triomphe de l'Europe à l'anglaise, le grand marché et aucun vrai projet politique.

M. TAUBMANN. *La convocation d'un référendum en vue d'adopter le traité constitutionnel fut-elle une erreur ?*

B. KOUCHNER. Si on affirme que la technique n'était pas bonne à chaque fois que l'on perd une élection, alors il faut supprimer la démocratie. Je ne le dirais donc pas aussi brutalement. En revanche, il est évident que la campagne n'a pas été bien menée. La première des erreurs fut sans doute de parler d'une constitution, alors qu'il s'agissait seulement d'un traité. L'Europe ne devenait pas un pays, et la France restait la France. Cela, à droite comme à gauche, on ne l'a pas bien expliqué. À gauche nous aurions dû exiger, sans réclamer un référendum, un texte plus simple et en débattre longtemps avant la campagne officielle. Nous aurions dû illustrer et discuter les différentes étapes de la commission faussement nommée Giscard d'Estaing, comme ce fut le cas en Allemagne et en Espagne. Et n'oublions pas les mensonges et les traîtrises des partisans d'un « non de gauche » : l'avortement, l'Otan, le plan B, etc.

À droite, Jacques Chirac s'est montré terriblement maladroit. Son entourage lui a fait faire des erreurs, comme ce débat avec les jeunes. Et puis il a mené campagne contre les Anglo-Saxons, contre le libéralisme. Son discours a été confus, avec pour seul résultat d'inciter une partie de la gauche à voter non.

M. TAUBMANN. *Partagez-vous la thèse, développée notamment par Nicolas Baverez, d'une France en déclin ?*

B. KOUCHNER. Arrêtons, de grâce, de nous lamenter ! Que devraient dire les pays pauvres ! La crise est profonde, certes, l'adaptation nécessaire, mais la France reste un pays riche et qui peut, qui doit se ressaisir. Le temps est à l'offensive. Nous avons de nombreux atouts. L'attentisme ne suffit pas plus que la défense d'avantages qui n'en sont plus. Les inégalités s'accentuent, de trop nombreux Français sont laissés de côté, sans formation, sans perspective d'avenir, sans travail. Voilà l'inquiétude. Et de bonnes raisons de réagir. Il nous faut créer de nombreux emplois nouveaux et non s'acharner à défendre les anciens. Pour cela un argent beaucoup plus important doit être attribué à la recherche et au développement.

Le monde entier a besoin de la France. Pas seulement celle des discours fracassants, mais aussi celle des propositions concrètes. Comme celle que nous avons imposée concernant le traitement mondial du sida. Alors il faut que nous fassions tous ensemble, à gauche surtout, ce travail sur nous-mêmes « qui consiste à penser différemment de ce qu'on pensait avant », comme disait Michel Foucault. Hélas, nous sommes encore loin d'une telle démarche.

Pour résumer, ce qui m'inquiète n'est pas tant le déclin économique – il y a de puissantes entreprises françaises – que l'espèce de glu idéologique ancienne dans laquelle nous nous enlisons et les jeunes en premier. On ne leur offre qu'une société de précaution qui refuse le risque conquérant. On ne fournit pas à la jeunesse

Il existe en France une lourde anxiété sociale, un chômage insupportable, un avenir incertain pour nos enfants, une peur légitime de ne pouvoir conserver les avantages sociaux acquis par des luttes anciennes et qui sans doute ne rendent pas le présent plus doux. Cela n'a rien à voir avec les Américains en Irak.

des raisons de s'exalter, de s'approprier le monde, de le partager différemment. Nous regardons l'Afrique se mourir. Nous laissons l'épouvantail américain dominer le monde et nous affaiblissons l'Europe. En rejetant en bloc le libéralisme, nous assurons son triomphe.

M. TAUBMANN. *Acceptez-vous le qualificatif de libéral ?*

B. KOUCHNER. Ce mot est devenu une sorte de fourre-tout. Tout dépend du sens qu'on lui donne. Voulez-vous dire libéral au sens des démocrates américains, comme Clinton ? Alors oui, dans ce sens, je suis libéral. Mais je ne suis sûrement pas libéral au sens du « tout au marché ». Je crois à sa régulation par les États et demain par une forme de pouvoir mondial. C'est d'ailleurs pour cela que je suis farouchement européen.

M. TAUBMANN. *La gauche doit-elle cesser de diaboliser le mot « libéral » ?*

B. KOUCHNER. La gauche, et la droite ! Souvenez-vous de ce qu'en a dit Jacques Chirac – plus à gauche tu meurs – devenu brusquement le Don Quichotte de l'antilibéralisme et qui prédit au libéralisme une défaite identique à celle du communisme. Comment voulez-vous que les Français s'y retrouvent ? Il faudra des années de pédagogie. En Grande-Bretagne, la deuxième gauche a pris le pouvoir, en France, elle a été battue. Elle a eu sa chance entre 1988 et 1991 autour de Michel Rocard et de son gouvernement, auquel j'ai appartenu. Elle a imposé une vision moins manichéenne, avec une tentative d'ouverture, les réflexions de Michel Durafour sur la flexibilité, l'avancement et la rémunération des fonctionnaires, l'avantage au mérite, la CSG, etc. Hélas, Rocard n'a pas gagné la majorité au PS, ce qu'il raconte fort bien dans son dernier livre[1].

La gauche française est restée imprégnée de relents de trotskisme, de maoïsme, de gauchisme et de communisme : spécialités qui n'existent plus ailleurs ! Les Italiens ont transformé leur Parti communiste en une force véritablement démocrate. Pas nous ! Le mouvement syndical, appuyé sur la tradition anarcho-syndicaliste, est en France d'autant plus intransigeant qu'il est faible.

En Grande-Bretagne, la deuxième gauche a pris le pouvoir, en France, elle a été battue. Elle a eu sa chance entre 1988 et 1991 autour de Michel Rocard et de son gouvernement, auquel j'ai appartenu.

Si un « libéral », comme vous le dites et pas moi, affirme qu'il est midi à 12 heures, on s'indignera immédiatement. Nous en sommes là. Et pourtant, j'en suis convaincu, seule la gauche est capable de modifier nos conservatismes et d'amorcer l'évolution nécessaire. La gauche, dans cette élection qui vient, aura un rôle historique à jouer. Si nous ne sommes pas au rendez-vous, nous pénaliserons nos enfants pour longtemps.

M. TAUBMANN. *Bernard Kouchner serait-il blairiste ?*

B. KOUCHNER. Que de schématisme, que d'étiquettes ! Blair, qui est d'abord britannique, n'a pas tort tout le temps, mais il a tort souvent. Moi, je pense qu'il faut une Europe beaucoup plus politique. Blair veut en faire une zone de libre-échange, un supermarché à l'anglaise. Pour cette raison je ne suis pas blairiste.

En revanche je suis blairiste s'il s'agit d'introduire de la flexibilité et d'être pragmatique pour abaisser à 5 % notre taux de chômage. Pour privilégier et faire aider par l'Europe les métiers de demain, la recherche, la souplesse, l'aide à la personne et non au seul travail. Ce sont des méthodes que l'on doit essayer. On ne devrait jamais prendre une décision avant d'avoir étudié les tentatives des autres pays européens. Pas seulement la Grande-Bretagne, mais la Suède, le Danemark, la Finlande, qui ont une tradition sociale forte et un chômage autour de 5 %.

En France, on disait avec morgue : « Blair perdra les élections à cause de l'Irak. » Eh bien, il les a gagnées, et pour la troisième fois ! Personne n'avait jamais fait cela à gauche... Mais les Anglais ne sont pas à gauche, me dit-on. Ah bon ! Et nous les Français, en quoi sommes-nous plus à gauche ? Nous n'avons pas de vraie social-démocratie, nous n'avons pas fait notre Bad Godesberg, nous n'avons pas rejeté suffisamment le marxisme et nous pensons à l'ancienne. Nous commençons une phrase politique au présent et la terminons au passé... On dénonce la Grande-Bretagne, soit. Mais alors, pourquoi ne considère-t-on pas ce qui se passe en Allemagne ? Schröder, le social-démocrate, a proposé des réformes douloureuses, celles que nous refusons, et plus de 75 % des Allemands les ont approuvées, à gauche comme à droite : ils ont même fait alliance avec Mme Merkel ! Sommes-nous prétentieux au point de juger aussi à la place des Allemands ?

Il existe une social-démocratie européenne, qui s'est prononcée pour le traité constitutionnel. Et nous aurions raison contre toute la social-démocratie européenne ? Non. Il nous faut construire, ici, en France, notre social-démocratie à la française. C'est une question de salut public.

M. TAUBMANN. *On n'a pas l'impression que vous meniez vraiment le combat d'idées au sein du PS.*
B. KOUCHNER. Je parle avec plaisir aux socialistes dès que j'en ai l'occasion. Je tente aussi de m'adresser aux Français. Certains, à gauche, s'agrippent à une position idéologique dépassée et refusent de s'adapter. Le boulet du passé les paralyse. Ils s'accrochent à des vérités révélées. Pour eux, la gauche a toujours raison et la droite toujours tort. Ce n'est pas si simple ! Dans des réunions du PS, je raconte parfois la bataille acharnée que nous avons menée pour imposer le droit d'ingérence : quarante ans de combat militant ! Est-il de gauche, ce combat ? Je le crois. Pourtant, je l'ai mené avec des gens que la gauche aurait qualifiés de droite, des militants chrétiens souvent. Avec eux nous avons remué la gauche, nous en avons modifié les certitudes.

M. TAUBMANN. *Après ce que vous venez de dire, pourquoi restez-vous au PS ?*
B. KOUCHNER. La droite n'est pas toujours mon ennemie, mais la gauche est ma famille. J'en suis fier. J'ai toujours pensé que c'est de la gauche que doivent venir les combats contre l'oppression. Même si je sais que, dans l'histoire, ils ne sont pas venus seulement de là. Ce n'est donc pas parce que je suis au PS que je reste un homme de gauche. C'est parce que je suis un homme de gauche que je reste au PS. Dix ans de gouvernement de gauche, quarante ans de militantisme, la création de Médecins sans frontières (prix Nobel de la paix 1999) et de Médecins du monde (hier encore cette invention des tentes bleues pour les sans-abri dans les rues de Paris), le Parlement européen où je présidais la Commission du développement, la direction sans partage d'un pays en guerre pendant deux ans (le Kosovo), etc. Mon expérience n'est pas celle d'un politicien français habituel. Les zones de tempête que nous allons traverser devraient inciter les Français à exiger que la société civile et le monde politique profitent de leurs différentes épreuves.

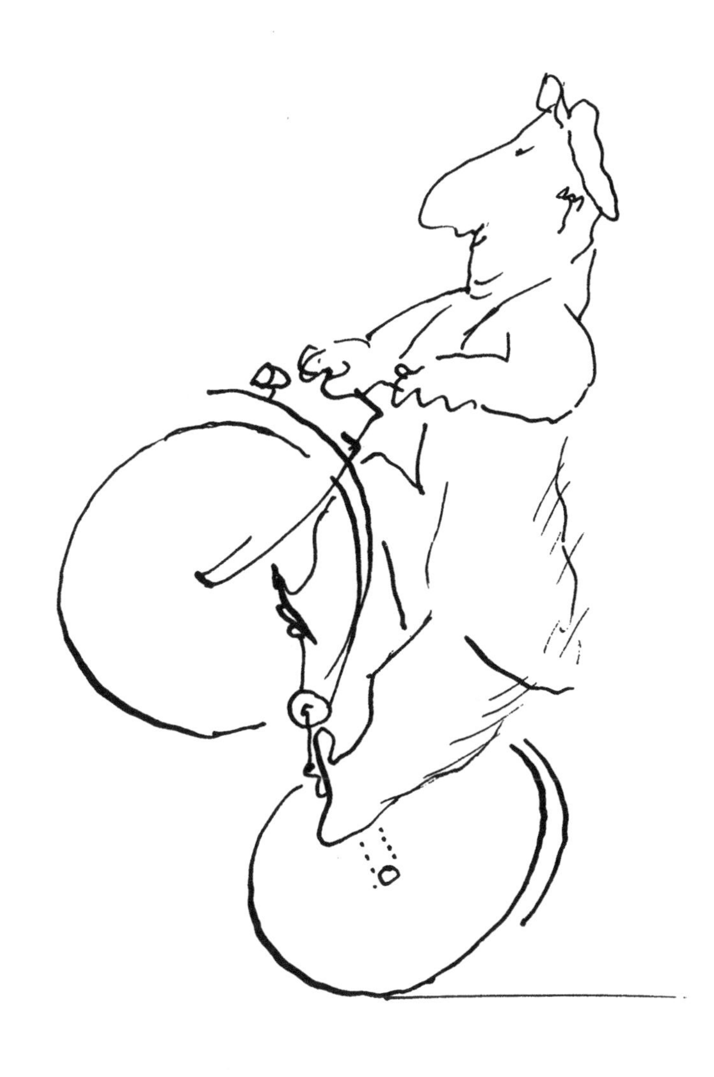

M. TAUBMANN. *Le clivage gauche-droite est-il encore pertinent ?*
B. KOUCHNER. Pas toujours. Comment faire ? Une coalition des réformateurs de gauche et de droite dont notre pays aurait besoin pour un temps, afin de franchir le cap difficile de la mondialisation ? Ce serait formidable. Si l'on veut que la gauche reprenne de la vigueur, il ne faut pas délimiter ses frontières au centimètre près. C'est une utopie que l'on peut caresser doucement… si on trouve le sens du poil. La recette ? S'efforcer de ne pas tromper.
Sur la justice sociale ou la générosité, les différences gauche-droite n'ont pas disparu. Pourtant les vérités situées me font peur et les certitudes tranchées me laissent perplexe. Franchement, les partis trotskistes, est-ce la gauche ? Pas souvent et pourtant si ceux-là préfèrent les salariés, les producteurs, les inventeurs aux actionnaires, je suis d'accord avec eux. Est-on à droite parce qu'on admire certaines réformes de Blair ? Je ne le crois pas non plus.
En France, la situation est vraiment particulière. Jacques Chirac, ce n'est pas la droite, c'est le néogaullisme : un mélange ambigu, souvent mensonger… par exemple sur l'attitude des Français pendant la guerre ou sur le libéralisme. Mais c'est aussi l'attachement – que j'approuve – aux services publics, à la Sécurité sociale. Cette ambiguïté fondamentale du gaullisme, depuis soixante ans au

centre du débat français, est sans doute la cause principale de la persistance d'un clivage droite-gauche réducteur. En alliant un discours souvent de gauche et une pratique presque toujours de droite, il pousse une certaine gauche vers la radicalité…
En 2006, nous sommes face à des problèmes qui dépassent ce cadre traditionnel. L'évolution des rapports entre pays riches et pays pauvres, les flux migratoires, le chômage, l'écologie… Nous sommes de plus en plus confrontés à des problèmes mondiaux, dont la solution échappe à nos cadres de pensée classiques. C'est cela que j'essaie d'expliquer à la gauche, pour lui redonner un vrai contenu…

M. TAUBMANN. *Vous ne partagez pas la rancœur de nombreuses personnes de gauche envers François Mitterrand ?*
B. KOUCHNER. Non, pas du tout. J'ai été certes bouleversé de découvrir sa proximité avec René Bousquet, et j'en ai ressenti de l'amertume : je l'ai d'ailleurs dit publiquement. C'était, hélas, le reflet d'une époque et l'image malheureuse de notre pays. Mais je garde à François Mitterrand du respect et une grande affection. J'ai beaucoup appris de sa culture, j'ai beaucoup aimé être au Conseil des ministres. Pendant quelques mois j'ai fréquenté, sans illusion mais avec bonheur, ce premier cercle de François Mitterrand, où l'on riait beaucoup. Sur cet aspect un livre très juste vient de paraître [2].

M. TAUBMANN. *Le 28 juin 1992 vous avez accompagné François Mitterrand lors de sa visite surprise dans Sarajevo assiégée. N'avez-vous pas finalement cautionné le non-interventionnisme de la France en Bosnie ?*
B. KOUCHNER. Bien sûr que oui ! Où donc serait le péché ? Peu de militants ont été aussi actifs que je le fus pour défendre les Bosniaques (et déjà les Kosovars). Et j'étais pourtant et je demeure proche des Serbes et de leur histoire. Votre perfide insinuation, je l'ai entendue mille fois ! Elle vient de ceux qui n'ont jamais rien fait que protester en politique. Sans mettre les mains dans le cambouis. À ceux-là, je réponds : sans cette visite de Mitterrand, on n'aurait pas rouvert l'aéroport de Sarajevo, on laissait bombarder et mourir les gens en plus grand nombre. Le président bosniaque Izetbegovic sur son lit de mort l'a confirmé à Richard Holbrooke et à moi-même.
Bien sûr, je ne me faisais pas d'illusions. François Mitterrand avait été clair. Il m'avait dit : « Nous appliquerons toutes les mesures du Conseil de sécurité, mais la France seule ne fera jamais la guerre à la Serbie. » Il me l'a répété là-bas, je me souviens des mots très fermes, presque injurieux qu'il a échangés avec Mladic et Karadzic dans les bâtiments démolis de l'ancien aéroport de Sarajevo. Car cette visite, je l'avais demandée vingt-cinq fois, et je ne savais même pas que Mitterrand l'avait décidée. C'est l'intervention de Bernard-Henri Lévy et la lettre d'Izetbegovic qui, je crois, ont été décisives. Je n'oublie pas non plus Roland Dumas, mon ministre de tutelle à l'époque. On dit beaucoup de mal de Roland Dumas, souvent à tort, car il a fait de très bonnes choses, sur l'ingérence judiciaire et les tribunaux internationaux en particulier.
Le fait d'avoir rouvert l'aéroport a permis de reprendre les vols humanitaires. Comme le souhaitait ardemment la population assassinée de Sarajevo et de la Bosnie. N'avez-vous pas compris qu'humanitaire et politique sont à la fois opposés et complémentaires, qu'ils marchent ensemble ?
Alors, l'humanitaire sert-il les bourreaux ? J'entends dire cela à Paris, mais il faut demander aux victimes, non ? Izetbegovic, lui, était content que l'on vienne…
Jamais, avant l'humanitaire, il n'y avait d'intervention armée pour défendre un pays avec lequel on n'était pas lié par des accords ou des intérêts, jamais ! Avec l'humanitaire, on ne se moque plus du malheur des autres. C'est capital. Sarajevo était une étape sur le chemin commun – et différent – de l'humanitaire et de la politique.
Bien sûr, j'aurais préféré que l'on fasse davantage, et je l'ai écrit, même en étant membre du gouvernement. Je n'ai jamais mis mon drapeau dans ma poche. Mais je n'ai pas honte d'être allé à Sarajevo. Srebrenica, ce fut, hélas, la honte absolue, et une défaite majeure des Nations unies, mais Sarajevo, non ! Évidemment les belles âmes ne comprennent pas cela. Je ne regrette rien. À quoi sert d'avoir les mains pures si l'on ne fait rien ? À se donner bonne conscience ?

M. TAUBMANN. *N'avez-vous jamais regretté d'être devenu ministre ?*
B. KOUCHNER. Non. Il est très difficile de suivre plusieurs dossiers à la fois. L'ad-

Jacques Chirac, ce n'est pas la droite, c'est le néogaullisme : un mélange ambigu, souvent mensonger… par exemple sur l'attitude des Français pendant la guerre ou sur le libéralisme. Mais c'est aussi l'attachement – que j'approuve – aux services publics, à la Sécurité sociale.

ministration pèse aussi lourd que les habitudes. Je me rendais parfois compte que je n'en faisais pas assez. J'ai décidé très tôt de me battre contre le totalitarisme et l'oppression. Aujourd'hui, je pense avoir fait ce que j'ai pu. Le devoir puis le droit d'ingérence, une idée imaginée par deux personnes au Biafra, puis reprise par un groupe de médecins bénévoles et volontaires, imposée à travers le monde dans tous les conflits et les malheurs, a été reconnue comme une démarche hautement politique en septembre 2005 par l'Assemblée générale des Nations unies. Avec les *French doctors*, nous avons eu le prix Nobel de la paix et, surtout, nous avons diminué l'ampleur de certains massacres. Je sais : reconnaissance ne signifie pas succès absolu.

Si je n'avais pas été ministre de Michel Rocard et de François Mitterrand, je n'aurais pas pu faire aboutir cette vraie révolution politique. La résolution 688 de l'Onu, qui a initié en 1991 le droit d'ingérence, ne pouvait venir que d'un gouvernement. À l'époque il y avait encore l'Union soviétique, la Chine communiste et non capitaliste, Cuba, les non-alignés, etc. La souveraineté des États était le paravent des exactions. Comme c'est toujours le cas pour la Tchétchénie par exemple. Tout n'est pas gagné, il y a deux poids et deux mesures. Mais si je n'avais pas été ministre, ces résolutions des Nations unies n'auraient jamais pu être votées. La société civile invente les idées neuves, les politiques les consacrent parfois.

La deuxième leçon de ces années au gouvernement, c'est que je n'aurais rien fait sans mes amis, ceux qui ont bâti Médecins sans frontières et Médecins du monde, les membres de mes cabinets successifs, ceux qui m'ont accompagné au Kosovo… Je n'ai existé qu'à travers ces équipes.

La troisième leçon, c'est qu'en politique, il ne faut attendre, en France, aucune récompense. Si vous réussissez, vous êtes suspect. Si vous êtes populaire, vous faites du tort aux autres, et vous suscitez la jalousie. Le sachant, il ne faut rien espérer ; c'est alors seulement que l'on a de bonnes surprises.

La France a besoin de grandes exaltations et de perspectives d'avenir, personne ne lui en procure. Nous devons nous montrer plus conquérants. Nous devons nous montrer plus imaginatifs. Ne pas craindre de prendre des risques. Être plus décidés, plus obstinés, plus solidaires.

Avec mes amis, nous nous promettons de l'être dans les mois qui viennent. ■

1. Michel Rocard, *Si la gauche savait*, Entretiens avec Georges-Marc Benamou, Robert Laffont, 2005.
2. Pierre Joxe, *Pourquoi Mitterrand*, Philippe Rey, 2006.

© Pascal Rouet.

CUBA
COMME NEIGE AU SOLEIL

Olivier Languepin

Fort de sa confrontation avec la propagande castriste, Olivier Languepin démonte les fables les plus courantes sur les prétendues réussites de la dictature alors que la déliquescence de l'économie semble réserver un sombre avenir à l'île.

En mai 2005, le consulat de Cuba en France m'a fait savoir de manière officielle que j'étais « interdit de séjour sur le territoire cubain ». Je n'ai pas obtenu d'autre explication, mais il s'agit vraisemblablement d'une conséquence de mon travail journalistique sur un des derniers bastions du totalitarisme communiste.

En tant que correspondant installé à La Havane entre 1998 et 2000, je me suis retrouvé face à deux difficultés.

La première, assez prévisible : le contrôle policier du régime et sa mainmise sur les sources d'information.

La deuxième, plus inattendue : la réticence des médias français à accepter une information sur Cuba qui s'éloigne significativement des lieux communs assénés par la propagande castriste à propos de la santé, l'éducation et la lutte « anti-impérialiste ». Aujourd'hui encore, plus de quinze ans après la chute du mur de Berlin, il n'est pas évident de faire comprendre que le bilan de près d'un demi-siècle de pouvoir communiste et de totalitarisme absolu est tout simplement catastrophique, et que le principal ennemi du peuple cubain n'est pas George W. Bush mais Fidel Castro.

Depuis quelques années la question cubaine a pris une tournure étrangement morbide : toutes les interrogations se concentrent autour d'un seul événement. La mort de Castro serait la clé de voûte de l'évolution, ou de la disparition, du système qui régente l'île depuis 1959. En particulier parmi les Cubains en exil, il est communément admis que la fin du dictateur entraînerait mécaniquement une « transition » vers plus de démocratie et de liberté.

En vérité cette perspective ne semble pas très réaliste : il sera sans doute difficile de rayer d'un trait de plume une expérience de collectivisation aussi radicale, notamment à cause du retard économique considérable accumulé par Cuba pendant cette période.

---

* OLIVIER LANGUEPIN *est rédacteur en chef de cubantrip.com, site web consacré à Cuba. Il est notamment l'auteur de* Cuba, la faillite d'une utopie (Gallimard/*Le Monde*, 1999).

LE CUBA D'AVANT LA RÉVOLUTION : UN NÉCESSAIRE RETOUR VERS LE FUTUR Une des premières tâches des futurs dirigeants de l'ère postcastriste sera de renouer les fils de l'histoire rompus en 1959. En effet en bon disciple de l'agit-prop, Castro a réécrit l'histoire de son pays d'avant la Révolution pour en faire un repoussoir au service de sa propagande. Ce travail de reconstruction s'avère indispensable puisqu'il permet aussi de faire une sorte de bilan des années de « socialisme héroïque ». Le Cuba de 1958 n'était certes pas un paradis, mais il n'était pas non plus l'enfer que décrit le discours officiel. Les indices économiques de 1958 sont parlants : parmi les pays d'Amérique latine, Cuba se classait en quatrième position pour l'espérance de vie, et son PIB par habitant était alors comparable à celui des pays les moins riches d'Europe tels l'Italie, l'Espagne ou la Grèce.

Le taux d'alphabétisation de Cuba, 76,4 %, plaçait l'île en quatrième position sur le continent latino-américain après l'Argentine, l'Uruguay et le Chili. Cuba avait en 1958 une presse abondante : la troisième du continent en diffusion par habitant avec cinquante-huit quotidiens et cent vingt-neuf magazines[1]. Son système de santé était très développé avec un lit d'hôpital pour trois cents habitants (contre un pour huit cent soixante-quinze au Mexique à la même époque). Enfin, concernant la mortalité infantile, d'après les statistiques de l'Onu, avec un taux de 32 ‰, Cuba arrivait, en 1957, en treizième position mondiale devant… la France[2].

Sous la dictature castriste, le simple rappel de ces données objectives peut coûter très cher : parmi les dissidents arrêtés en 2003 et les plus lourdement condamnés, figurent des journalistes économiques comme Oscar Espinosa Chepe, condamné à dix-huit ans de prison et en liberté provisoire depuis décembre 2004 pour raison de santé. Le constat de Chepe sur les années Castro est sans appel[3] : « Le prétendu "modèle" cubain n'existe pas : le pays n'a survécu qu'avec l'aide de l'Union soviétique. Aujourd'hui cette aide a disparu et le bilan est catastrophique. L'industrie sucrière a pratiquement disparu : avec 2,1 millions de tonnes cette année, nous allons atteindre la moitié de la production de 1920 (4,2 millions de tonnes) et nous avons les rendements les plus bas du monde. Il y a plus grave : Cuba est complètement dépendante des importations pour ses besoins alimentaires de base. Selon les propres chiffres du gouvernement, 55 % des calories, 50 % des protéines et 90 % des graisses végétales sont importées de l'étranger. En 1957, Cuba comptait parmi les pays d'Amérique latine en pointe pour l'élevage de bovins et la consommation de viande (0,9 tête de bétail par habitant). Aujourd'hui la viande de bœuf a disparu de l'assiette des Cubains : il ne reste que 4 millions de têtes de bétail pour une population de 11 millions d'habitants. »

Ces données publiées par Chepe ont suffi à le faire cataloguer parmi les « mercenaires au service d'une puissance étrangère ».

Les indices économiques de 1958 sont parlants : parmi les pays d'Amérique latine, Cuba se classait en quatrième position pour l'espérance de vie, et son PIB par habitant était alors comparable à celui des pays les moins riches d'Europe tels l'Italie, l'Espagne ou la Grèce.

UN CAPITALISME D'ÉTAT AU SERVICE D'UNE PETITE OLIGARCHIE Pendant de nombreuses années, les résultats calamiteux de Cuba ont été camouflés par les généreuses subventions de l'URSS et des pays de l'Est.

En 1993, l'économie cubaine touche le fond : le PIB a enregistré une chute vertigineuse de 40 % depuis 1990, date de l'arrêt brutal des subventions soviétiques. Le régime de Fidel Castro, au bord de la faillite, entame une réflexion afin de sortir, au moins temporairement, du marasme économique dans lequel l'a plongé la disparition du bloc de l'Est.

Une solution existe, qui suppose une rupture idéologique avec le dogme : permettre aux investisseurs étrangers (non américains bien sûr) de s'implanter à Cuba. Leur arrivée doit relancer deux secteurs moribonds qui nécessitent de gros investissements : le tourisme et l'exploitation du nickel.

Cette solution est défendue par la nouvelle génération des quadras issus de l'Union des jeunesses communistes (UJC) dont le porte-parole est Carlos Lage. Malgré les réticences de Castro, une loi très attractive pour les investisseurs étrangers prêts à parier sur Cuba a été adoptée. Ceux-ci (en majorité européens) sont devenus de fait les principaux soutiens du régime : sans leurs investissements massifs dans le tourisme, Cuba ne serait sans doute jamais sortie de la crise des années 90.

Les nouveaux barons du communisme dirigent Gaviota (l'entreprise touristique aux mains de l'armée), Habaguanex (seize hôtels de luxe dans la Vieille Havane), Cubanacan ou Gran Caribe. Autant de sociétés mixtes aux mains des oligarques du Parti et des

L'EMBARGO, QUEL EMBARGO ? Depuis le début de la Révolution, l'embargo américain a servi de principal argument au régime de Castro et à ses partisans pour justifier l'économie de pénurie et la quasi-faillite financière du pays. Cet embargo, instauré par les États-Unis dès 1959 puis renforcé en 1961 et 1962, n'est pas un blocus. Contrairement à la légende répandue par la propagande communiste, Cuba n'a jamais été coupée du monde. Cet embargo n'est toutefois pas resté sans conséquences économiques.

Si on en croit une estimation du gouvernement cubain, publiée en 1995, il aurait coûté à l'île depuis son entrée en vigueur plus de 60 milliards de dollars. « Même si ce chiffre est vrai, ce qui est possible, fait observer un économiste dissident, il est compensé par l'aide soviétique qui a représenté depuis le début des années 60 environ 5 milliards de dollars par an grâce à des prêts non remboursables et des accords de troc (pétrole contre sucre) très avantageux. »

La situation a évidemment changé depuis la fin de l'Union soviétique. Impossibles à chiffrer précisément, les effets négatifs de l'embargo sont surtout sensibles à travers les problèmes de financement que rencontre Cuba. « À cause de l'embargo les Cubains n'ont pas accès aux crédits à long terme garantis par les grandes institutions financières internationales. Ils sont obligés de se financer à court terme à des taux très élevés. Cela explique, en partie, la faible ampleur des projets industriels à Cuba et le problème récurrent de la dette » explique un diplomate en poste à La Havane. Selon le ministre cubain de l'Économie, José Luis Rodriguez, les conditions du crédit sont extrêmement pénalisantes avec des taux finaux pouvant atteindre 18 à 20 % sur des échéances inférieures à vingt-quatre mois. Ce handicap pour le gouvernement cubain est incontestable : l'exclusion du FMI et de l'Organisation des États américains prive Cuba de l'accès aux crédits de la Banque mondiale et l'empêche d'aborder sereinement le problème du financement de sa dette extérieure (dont le remboursement est suspendu depuis 1985) colossale pour un pays de 11 millions d'habitants. Treize milliards de dollars, avec les pays occidentaux, dont 600 millions d'euros avec la France auxquels s'ajoutent 22 milliards de « roubles convertibles » avec les pays de l'ex-Union soviétique. Le gouvernement cubain refuse cependant de reconnaître la dette contractée auprès des ex-pays communistes qu'il considère comme une conséquence regrettable de l'interruption brutale des flux commerciaux à partir de 1990 et il tente de négocier un arrangement global pour un milliard de dollars avec la Russie. Dans tous les cas la dette cubaine représente une hypothèque importante pour les années à venir avec un montant équivalant au minimum à quatre ou cinq années des recettes d'exportation. « Lever les sanctions économiques contre Cuba ne servirait qu'à donner plus d'argent au gouvernement cubain pour opprimer le peuple cubain. » Voilà pour la position de principe, formulée par George W. Bush quelques mois après son élection. La réalité est cependant de plus en plus éloignée de ce discours destiné avant tout à satisfaire le million d'électeurs cubano-américains de Floride qui ont toujours condamné tout assouplissement des sanctions contre Cuba. La famille Bush leur doit beaucoup : ils ont assuré l'élection de Jeb Bush (le frère de George W. Bush) au poste de gouverneur de Floride et joué un rôle décisif pour l'élection et la réélection de l'actuel président.

En réalité l'embargo américain n'empêche pas Cuba de commercer librement avec plus de cent vingt pays dans le monde, ni de recevoir, comme en 2004, quelque deux millions de touristes (dont cent soixante-dix mille cubano-américains et près de soixante mille citoyens américains).

On sait aussi que la population cubaine survit principalement grâce aux *remesas*, ces transferts d'argent en provenance de la communauté exilée, qui représentent près de 1 milliard de dollars par an. Depuis 2001, date du premier assouplissement de l'embargo permettant à Cuba d'importer des produits alimentaires et des médicaments en provenance des États-Unis, Cuba est devenu un très bon client des entreprises américaines : en 2004, les États-Unis étaient le premier fournisseur de produits agroalimentaires de l'île pour un montant de 400 millions de dollars.

Anachronique, l'embargo est sans doute contre-productif. Loin de déstabiliser le régime, il sert plutôt les intérêts de Castro qui, incarnant David contre le Goliath américain, s'attire la sympathie de tous les « anti-impérialistes ». **O. L.**

galonnés qui ont accaparés l'île. Le plus grand secret règne sur l'utilisation des devises récoltées par le secteur touristique (2 milliards de dollars en 2004, soit 40 % des revenus en devises de Cuba), mais il semble que l'essentiel soit utilisé pour la construction de nouveaux hôtels, plutôt que pour soulager la misère des Cubains comme le prétend la presse officielle. Pendant que *el comandante* succombe sur la fin à une forte poussée de fièvre capitaliste, le Cubain moyen doit lui se contenter d'un salaire mensuel médian de 210 pesos (soit 7,50 euros). Une rémunération misérable dont ne voudrait pas un journalier de l'Uttar Pradesh (en Inde le salaire horaire d'un travailleur non qualifié est de 0,5 dollar, 1 dollar pour un employé d'un centre d'appel). À ceci s'ajoutent bien entendu les menus inconvénients propres au système socialiste réputé sans classe, donc sans conflit : un syndicat unique au service du parti unique, et l'interdiction de faire grève. Une sorte de « capitalisme monopolistique d'État[4] » à la cubaine, résultat de l'alliance cynique des investisseurs européens avec le complexe militaro-communiste qui impose ses conditions draconiennes d'emploi de la main-d'œuvre. Même dans ses rêves les plus fous, le Medef n'a jamais envisagé un système d'exploitation (au sens marxiste du terme) aussi efficace !

LA SOLUTION BIOLOGIQUE, OU L'AUTOMNE DU PATRIARCHE Aujourd'hui le capitalisme d'État pratiqué sans vergogne par Cuba avec l'appui des investisseurs européens a construit autour de Castro une petite caste de privilégiés qui pourrait préfigurer le Cuba de demain. Les détenteurs du pouvoir économique entendent bien garantir leur avenir contre les aléas éventuels de la succession de Castro. Les hiérarques de l'armée, très engagés dans l'économie touristique, se satisferaient d'une transition dynastique façon Corée du Nord.

L'héritier a déjà été intronisé depuis longtemps : il s'agit de Raul Castro (73 ans), le frère cadet de Fidel, commandant en chef des Forces armées révolutionnaires. Il ne possède pas le charisme de son aîné, mais de façon très pragmatique il a su concéder à ses généraux un pouvoir étendu, aussi bien au bureau politique que dans les grandes entreprises étatiques. Cette solution, qui pourrait s'accompagner d'un début de libéralisation « à la chinoise » (création d'un secteur privé de petites entreprises pour dynamiser l'économie, et maintien d'une dictature du parti unique), est la plus probable.

En effet selon un diplomate en poste à La Havane, « il manque un Václav Havel ou un Solidarnosc pour entrevoir la possibilité d'une transition démocratique, comme alternative à une succession "familiale". La dissidence est très divisée et elle n'a pas d'assise populaire : c'est plus un regroupement d'individualités autour de grandes tendances ».

« Il manque un Václav Havel ou un Solidarnosc pour entrevoir la possibilité d'une transition démocratique, comme alternative à une succession "familiale". »

Le plus surprenant c'est que les États-Unis eux-mêmes craignent une chute brutale du régime, qui signifierait automatiquement un nouvel exode massif vers les côtes de Floride. Fidel Castro a en effet déjà utilisé par le passé l'exode massif des Cubains comme soupape de sécurité, voire comme arme de représailles contre les États-Unis : en 1980 avec l'ouverture du port de Mariel (cent trente mille départs) et en 1994 avec la crise des *balseros* (trente mille départs).

Après avoir enduré plusieurs décennies de privations, la jeunesse de l'île a « les pieds à Cuba, mais la tête à Miami ». Beaucoup n'auront pas la patience d'attendre que leur pays retrouve le chemin de la croissance après quarante-cinq ans de frustration et de répression. Les États-Unis accordent déjà chaque année vingt mille visas d'immigration permanente aux Cubains, mais plus de quatre cent cinquante mille demandes de visa attendent d'être traitées...

Quant aux pays de l'Union européenne, leur attitude est plutôt ambiguë : ils ont pris conscience très tardivement de la répression dont sont victimes les opposants et leur soutien aux dissidents est jusqu'à présent surtout verbal.

Il faut dire que depuis dix ans, les Européens (en particulier les Espagnols, 50 % des investissements directs étrangers à Cuba) ont généreusement apporté leurs capitaux à Fidel Castro, fermant les yeux sur les violations des droits de l'homme, car trop contents de ravir les meilleures places au nez et à la barbe des Américains. Une partie de la dissidence critique ouvertement leur attitude, et dans le cas d'une transition violente ou mal négociée, ces investisseurs pourraient bien payer au prix fort leur lune de miel avec Castro.

De façon assez inattendue, le gouvernement a laissé se tenir le 20 mai 2005 la première réunion officielle d'un groupe de dissidents sur le territoire cubain. « L'assemblée pour la promotion de la société civile » de Marta Béatriz Roque a en effet réuni son congrès avec plus de deux cent cinquante délégués, non loin de La Havane, sans être inquiétée par la police. Pourtant, ces opposants sont les plus radicaux. Ils refusent tout compromis avec le pouvoir, contrairement au groupe d'Oswaldo Paya et du projet Varela qui envisage une négociation avec le régime par le biais d'une pétition. Ultime manœuvre de diversion pour stigmatiser les « mercenaires au service de l'impérialisme », ou peur des sanctions européennes ?

Après la vague de répression de mars 2003 (soixante-quinze arrestations et condamnations de dissidents et de journalistes indépendants), Castro souffle le chaud et le froid.

Mais il n'entend aucunement négocier la moindre transition avec ses opposants, qu'ils soient modérés ou radicaux.

Le Cuba de 2006 n'est pas la Pologne ou la Hongrie de 1989.

L'après-Castro s'annonce plutôt chaotique à l'instar du « modèle » russe avec une dérive politico-mafieuse encadrée par les hauts cadres du parti. ■

1. Aujourd'hui ne subsistent que deux quotidiens : *Granma* (organe du PCC) et *Juventud Rebelde* (organe des Jeunesses communistes).
2. Cité dans Mark Falcoff, *Cuba, the Morning After*, AEI Press, 2003.
3. Les articles d'Oscar Espinosa Chepe ont récemment été regroupés dans *Cronicas de un desastre*, Editorial Hispano Cubana, 2004.
4. Chimère utilisée par le Parti communiste français dans les années 70 pour décrire la situation des pays capitalistes modernes.

MEXIQUE – ÉTATS-UNIS
« J'ÉTAIS ÉTRANGER ET TU M'AS ACCUEILLI »

VIOLAINE DE MARSANGY

En août 2005, Violaine de Marsangy a passé huit jours à Tijuana, à la frontière entre le Mexique et les États-Unis. Elle a assisté au drame des Latino-Américains fuyant vers ce qui représente toujours à leurs yeux le « rêve américain » et l'espoir d'une vie meilleure même dans la misère. Rencontre avec ces migrants déterminés à passer « de l'autre côté », coûte que coûte.

De loin, elles sont rondes et douces comme les hanches d'une femme, froissées comme un tissu de velours. Les montagnes de la zone frontalière entre Tijuana et San Diego nous tendent les bras, chaleureuses, généreuses. Elles sont pourtant le théâtre de destinées tragiques, le cercueil de centaines de migrants attirés par les promesses de prospérité de l'autre côté. Ils seraient deux millions chaque année à essayer de traverser la frontière. La moitié des tentatives serait couronnée de succès, l'autre se heurte aux gardes-frontière ou à l'hostilité de la nature. Ceux qui ont côtoyé de près ces montagnes se souviennent des rochers, des pierres, des pentes abruptes, des hautes herbes brûlées par le soleil auxquelles on peine à s'accrocher pour atteindre le prochain col. Ils n'ont pas oublié non plus la peur des bandits ni celle de la patrouille frontalière.

Dans cette région accidentée, une route relie San Diego à Tecate (ville mexicaine à quelques encablures de Tijuana). La *campo road* est longue et sinueuse. Elle trace son chemin dans la sierra. Au terme d'une cinquantaine de kilomètres, elle atteint la frontière. Ici, comme à Tijuana, on entre au Mexique comme dans un moulin. La cabine du poste frontière est vide. Notre présence ne semble préoccuper personne. Nous pénétrons en terre mexicaine avec une facilité déconcertante. De l'autre côté, une longue file d'automobiles attire l'attention. Filtrées au compte-gouttes, les voitures se dirigent vers les États-Unis.

VISAGES DE MIGRANTS À trente minutes de là, Tijuana est assise au bord de l'océan. Très étendue, la ville côtière abrite deux millions et demi d'habitants, dont cinq cent mille migrants en transit. Les maisons basses et colorées sont accrochées aux nombreuses collines qui font de Tijuana un parcours de montagnes russes. Omniprésente, la *barda* court dans toute la cité. Cette frontière de tôle tire un long trait métallique au nord de l'agglomération. Une plaie ouverte selon certaines ONG. Même quand on ne la voit pas, elle est là, pesante. À chaque endroit où le promeneur la croise sur son chemin, la barrière décrit l'un des visages de la migration.

À Playas, à l'extrême ouest, la frontière tombe dans l'océan. Ici, l'air marin dégage un parfum d'évasion. Le soleil et la musique entraînante des mariachis dispensent une ambiance de vacances. Nonchalants, les pélicans volent d'un côté puis de l'autre de la ligne, sous les yeux attentifs des gardes-frontière, comme s'ils narguaient les candidats à l'exil, prostrés là, devant le spectacle des gratte-ciel de San Diego, si proches, si lointains. Quatre hommes d'une même famille sont assis sur leurs talons. Du haut de la dune, par-dessus la barrière rouillée et cloquée par les champignons, ils aperçoivent au loin le rêve américain. « Nous sommes arrivés hier du Chiapas, en avion. Nous espérons passer de l'autre côté mais nous ne savons pas encore par où », expliquent-ils.

Plus à l'est, le long de l'aéroport, la frontière trace deux lignes droites. Ici,

* VIOLAINE DE MARSANGY *est journaliste indépendante. Elle collabore notamment à* La Revue des deux mondes, *au* Figaro *et à* L'Expansion.

Chaque année, des migrants meurent en traversant le désert. En 2004, trois cent soixante-treize personnes ont perdu la vie.

en effet, la petite barrière de tôle est doublée, 50 mètres plus loin, d'un haut grillage moderne. Le bruit court dans la ville que cette grille n'arrête pas les plus téméraires. Équipé d'un grappin et d'une corde, il serait facile de sauter de l'autre côté… Mais c'est compter sans la vigilance de la *border patrol*. Car entre les deux barrières, une longue zone parsemée de miradors et d'immenses lampadaires est sans cesse parcourue par la voiture de la patrouille frontalière. Côté mexicain, des artistes et des ONG se sont emparés du mur d'acier rouillé pour y exercer leur art ou y imprimer leur message. Un tableau sanguinolent titré *La llaga abierta* (« La plaie ouverte ») évoque la tragédie de la migration. Ici comme ailleurs, des hommes, des femmes et des enfants quittent tout à la recherche d'un avenir qu'ils croient meilleur. Des centaines de croix blanches ont été accrochées. Elles portent le nom, l'âge et l'État d'origine du défunt : Margarita Miranda Martinez, Oaxaca, 39 años ; Moises Flores Fitz, Morelos, 24 años, ou encore un grand nombre de *No identificado*. Elles rappellent le triste sort de nombreux migrants. Représentent-elles un hommage à ceux qui ont perdu la vie en quête du rêve américain, un avertissement à ceux qui veulent tenter leur chance ou bien une simple invitation, pour tous les autres, à ne pas oublier ?

Dans le quartier périphérique de Tijuana du *Nido de las aguilas*, l'atmosphère est électrique. Perché sur les premiers barreaux d'un pylône de lignes à haute tension, un homme scrute l'horizon, téléphone portable en main. Par-dessus la *barda*, il observe les allées et venues de la *border patrol*. Par terre, au pied du géant métallique, des bidons d'eau reposent à l'ombre. Dans ce quartier réputé pour son insécurité, il n'y a plus qu'une seule barrière, facilement escaladée. La véritable frontière, ce sont les montagnes. Plusieurs personnes s'activent. Soudain, un groupe d'hommes revient de la sierra au pas de course. Ils ont été alertés par le guetteur : la patrouille des gardes-frontière rôde dans les parages. Rapidement embarqués dans un minivan qui les attendait (celui de leur passeur), ils tenteront prochainement de traverser à nouveau. La migration est un véritable business. Le passeur demande en moyenne 1 500 à 2 000 dollars par personne. Très organisés, les réseaux vont parfois jusque dans le Sud chercher leurs clients. « Il existe des compagnies de bus clandestines à très bas prix qui ramassent de nombreux paysans dans le Sud pour les emmener vers la frontière », explique Jorge, docteur chez Médecins du monde à Tijuana. Une fois arrivés dans les villes frontalières, les futurs travailleurs sont logés. On leur confie chapeaux, drapeaux, souvenirs… à vendre dans la rue. Les indigènes, les Mixtèques notamment, sont très vulnérables. Leur méconnaissance de l'espagnol et leur analphabétisme en font la cible privilégiée des trafiquants. À d'autres, on paye même

© Michel Redondo, 2006.

De l'autre côté de la barda, *le rêve américain se heurte à la patrouille frontalière.*

le *pollero* (le « passeur ») pour qu'ils aillent travailler de l'autre côté. Souvent, ces personnes, prisonnières de la dette qu'elles ont contractée auprès de leur « bienfaiteur », deviennent des « mules » : elles sont contraintes de passer de la drogue sur le territoire américain.

Heureusement les destinées ne sont pas toujours tragiques. Au poste frontière de San Ysidro, les *pochos* (Mexicains vivant légalement aux États-Unis) font la queue pour rentrer chez eux. Ils incarnent la réussite et l'espoir. L'endroit ressemble à un péage d'autoroute, un soir de retour de vacances. Vingt-quatre guérites filtrent le passage. L'attente se compte souvent en heures. Au volant de leur 4 x 4 rutilant, les *pochos* doivent faire preuve de patience mais les enjeux pour eux sont loin d'être ceux des migrants clandestins. Pour passer le temps, des vendeurs ambulants leur proposent toutes sortes d'objets : drapeaux, tableaux de Jean Paul II priant la Vierge de Guadalupe, miroirs, sculptures, couvertures, bois de cerfs… San Ysidro est le poste frontière le plus fréquenté au monde (cinquante-cinq mille voitures par jour). La grande majorité des automobilistes passe de façon légale. Certains ont de faux papiers ou des papiers périmés. D'autres transportent de la drogue ou des clandestins camouflés dans leur véhicule. Un chauffeur de taxi de Tijuana nous a avoué avoir passé quinze fois de la drogue. La seizième fois, il s'est fait prendre. Il a écopé de deux ans de prison mais avait gagné 1 500 dollars à chaque passage…

***EL OTRO LADO* – L'AUTRE CÔTÉ** Au faîte de l'une des collines de Tijuana, la Casa del Migrante domine les alentours. La plus grande auberge pour migrants de la ville est coiffée d'une haute croix blanche qui aide l'égaré à se repérer de loin. Tenue par la congrégation des Scalabrini depuis plus de dix-huit ans, la maison accueille des hommes majeurs de passage à Tijuana. Au-dessus de la porte, une inscription : « Yo andaba de extranjero y tu me acogiste » (« J'étais étranger et tu m'as accueilli »), en écho au verset de la Bible (Matthieu XXV, 43). Juste à côté, la Casa Madre Assunta ouvre ses portes aux femmes accompagnées de leurs enfants.

Tranquillement assis sur un banc de la Casa, Martin vient d'assister à la *charla* (« conférence ») sur le sida de Jorge, le docteur de Médecins du monde. L'association mène ici un programme d'accès au droit à la santé et a choisi d'insister tout particulièrement sur la sensibilisation et la prévention du sida. Les migrants sont en effet une population à risques, comme le montrent les résultats d'une enquête réalisée par l'ONG en 2004. Méfiant, Martin reste d'abord sur ses gardes face à mes questions. Mais petit à petit, la confiance s'installe et le jeune homme de vingt-six ans livre son histoire, émaillée de sourires malicieux. Il a traversé huit fois la frontière. La première, en payant un *pollero*. Ensuite, il partait seul. « C'est très dangereux. La terre est infestée de vipères vénéneuses qui peuvent tuer. Certains ont des épanchements de synovie et restent coincés dans le désert », lance-t-il, comme un avertissement à ceux qui projettent de partir. « Moi, je suis petit et sec, je résiste mieux que les autres ! », fanfaronne-t-il, pas peu fier. Lorsqu'il traverse seul, le jeune migrant ne transporte pas de lourds bidons. Il boit l'eau qu'il trouve dans la terre, sous des racines ou des cactus. Son point de départ se situe entre Tijuana et Tecate. Le voyage dure parfois trois jours et trois nuits. Le jour, Martin dort sous les pierres pour se protéger du soleil. La nuit, il avance. « Quand tu marches la nuit, le bruit de l'air dans tes oreilles, c'est quelque chose d'incroyable », raconte-t-il, les yeux pétillants. « Pour le chemin, c'est simple, je suis les lignes à haute tension. Elles conduisent jusqu'à San Diego. Dans le noir, on entend bien leur bruit, ça fait "bzzzzz". En plus, elles portent des petites lumières rouges. » Martin avoue néanmoins qu'une fois il a eu très peur. « J'ai cru mourir », reconnaît-il. « Nous étions un groupe de vingt migrants avec deux *polleros* ivres. Ils venaient de s'envoyer une bouteille de tequila. La météo était mauvaise. C'était l'hiver. Nous allions traverser par la Rumorosa, dans les montagnes. Nous sommes partis à quatre en éclaireurs. Il s'est mis à pleuvoir puis à neiger. Je n'étais bien sûr pas équipé. Très vite, j'ai été complètement gelé. J'avais de la neige jusqu'aux mollets. J'ai même enlevé mon pantalon parce qu'il était plein de glace et que ça m'empêchait de marcher... J'ai vraiment cru que j'allais mourir. » Finalement le petit groupe trouve quelques cartons laissés au pied d'un pylône. Ils font du feu. C'est l'hélicoptère des gardes-frontière, surnommé *el mosquito* (« le moustique »), qui, alerté par la fumée, va venir les secourir. « Tu as déjà fait un tour en hélicoptère ? » questionne-t-il avec fierté. Martin est même passé à la télévision locale, sur Canal 12. Un instant, le jeune garçon a connu son heure de gloire. Aujourd'hui, il ne souhaite plus braver ni désert ni montagnes. « Je ne veux plus risquer ma vie. » Il espère néanmoins retourner bientôt de l'autre côté. Comment ? Il a son idée.

À l'instar de Martin, les migrants font preuve d'une créativité débridée. Certains longent les tunnels creusés jadis dans les montagnes pour les voies ferrées, aujourd'hui abandonnées. D'autres, la nuit, scient les barreaux de la barrière de Mexicali (ville frontière située en plein désert à deux heures de Tijuana). D'autres encore creusent des voies souterraines... Un enfant a été retrouvé récemment dans le réservoir d'une voiture par les services de la migration. Quelques minutes plus tard, il serait probablement mort, asphyxié par les gaz...

GATEKEEPER Les migrants arrivent de toutes parts, du Mexique ou d'Amérique centrale, et racontent des histoires si différentes. Leur objectif est pourtant le même : passer *del otro lado*, de l'autre côté. Ici, à Tijuana, l'Eldorado américain n'est pas le rêve d'un autre temps.

L'image ternie des États-Unis sur la scène internationale n'a pas freiné la vague migratoire. De la même façon que les Africains viennent chercher un emploi en Europe pour faire vivre leur famille, les Mexicains et Centre-Américains partent vers les États-Unis. Tout comme au Sahara, dans le désert de l'Arizona il est impossible de contrôler les passages. Inéluctablement, le mouvement migratoire des pays pauvres vers les pays riches va se poursuivre. Ces populations désespérées estiment n'avoir plus rien à perdre. Et vu l'ampleur des flux sur le continent américain, on imagine mal comment ils pourraient se tarir entre l'Afrique et le Vieux Continent. Néanmoins, de part et d'autre de l'Atlantique, le phénomène ne se situe pas à la même échelle : les Mexicains ont un niveau de vie supérieur à celui des Maliens ou des Sénégalais par exemple.

Bien qu'elle soit meilleure qu'en Afrique, la situation économique au Mexique reste mauvaise. En même temps, les États-Unis ont besoin de main-d'œuvre, notamment dans les secteurs de la construction, des services et de l'agriculture. Il n'en faut pas davantage pour créer un appel d'air migratoire massif. « La tentation est grande » remarque Esmeralda Siu, coordinatrice de la Coalición Pro-Defensa Del Migrante. Le salaire minimum quotidien d'un paysan dans le sud du pays est de 38 pesos (3,80 dollars) alors qu'il est de 6 à 7 dollars par heure aux États-Unis. « Mais le gouvernement mexicain a aussi sa part de responsabilité, ajoute-t-elle. Il ne fait pas grand-chose pour favoriser l'emploi ici. » La migration mexicaine vers les États-Unis n'est pas un phénomène nouveau. Elle s'est amplifiée avec la crise économique de 1994 puis celle de l'an 2000. Selon l'Immigration and Nationalization Service, le nombre de Mexicains (nés au Mexique) vivant, légalement ou non, aux États-Unis est passé de huit cent mille en 1970 à deux millions deux cent mille en 1980, pour atteindre quatre millions trois cent mille en 1990 puis neuf millions deux cent mille en 2000. De plus, la part des Mexicains parmi les illégaux a grimpé entre 1990 et 2000 de 58 % à 69 % du total des individus non autorisés sur le sol américain (soit de deux millions à quatre millions huit cent mille). Le recensement de l'an 2000 estimait à vingt millions six cent mille personnes la population d'origine mexicaine vivant aux États-Unis.

Aux côtés des migrants arrivant du sud, Tijuana accueille ceux qui sont rapatriés contre leur gré des États-Unis. Certains *deportados* (illégaux ou résidents légaux ayant commis un délit et renvoyés au Mexique après être passés devant un juge des migrations) ont parfois laissé derrière la frontière jusqu'à quarante ans de vie. Une femme, des enfants, un emploi, une maison achetée à crédit n'ont pas ému les agents de l'immigration. Luis, boucher à Thousand Oaks, en Californie, depuis quinze ans, l'a constaté. Ils ont débarqué chez lui la veille à

5 heures du matin, l'ont tiré du lit et lui ont enfilé des menottes, devant sa femme, impuissante. « Je pense qu'ils se sont trompés, toutes mes factures sont payées », se lamente-t-il. Pour ne pas tout perdre, il veut retourner à Thousand Oaks de façon légale. Il y a quinze ans, il avait profité du sommeil des gardes-frontière pour se faufiler discrètement.

Aujourd'hui, la traversée est bien plus périlleuse. Trois cent soixante-treize personnes sont mortes en 2004 et déjà trois cent quatre-vingt-huit avaient perdu la vie au 15 août 2005. Les conditions climatiques (déshydratation, insolation ou encore hypothermie l'hiver) sont la principale cause des décès.

Trois cent soixante-treize personnes sont mortes en 2004 et déjà trois cent quatre-vingt-huit avaient perdu la vie au 15 août 2005.

Viennent ensuite les noyades et autres accidents. Ce phénomène s'est amplifié depuis la mise en place de l'opération Gatekeeper en 1994. « Il y a dix ans, 25 % du million d'arrestations effectuées chaque année par les gardes-frontière avaient lieu à San Diego, dans une zone de 5 miles de long [environ 8 kilomètres] entre la plage et le poste frontière de San Ysidro », explique Salvador Zamora, porte-parole de la patrouille frontalière. « L'insécurité y était très élevée. C'est pour cela que nous avons lancé l'opération Gatekeeper », poursuit-il. Concrètement, Gatekeeper a pour objectif de protéger la frontière. L'opération s'inscrit dans une stratégie nationale. Les moyens déployés sont de grande ampleur : hausse des effectifs, du nombre de véhicules, amélioration des accès routiers aux abords de la frontière, construction d'une nouvelle barrière plus haute et plus difficile à escalader que l'ancienne afin de ralentir la course des migrants pour que la police frontalière ait le temps d'intervenir, installation de projecteurs et de lumières mobiles pour travailler la nuit, rondes d'hélicoptères équipés de caméras vidéo… L'agent Zamora du département de la Sécurité intérieure estime que les résultats obtenus sont probants. Autour de San Diego, sur une zone longue de 66 miles (environ 110 kilomètres) le nombre d'arrestations de migrants a chuté de quatre cent cinquante mille en 1994 à cent vingt-sept mille en 2005. « D'autre part, la frontière de San Diego est maintenant beaucoup plus sûre. La criminalité a baissé ainsi que le trafic de drogue. Des maisons et une université se sont construites, l'économie s'est développée », souligne-t-il.

Depuis le 11-Septembre, la vigilance s'est encore accrue. Une nouvelle agence a été créée : l'US Customs and Borders Protection. La priorité actuelle de la patrouille frontalière est d'empêcher l'entrée sur le territoire américain de terroristes ou d'armes à vocation terroriste. « Ce n'est pas uniquement un problème de migration, estime Salvador Zamora, c'est un problème de sécurité nationale. » Les ONG de défense des droits des migrants ne partagent pas cette opinion. Elles ne voient pas d'intention terroriste chez les Mexicains qu'elles soutiennent, même si la patrouille frontalière dit avoir arrêté six cent quarante-quatre personnes originaires du Moyen-Orient en 2004.

« Avec la construction de la double barrière et le contrôle très strict de la frontière, la Basse-Californie, dont Mexicali est la capitale, est devenue une zone d'accueil pour les refoulés. En revanche, la zone de traversée des migrants s'est déplacée vers l'est, vers l'État de Sonora, en plein désert. Les candidats à l'exil prennent de plus en plus de risques, il y a de plus en plus de morts », se désespère Esmeralda Siu. D'ailleurs, ces dernières années, les lieux où des migrants sont morts se trouvent de plus en plus à l'est. La jeune femme s'inquiète des conditions dans lesquelles ont lieu les retours. Les rapatriés sont lâchés dans la rue mexicaine à toute heure du jour et de la nuit. « Pour l'instant, seuls les mineurs et les femmes enceintes sont protégés par un accord entre les deux pays. Ils doivent être renvoyés de jour. Mais même ça, ce n'est pas toujours respecté », estime-t-elle. « D'autre part, les personnes en mauvaise santé ne devraient pas être rapatriées. Or encore aujourd'hui j'ai vu un vieil homme avec des béquilles qui venait juste d'arriver à Tijuana. Il est manifestement assez malade. »

Chacun des protagonistes de ce drame frontalier campe sur ses positions. Le Citizenship and Immigration Services, pour sa part, rappelle que chaque année les États-Unis accueillent plus de quatre cent cinquante mille citoyens lors de cérémonies de naturalisation. De 2001 à 2004, plus de deux millions de personnes sont devenues des citoyens américains. Plus récemment, d'octobre 2004 à août 2005, quatre cent soixante-quinze mille hommes et femmes ont été naturalisés. Les Américains aiment à rappeler qu'ils forment une nation d'immigrants.

Après avoir arpenté les rues et les collines de Tijuana, après avoir partagé, un instant, des pans de vie de migrants, nous quittons le Mexique. À travers le hublot, l'immensité du désert prend toute sa mesure. Elle fait résonner en nous cette réflexion de Jorge : « Ce qui me frappe le plus lorsque j'écoute ces récits, c'est que derrière chacun de ces témoignages, il y a une histoire de séparation. À quel point en sont-ils arrivés pour tout quitter et tant risquer ? » ■

SOCIALISME & SOCIAL-LIBÉRALISME
LA LUTTE FINALE ?

GÉRARD GRUNBERG

Les socialistes français voient dans le social-libéralisme de Tony Blair une entreprise à la fois idéologique et stratégique dont le but est de détruire le socialisme traditionnel, notamment français. Ils n'ont pas tort.

En 1998, Tony Blair a publié un court manifeste, *The Third Way, New Politics for a New Century*, qu'il voulait être la charte du néotravaillisme et, au-delà, du camp « progressiste » mondial. Son objectif était bien de remplacer la « vieille » doctrine du Labour par une idéologie différente, voire, sur certains aspects, contradictoire avec la tradition socialiste. Son énumération des valeurs « progressistes » – et non pas « de gauche » ou « socialistes » – mêle celles que le socialisme français revendique – « démocratie, liberté, justice, responsabilités réciproques, internationalisme, valeur égale des individus » – à d'autres – « responsabilité individuelle et communauté » – qui n'appartiennent pas à son patrimoine. Quant à l'égalité, il ne s'agit que de l'égalité des chances qui ne suffit certes pas à satisfaire la « passion égalitaire » française.

C'est dans la manière dont il réarticule ces différentes valeurs que l'hétérodoxie du blairisme apparaît : « Droits et responsabilités, promotion de l'esprit d'entreprise et lutte contre la pauvreté et les discriminations. » En opérant ainsi, il gomme ce qui constitue encore la spécificité idéologique de la social-démocratie et plus largement de la gauche européenne. Enfin et surtout, le cœur de ce projet est la réunification des deux grands « courants de centre-gauche » que sont à ses yeux le travaillisme et le libéralisme, dont il regrette le divorce survenu au début du XXe siècle en Grande-Bretagne qui, selon lui, a beaucoup affaibli les « politiques progressistes ». « Les libéraux, poursuit-il, ont affirmé la primauté de la liberté individuelle dans l'économie de marché ; les sociaux-démocrates ont promu la justice sociale avec l'État comme agent principal de cette justice. » Tony Blair opère ainsi un travail de recomposition idéologique dont la portée politique en fait un événement majeur pour la social-démocratie européenne[1].

TROISIÈME VOIE Tony Blair a puisé chez les démocrates clintoniens une part importante des principes de la Troisième voie : la baisse des impôts et des dépenses publiques, l'idée d'un centre radical, la priorité donnée au développement du secteur privé, l'insistance sur les valeurs du travail, de la famille et des communautés, les capacités d'innovation reconnues au marché, avec le fameux slogan « From welfare to work », et enfin la lutte contre le crime[2]. Il dispute à la droite des thèmes tels que la priorité donnée aux victimes sur les criminels – « être sévère avec les criminels tout en s'attaquant aux causes de la criminalité » –, la défense des valeurs nationales et de la famille. Il opère ainsi une coupure entre deux types de valeurs liées entre elles dans l'idéologie progressiste des classes moyennes qui contrôlent aujourd'hui les appareils socialistes : d'une part les valeurs humanistes et universalistes qu'il revendique et défend, en particulier l'antiracisme et la lutte contre les discriminations de tous ordres, et d'autre part les valeurs individualistes qu'il juge excessives lorsqu'elles mettent en péril l'existence et la force des communautés (patrie, famille...) qu'il estime fondamentales. La Troisième voie constitue donc une profonde remise en cause des clivages opposant traditionnellement la gauche et la droite, notamment en France, que l'évolution générale de la social-démocratie au cours des dernières décennies avait déjà passablement brouillés. Elle constitue pour Tony Blair l'alternative politique d'ensemble à la social-démocratie. Il écrit ainsi : « La Troisième voie est une réévaluation sérieuse de la social-démocratie, qui prend appui fermement sur les valeurs de la gauche pour développer des approches radicalement nouvelles. »

SOCIAL-LIBÉRALISME Cette recomposition idéologique a débouché sur une redéfinition de la stratégie idéologique internationale de Tony Blair. Le manifeste Blair-Schröder, publié à la veille des élections européennes de 1999, auquel Lionel Jospin avait refusé de

* GÉRARD GRUNBERG *est directeur de recherche au Cevipof/Sciences Po. Il est notamment l'auteur avec Alain Bergougnioux de* L'Ambition et le Remords. Le Parti socialiste français et le pouvoir, *1905-2005 (Fayard, 2005).*

s'associer, a constitué un élément important de cette stratégie par sa tonalité et son contenu franchement libéraux sur le plan économique. Le texte s'en prend aux vieux dogmes de la gauche, soutient fortement l'économie de marché, rejette l'égalité des conditions comme critère de la justice sociale, appelle à récompenser l'effort et la responsabilité individuels, condamne l'augmentation des dépenses publiques, appelle au développement de l'esprit d'entreprise et à une moindre intervention de l'État. Celui-ci doit essentiellement assurer le bon fonctionnement du marché par un système performant d'éducation et de santé. Le manifeste réclame la flexibilité du marché du travail et la prospérité du secteur privé tout en condamnant l'approche keynésienne. N'utilisant pas la notion de classe sociale, il ne connaît que les « inclus » et les « exclus », le rôle de l'État consistant à favoriser la réinsertion sociale de ces exclus – « From welfare to work ». Tony Blair est allé plus loin en bousculant le clivage gauche/droite lorsqu'il a cosigné, le 12 juin 2000, avec le Premier ministre espagnol, José María Aznar, chef du Parti populaire, un document commentant les résultats du sommet européen de Lisbonne du mois de mars. Dans ce document, les deux leaders affirment l'objectif central de la création d'emplois mais précisent la manière d'y parvenir de la manière suivante : « Le rôle des gouvernements a changé. Ils ne devraient pas interférer dans le monde des affaires ou imposer de fortes régulations sociales et économiques. Le rôle des gouvernements dans le monde moderne aujourd'hui est de créer les conditions grâce auxquelles le monde économique peut créer des emplois ; protéger les personnes vulnérables et combattre l'exclusion sociale ; préparer nos enfants aux nouvelles opportunités que l'avenir offrira et aider notre main-d'œuvre à s'adapter au changement. »
Le clivage gauche-droite, déjà largement remis en cause d'un point de vue idéologique, est ainsi récusé également dans le domaine de la stratégie. Le projet blairiste ne peut donc être compris comme un simple projet de révision dans le cadre de la social-démocratie. Il s'agit en réalité d'un projet de création d'une nouvelle doctrine, le social-libéralisme, qui affronte directement la tradition social-démocrate et qui déborde le cadre même de la gauche. Il représente donc un défi de première importance pour le Parti socialiste français qui, de tous les partis socialistes européens, a été historiquement le plus hostile à toute véritable révision doctrinale.

ANTICAPITALISME Le Parti socialiste français ne pouvait donc accepter ce projet. Les deux partis, français et britannique, se sont refondés, le parti français au début des années 70 et le Labour au cours des années 90, de manière profondément différente. Dans la tradition de la gauche française, largement influencée par la Révolution française, les refondations politiques s'opèrent toujours à gauche, en réaction contre les « dérives droitières » et les « compromissions centristes » dont sont périodiquement accusés les leaders et gouvernements socialistes. François Mitterrand a conquis la direction du Parti socialiste en 1971 au congrès d'Épinay en condamnant la vieille SFIO, en rejetant l'alliance au centre, en appelant à une stratégie anticapitaliste et à l'alliance avec les communistes et en défendant un vaste programme de nationalisations. La bataille victorieuse menée au sein du Parti socialiste, entre 1977 et 1981, par Mitterrand contre Rocard, qui défendait une conception plus ouverte à l'égard du marché et montrait plus de méfiance à l'égard de l'alliance avec le Parti communiste, a transformé la fidélité au « Parti d'Épinay » en ressource politique très précieuse dans le débat politique interne.
Mais, plus fondamentalement, dans un pays où la tradition libérale, surtout au sens économique, a toujours été dominée par les traditions étatistes, de gauche ou de droite, l'antilibéralisme demeure aujourd'hui pour la gauche française, et notamment pour le Parti socialiste, le principal marqueur de gauche. Il a pris la place de l'anticapitalisme, souvent avec la même signification. Il est étroitement lié à la lutte contre les inégalités, élément central du discours socialiste qui, de ce point de vue, diffère nettement de la Troisième voie. Surtout, pour les socialistes français, l'État demeure le seul lieu possible d'élaboration de la rationalité collective. Le libéralisme économique crée naturellement des inégalités que l'État a pour mission de corriger. Le secteur privé, quels que soient son apport et son efficacité, demeure suspect au regard de la défense de l'intérêt collectif. L'argent conserve une connotation négative. Contre la main invisible du marché seul l'État dirigé par des socialistes peut représenter et préserver l'intérêt général. Il ne peut pas être un simple partenaire du secteur privé, il doit le réguler, voire le contrôler, comme on l'a vu dans l'affaire des 35 heures et dans celle de la refonte du système de l'assurance chômage.
Les socialistes français se devaient donc de réagir à l'offensive blairiste. Au printemps 1999, la *Revue socialiste*, revue théorique du Parti socialiste, a publié un numéro entièrement consacré au socialisme européen où la Troisième voie est longuement analysée et critiquée, mais de manière équilibrée[3]. Ce numéro comprend une interview du Premier ministre français, Lionel Jospin, qui exprime d'une double manière son opposition au blairisme : il y réaffirme sa fidélité au socialisme et son rejet du libéralisme de gauche. Le mot volontarisme apparaît à plusieurs reprises dans le texte. De même la notion de maîtrise collective de l'avenir, l'État devant s'opposer à un capitalisme qui est « une force qui va mais ne sait pas où elle va ». La social-démocratie est « une façon de réguler la société » et d'abord, le capitalisme. Selon Lionel Jospin, la crise financière de 1998 a cassé « la double prétention du libéralisme » et l'idée libérale selon laquelle il convient de « subir cette

mondialisation sans espérer la contrôler ». La même année, à La Rochelle, il réaffirme : « Nous ne faisons pas du “social-libéralisme”. » Pour faire connaître ses désaccords avec la vision blairiste en Grande-Bretagne, il publie à son tour en novembre 1999 ses positions dans les notes de la Société fabienne[4]. Il y affirme notamment : « Nous ne sommes pas des “libéraux de gauche”, nous sommes des socialistes. Et, être socialiste, c'est affirmer que le politique doit avoir la primauté sur l'économique. »

Dans la perspective du congrès de l'Internationale socialiste qui s'est tenu à Paris du 8 au 10 novembre 1999, le PS français a rédigé une contribution qui exposait les principes de la solution alternative social-démocrate à la Troisième voie. Ce texte réaffirme plus nettement que les textes antérieurs du parti la critique du capitalisme. L'économie de marché, dont l'aptitude à produire des richesses est reconnue, est aussi vue comme injuste et irrationnelle, et produisant un accroissement des inégalités ; les entreprises sont présentées comme ne recherchant que le profit à court terme ; la mondialisation éroderait les solidarités traditionnelles et encouragerait l'individualisme ; elle affaiblirait l'espoir dans les possibilités de l'action politique. D'après cette contribution, le nouvel âge du capitalisme requiert la définition de nouvelles formes de régulation : l'État et le marché sont considérés comme deux instances légitimes mais de nature différente ; la primauté de la démocratie, et donc de l'État, est réaffirmée fortement ainsi que la notion de maîtrise collective ; enfin il est précisé que les domaines de la santé, de l'éducation, de la culture et de l'environnement doivent échapper à l'emprise du marché. Par ailleurs, le texte rejette l'opposition établie par Tony Blair entre investissement social et dépense sociale.

QUEL ADVERSAIRE ? En réalité, ce qui oppose fondamentalement ces deux expressions du socialisme européen est le rapport que chacun d'eux entretient idéologiquement avec le libéralisme et la mondialisation. Le blairisme prône une réconciliation entre travaillisme et libéralisme et pense le nouveau progressisme dans le cadre d'une économie libérale vue de manière positive. Pour les socialistes français, le libéralisme constitue toujours un adversaire. L'État est la force qui fait barrage à l'irruption perverse et dommageable du marché dans toutes les sphères de la société. Là où Tony Blair réclame un *partnership* entre les dirigeants politiques et le

« Être socialiste, c'est affirmer que le politique doit avoir la primauté sur l'économique. »

monde de l'entreprise, le PS réaffirme le rapport critique que les socialistes doivent continuer à entretenir avec le capitalisme. Là où le premier voit d'abord des opportunités dans une période de mondialisation accélérée des économies nationales, le second voit surtout des dangers, des excès, la perte de maîtrise de la politique et l'accroissement inacceptable des inégalités. Pour l'un la lutte des classes est terminée, pour l'autre elle demeure, même euphémisée, consubstantielle au régime capitaliste. Tandis que le New Labour se veut au centre-gauche, le Parti socialiste français entend se situer clairement à gauche. Finalement, c'est la question de l'adversaire qui sépare le plus radicalement les deux partis.

Les socialistes français entendent maintenir le clivage idéologique central avec le libéralisme économique. Pour eux, l'identité de la gauche demeure liée à cette vision binaire de la société. L'attachement des Français au rôle protecteur de l'État donne à cette vision une certaine force et une certaine légitimité.

Tant que le Parti socialiste était au pouvoir, il a tenté de maintenir sa critique du blairisme dans les limites d'un débat interne au socialisme européen. Depuis sa défaite de 2002, le ton s'est fait plus dur et la polémique plus vive du côté français. Cela est dû à une radicalisation générale du discours du Parti socialiste français et à un positionnement plus clairement antilibéral. Assimilé au libéralisme, le blairisme se confond désormais avec lui dans la représentation de l'adversaire qui est celle du socialisme français. Le référendum du 29 mai 2005 a encore accentué ce clivage, les partisans du « non », à gauche et notamment au PS, ayant fait de leur opposition à l'Europe « libérale » le fond de leur propagande électorale. La victoire du « non » et le vote majoritaire des électeurs de gauche contre le traité les ont encouragés à centrer leur discours sur le rejet du libéralisme. Le blairisme, dans cette conjoncture idéologique et politique, ne peut qu'appartenir au camp adverse. C'est pourquoi, la tendance social-libérale au PS, animée par le maire de Mulhouse, Jean-Marie Bockel, demeure très marginale tandis que ceux des leaders socialistes qui partagent certaines des analyses de Tony Blair, tel Dominique Strauss-Kahn, se montrent extrêmement prudents dans le débat interne.

En outre, la constitution de l'axe Bush/Blair pour l'intervention militaire en Irak a définitivement classé le Premier ministre britannique dans le camp de l'adversaire aux yeux d'une gauche française dont l'antiaméricanisme a atteint de nouveaux sommets. Enfin, le fait que l'un des principaux candidats de la droite pour l'élection présidentielle de 2007, Nicolas Sarkozy, emprunte à Tony Blair une partie de ses vues, de ses objectifs et de ses projets achève de disqualifier celui-ci comme « homme de gauche ». Les relations du socialisme français avec le social-libéralisme ne sont donc pas prêtes de s'améliorer. Leurs projets sont inconciliables. Au point que l'idée même d'un projet socialiste pour l'Europe n'a plus de sens évident aujourd'hui. Le projet blairiste, dans cette conjoncture, représente l'une des sorties possibles d'un socialisme en crise qui exige d'être redéfini dans le cadre d'une mondialisation accélérée. Pour les uns, cette sortie signifie en réalité la fin du socialisme, pour d'autres, dont je suis, elle est la seule solution à long terme permettant de maintenir la croissance économique et, donc, le financement de l'État social. Ce débat est évidemment crucial. Mais dans l'état actuel de la gauche française, il ne peut tout simplement pas être mené ! ■

1. Sur les écrits de Tony Blair *cf.* Tony Blair, *The Third Way : New Politics for a New Century*, Fabian Society, 1998 ; John Crowley, *Tony Blair : le nouveau travaillisme et la troisième voie, problèmes politiques et sociaux*, La Documentation française, 1999 et Tony Blair, *New Britain, My Vision of a Young Country*, Fourth Estate, 1996. Sur la Troisième voie *cf.* Anthony Giddens, *Beyond Left and Right. The Future of Radical Politics*, Polity Press, 1994 et *The Third Way : The Renewal of Social Democracy*, Polity Press, 1998.
2. Sur l'histoire récente du Parti travailliste et le rôle de Tony Blair *cf.* Tudor Jones, *Remaking the Labour Party. From Gaitskell to Blair*, Routledge, 1996 ; John Rentoul, *Tony Blair*, Warner Books, 1995 ; Philipp Gould, *The Unfinished Revolution. How the Modernisers Saved the Labour Party*, Little Brown, 1998 ; Steven Driver et Luke Martell, *New Labour. Politics after Thatcherism*, Polity Press, 1998 ; Steven Fielding, *Labour : Decline and Renewal*, Baseline Books, 1995 ; Gerald R. Taylor, *Labour's Renewal*, Macmillan, 1997 et Jon Sopel, *Tony Blair. The Moderniser*, Bantam Press, 1995.
3. *La Revue socialiste*, n° 1, printemps 1999. Sur les critiques à l'égard de la Troisième voie *cf.* également « Blair-Schröder. Le texte du "manifeste". Les analyses critiques », *Notes de la fondation Jean-Jaurès*, n° 13, août 1999 ; John Crowley, *Sans épines, la rose. Tony Blair, un modèle pour l'Europe ?*, La Découverte, 1999 et *Esprit*, mars 1999. En Grande-Bretagne *cf.* les analyses critiques de Steven Lukes, « Left Down the Middle. The Radical Implications of Antony Giddens's Route Map for the Third Way », *Times Literary Supplement*, 25 septembre 1998, et Chantal Mouffe, « The Radical Centre. A Politics Without Adversary », *Soundings*, n° 9, été 1998.
4. Lionel Jospin, *Modern Socialism*, Fabian Society, 1999.

L'histoire otage de l'obscurantisme

« Les traites négrières ne sont pas des génocides. » Pour avoir affirmé, après avoir reçu le prix du livre d'histoire du Sénat, cette vérité d'ordre historiographique l'historien et chercheur Olivier Pétré-Grenouilleau se retrouvera peut-être devant le tribunal de grande instance de Paris. L'objet de la plainte déposée en septembre 2005 ? Rien moins que « contestation de crime contre l'humanité ». Paru dans le *Journal du dimanche* du 12 juin 2005, son propos aura servi de prétexte à des collectifs de « descendants d'esclaves africains », défendus par Me Gilbert Collard, pour sonner la curée. Mais depuis des mois déjà la savante synthèse d'Olivier Pétré-Grenouilleau[1] insupportait les « filles et fils d'Africains déportés », rassemblés eux aussi en collectif pour dénoncer les « propos négrophobes et calomnieux » du professeur de l'université de Bretagne Sud. Sur les sites web de ces différents groupuscules aux objectifs prétendument mémoriels se retrouvent dans un même élan « Indigènes de la République », défenseurs de Dieudonné, contempteurs de Marc-Olivier Fogiel ou d'Alain Finkielkraut. On y lit des tribunes enflammées comme celle de Louis Sala-Molins interpellant violemment ces élus qui ont contribué à décerner le fameux prix du Sénat à Olivier Pétré-Grenouilleau : « Sénateurs prenez garde ! Les descendants d'esclaves sont légion. Et ils ne sont pas seuls ! » Tout cela fleure bon la menace. Aujourd'hui, en France, certaines mémoires sont résolument entrées en guerre contre l'esprit critique et la raison. Immigration, colonisation, esclavage, il va devenir de plus en plus difficile de travailler en histoire sur ces questions tant les « producteurs de mémoire[2] » pratiquent la surenchère et suscitent la crainte des pouvoirs publics soucieux de satisfaire tout le monde. Ces politiques mémorielles se définissent principalement en contre-reflet de la mémoire et de l'histoire de la Shoah aux dépens de la recherche historique. Renonçant à comprendre le passé pour mieux aborder le futur, elles se contentent de produire un récit visant à obtenir le satisfecit des groupes mémoriels. Comme tout historien digne de ce nom, Olivier Pétré-Grenouilleau a pensé de façon critique la complexité d'un phénomène dans sa longue durée ; c'est à ce titre que René Rémond, président du jury du prix du livre d'histoire du Sénat, l'a honoré de cette récompense en juin dernier. Pour rappel, on définit le génocide comme une forme de massacre de masse par lequel une autorité politique a l'intention de détruire – donc ôter la vie – totalement ou en partie un groupe humain ciblé. Si personne ne nie l'horreur de ce commerce humain à grande échelle, les traites négrières orientales et européennes ne sont pas pour autant des génocides.

Barbara Lefebvre

1. *Les Traites négrières. Essai d'histoire globale*, Gallimard, 2004.
2. Cette expression est de Gérard Noiriel.

FACE AUX MUTATIONS DU TRAVAIL

LES GAUCHES EUROPÉENNES EN ORDRE DISPERSÉ

SUSANNA DÖRHAGE

La gauche française se définit aujourd'hui principalement par une opposition viscérale à tout ce qui s'apparente de près ou de loin au libéralisme. En revanche, les autres composantes de la social-démocratie européenne font preuve d'un pragmatisme souvent efficace face au chômage.

Née en Allemagne, vivant depuis quinze ans en France où j'ai fait mes études et où je travaille comme journaliste à Arte, je n'ai toujours pas réussi à m'habituer aux archaïsmes de la gauche française, la dernière en Europe à refuser, dans sa majorité et non seulement dans son aile extrême, l'abandon des dogmes marxistes. Il suffit de se promener dans Paris un jour de grève des fonctionnaires ou d'assister à un congrès du Parti socialiste pour constater qu'ici on raisonne toujours globalement en termes d'exploiteurs et d'exploités, de travailleurs et de patrons sans s'interroger une seconde sur l'adéquation entre le discours et la réalité.

Il y a quelque temps, ma fille de huit ans m'a demandé si elle pourrait plus tard hériter de mon emploi. Elle ne savait pas, évidemment, que l'emploi n'est pas transmissible par héritage ! Curieusement, peu de temps après, la fille d'une collègue a demandé la même chose à sa mère. Cette vision enfantine du monde n'est toutefois pas si naïve. Car effectivement, vu la sclérose actuelle du marché du travail, il ne restera peut-être qu'une forme d'héritage pour assurer l'avenir de notre progéniture. Faute de transmettre leur propre place, les parents des classes moyennes font hériter leurs enfants des clés de la réussite, certains les préparent même à Polytechnique dès la maternelle. C'est un combat de tous les jours où l'égalité des chances est vite oubliée. On ne compte pas les socialistes convaincus qui inscrivent leurs enfants dans des écoles catholiques. « C'est un cas de force majeure », arguent-ils. Que pèsent les grands principes face à une catastrophe naturelle telle que le chômage de masse ?

Il y a trente ans on disait aux enfants : « Si tu as de mauvaises notes, tu seras éboueur plus tard. » Aujourd'hui on leur dit : « Si tu ne travailles pas à l'école tu seras au chômage. » C'est le symptôme d'une société où la division entre 80 % d'inclus et 20 % d'exclus s'est en grande partie substituée au clivage traditionnel entre bourgeois et prolétaires. Excepté la CFDT, les syndicats français tardent à admettre cette réalité.

CONSERVATISMES À côté des fonctionnaires au statut intouchable, la plupart des employés en contrat à durée indéterminée sont, eux aussi, assez bien lotis. Ils savent qu'un patron, surtout dans les PME, réfléchit par deux fois avant d'enclencher une incertaine procédure de licenciement. L'employé peut en effet le poursuivre pendant trente ans devant les conseils de prud'hommes et il trouvera toujours un vice de forme qui le fera condamner. Conséquence : les entreprises évitent les CDI comme la peste. Elles ne les créent qu'en dernier recours.

Du coup, ils se raréfient. Et les heureux titulaires d'un tel contrat s'accrochent à l'entreprise comme la moule au rocher.

Voilà une partie de la société surtout préoccupée par la sauvegarde de son statut. Gare à celui qui oserait toucher à une prime de fonction ou à un avantage fiscal attribués il y a trente ans ! Il se heurterait à une levée de boucliers. D'ailleurs dans les manifestations, en première ligne il y a presque toujours des professeurs, des agents d'EDF, des postiers et d'autres personnels du service public soutenus par quelques salariés du privé en CDI.

Résultat : ce sont les plus à plaindre qui sont finalement les moins défen-

* SUSANNA DÖRHAGE *est journaliste.*

dus. Les chômeurs de plus de 50 ans et les RMIstes ne se font guère d'illusions. Leur vie active est terminée. La société n'a plus besoin d'eux. On leur donne de quoi survivre, soulagé qu'ils restent loin des centres-villes à attendre leurs allocations devant les Assedic ou les bureaux d'aide sociale. Personne ne souhaite les approcher par peur d'une éventuelle contagion de la misère.

Et puis il y a l'armée des « précaires », les contrats à durée déterminée, les intérimaires, les vacataires et autres catégories de seconde zone. Courant d'un contrat à un autre, ils doivent se soumettre à tous les désirs de leur employeur. À quoi bon traîner devant la justice un patron qui en retour ne vous reprendra jamais ? L'ouvrier du bâtiment envoyé sur un chantier par une société d'intérim correspond certainement plus à l'image du prolétaire que le conseiller clientèle d'EDF. Mais peu importe, la majorité des syndicats ne se sent pas vraiment concernée. « Désolé, la loi est contre vous, on ne peut rien pour vous », répondent les représentants des salariés.

Certes il serait injuste de penser que les élus de gauche, au contact de leurs électeurs, voire de leur famille, ignorent cette réalité. Mais l'idéologie marxisante les empêche d'en tirer les conséquences théoriques.

Les communistes persistent dans une dénonciation vigoureuse de l'économie de marché rebaptisée « ultralibéralisme ». Et les socialistes se contentent de mesurettes. Quand ils étaient au pouvoir, ils ont surtout créé des postes de seconde zone en tout genre tels les travaux d'utilité collective (TUC), les contrats emploi-solidarité (CES), les emplois-jeunes et autres contrats temporaires et mal payés. Les 35 heures ont été leur seule vraie mesure en faveur d'un partage du travail. Mais le bilan reste mitigé. Au lieu de fluidifier le marché du travail, la réduction du temps de travail l'a rendu plus rigide.

Aujourd'hui dans l'opposition, ces mêmes socialistes ne font aucune proposition cohérente sauf celle de garder le *statu quo*. Pourtant l'égalité au travail devrait être leur principal cheval de bataille. Mais il faudrait alors s'attaquer à quelques vaches sacrées, notamment au refus de libéraliser le marché du travail.

Les succès de Tony Blair face au chômage ne sont reconnus par la gauche française que du bout des lèvres. On invoque le mode de calcul britannique qui serait trompeur et on brandit le spectre des *workers poor* dont le destin serait bien pire que celui de nos chômeurs. Le leader du New Labour, aux yeux de la gauche hexagonale, est un méchant néolibéral peint en rose.

Il y a trente ans on disait aux enfants : « Si tu as de mauvaises notes, tu seras éboueur plus tard. » Aujourd'hui on leur dit : « Si tu ne travailles pas à l'école tu seras au chômage. »

On peut s'interroger longtemps sur les raisons historiques du refus d'apprendre quoi que ce soit des Britanniques. Mais on peut aussi constater de façon pragmatique que visiblement leur exemple n'inspire pas les Français, ni les Allemands d'ailleurs, également confrontés depuis plus de vingt ans au chômage de masse. Le peu d'enthousiasme pour le modèle anglo-saxon s'explique peut-être par une différence culturelle fondamentale quant aux attentes des citoyens vis-à-vis de l'État. La majorité des Britanniques estime normal d'être relativement peu indemnisée en cas de chômage. Elle demande à l'État une aide en *dernier recours* et non la sauvegarde de son niveau de vie. En revanche en France comme en Allemagne, on attend plutôt de l'État une *protection* contre toute réduction du niveau de vie, ressentie comme catastrophique. Sur ce point Allemands et Français sont bien plus proches des pays nordiques que du Royaume-Uni.

LE MODÈLE DANOIS Le Danemark, pays confronté au chômage de masse au début des années 90, peut plus aisément servir de modèle. Les Danois ont réussi à réduire de moitié le nombre des sans-emploi entre 1993 et 2001. Aujourd'hui le taux de chômage au Danemark s'est stabilisé autour de 6 %. Le chômage de longue durée et celui des jeunes ont également très fortement baissé. Le principal artisan de ce « miracle » est le social-démocrate Poul Nyrup Rasmussen, Premier ministre de 1993 à 2001. Son idée de base était de protéger les individus et non les postes de travail, un mélange de protection sociale et de libéralisme économique très original. Le marché du travail danois est traditionnellement très peu régulé. Ni durée hebdomadaire légale, ni salaire minimum et peu de règles encadrant le licenciement. Le gouvernement Rasmussen a encore accru cette tendance. L'ancien Premier ministre reconnaît ouvertement qu'il a renforcé les possibilités du *hiring and firing*. On n'ose imaginer ce qui serait arrivé à Lionel Jospin s'il s'était permis une telle audace ! Mais Rasmussen semble peu préoccupé par l'orthodoxie socialiste. Il explique calmement qu'il souhaitait faciliter le passage d'un poste à l'autre. Le but était d'en finir avec la société d'exclusion. Le pari est réussi : aujourd'hui un tiers des Danois change de poste chaque année, donnant ainsi une chance aux chômeurs de retrouver un travail.

En contrepartie de cette flexibilité, l'État les aide réellement dans leurs recherches et ils sont très bien indemnisés. Au début, la plupart des salariés percevaient plus de 65 % de leur salaire pendant neuf ans. Les bas salaires étaient même maintenus jusqu'à 90 %. Vu le coût d'une installation dans le « non-travail », la période a été ramenée à quatre ans, ce qui signifie toujours un bon matelas de sécurité, surtout pour les bas salaires. Un marché du travail très libéral mais pas de menace existentielle en cas de chômage – ce concept a été baptisé « flexsécurité » par les Danois.

Mais ce n'est pas tout : le gouvernement a créé des mesures incitatives pour que les salariés quittent leur travail de leur plein gré, par exemple pour prendre des congés parentaux ou des années sabbatiques bien indemnisés. La mesure phare concernant la « rotation de postes » est le congé de formation. Pendant cinq ans, chaque Danois perçoit 90 % de son salaire à condition de se former. L'entreprise est obligée d'employer un chômeur à la place. Avantage : une diminution du nombre des demandeurs d'emploi et en même temps une augmentation considérable du niveau de formation des salariés. Au lieu de diminuer les heures de travail hebdomadaire comme en France, le gouvernement danois a *de facto* réduit les années travaillées au cours d'une vie. Ces mesures, après avoir montré leur efficacité, ont néanmoins été en partie remplacées ou modifiées. C'est une autre particularité danoise : l'État n'a pas peur d'un perpétuel processus de réforme.

UN MODÈLE TRANSPOSABLE Aujourd'hui on insiste sur le retour au travail. Les personnes concernées sont suivies de très près par les agences pour l'emploi, on leur propose des plans d'action individuels. Au bout de quelques mois de recherche infructueuse les chômeurs sont « activés ». Après des entretiens individuels parfois très poussés, chacun reçoit des offres de poste ou de formation. En contrepartie de ce suivi, les chômeurs sont contraints de faire des compromis. Ils doivent accepter des offres moins bien payées que leur dernier poste ou éloignées de leur domicile sous peine de perdre une partie de leurs indemnités. Cela a été possible grâce à des syndicats ouverts à des réformes parfois douloureuses. Dans un pays où 80 % des salariés sont syndiqués, cela a revêtu une importance particulière. Mais ce système a un inconvénient de taille : il coûte très cher. Le Danemark tient le record au sein de l'OCDE en matière de dépense pour la lutte contre le chomage.

Pendant cinq ans, chaque Danois perçoit 90 % de son salaire à condition de se former. L'entreprise est obligée d'employer un chômeur à la place.

Contrairement à ce qu'on pourrait penser, les charges sociales sont tout de même très basses au Danemark. L'assurance chômage est financée en très grande partie par des impôts particulièrement élevés. Les Danois sont apparemment prêts à payer le prix pour leur système de protection. Des études internationales ont montré qu'en comparaison avec l'Allemagne ou avec la France, les gens sont moins angoissés et plus optimistes concernant leur carrière professionnelle. Les Français par contre n'accepteraient probablement pas le taux d'imposition danois, même en échange d'une réduction massive du chômage. Le modèle danois a été élaboré en tenant compte de la culture du pays et ne peut pas s'exporter en tant que tel.

Mais l'approche très pragmatique et le mélange peu orthodoxe de mesures libérales et protectionnistes pourraient tout à fait donner des idées aux deux pays cofondateurs de l'Europe. Tandis que les Allemands cherchent leur voie tout en tenant compte des expériences étrangères, la France paraît particulièrement ancrée dans ses certitudes antilibérales.

Quand Michel Camdessus, ancien président du Fonds monétaire international, propose dans un rapport un modèle de contrat unique plus facilement résiliable qu'un CDI, cela crée un tollé général. Le seul homme politique à reprendre cette proposition fut Nicolas Sarkozy. Pourtant le modèle danois montre que ce n'est pas forcément une idée de droite.

Quand le socialiste Pascal Lamy, actuel président de l'Organisation mondiale du commerce, dit qu'il y a deux fois trop de fonctionnaires en France, on ressent cela comme pure provocation de la part d'un homme contaminé par la pensée néolibérale. En même temps beaucoup d'électeurs de gauche attendent des idées nouvelles de la part de leurs dirigeants. Ils savent que la tendance au repli sur soi exprimée lors du référendum sur la Constitution européenne n'est pas une solution à long terme. Mais dans le paysage français on voit mal pour l'instant le futur Blair ou le futur Rasmussen. Cela passera peut-être par un renouvellement des générations. ■

11 MARS 2004 À MADRID

UNE DÉMOCRATIE DANS LES FILETS DES TERRORISTES

JEAN CHALVIDANT

Près de deux ans après le 11 mars 2004, les attentats de Madrid sont toujours présentés comme des représailles à la participation de l'armée espagnole à la guerre en Irak. En fait, pour qui se penche sur le déroulement précis des événements, la réalité est plus complexe et les manipulateurs ne sont pas forcément ceux que l'on croit.

En ce soir du 10 mars 2004, à quatre jours des élections législatives auxquelles il ne se représente pas, les collaborateurs du Premier ministre espagnol, José María Aznar, lui ont préparé un magnifique cadeau de fin de mandat : l'arrestation de la *cúpula*, l'état-major d'ETA. L'organisation terroriste basque constitue en effet la principale préoccupation de l'exécutif espagnol. Depuis trente-cinq ans, elle sème la terreur dans toute la péninsule : huit cent vingt-cinq victimes, des milliers de blessés, des attentats aveugles et terrifiants, tel celui du supermarché Hipercor de Barcelone, causant vingt et un morts, ou celui de la cafétéria Rolando de Madrid, laissant douze corps sans vie. Aznar ne mésestime pas le pouvoir de nuisance d'ETA. Huit jours plus tôt, la garde civile a intercepté par hasard du côté de Cuenca une camionnette conduite par deux *étarres* – membres de l'ETA – et transportant 506 kilos de chlorate ainsi que 30 kilos de dynamite. De quoi commettre un attentat d'une redoutable ampleur. D'ailleurs, des informations sont parvenues à La Moncloa, siège du gouvernement : l'organisation terroriste prépare un attentat. Et si ETA avait l'intention de bouleverser les élections dont le Parti populaire est donné favori ?

LE MASSACRE Jeudi 11 mars, entre 7 h 39 et 7 h 42. Dans quatre trains de banlieue, venant de Guadalajara et d'Alcalá de Henares, roulant vers la gare d'Atocha à Madrid, explosent dix sacs à dos chargés de Goma 2.
Les terroristes ont calculé que les trains seraient alors en gare, au moment de la matinée où les banlieusards se hâtent de rejoindre leur chantier, leur bureau. Avec un peu de « chance », le bâtiment s'effondrera, causant un nombre considérable de victimes, à l'imitation de l'attentat des Twin Towers de Manhattan.
En ce petit matin blême, cent quatre-vingt-douze personnes ont rendez-vous avec la mort, dans le plus grand massacre jamais commis en Espagne par une bande criminelle. Wagons déchiquetés, corps meurtris, bénévoles en pleurs, sauveteurs débordés, ambulances ivres, gyrophares allumés, roulant dans tous les sens. Du sang, du sang partout. Ce spectacle d'apocalypse bouleverse la terre entière.

NATURELLEMENT, C'EST ETA Réuni en cabinet de crise à La Moncloa, le gouvernement pointe immédiatement du doigt le coupable : c'est ETA bien sûr. Seule cette organisation possède la capacité et la volonté de commettre un tel forfait. Et les exemples abondent : en décembre 1999, un commando de l'ETA était arrêté *in extremis* alors qu'il allait déposer 1,7 tonne de dynamite dans le parking souterrain de la tour Picasso, le seul gratte-ciel de la capitale, abritant cinq mille personnes. De même l'interception en octobre 2000 de deux *étarres* avait empêché ETA de piéger un ferry-boat assurant la liaison entre Valence et Palma de Majorque. Mille quatre cents personnes étaient à bord. Dans les deux cas, il se serait agi d'attentats de masse. Comme en ce 11 mars. Et

* JEAN CHALVIDANT *est chercheur, spécialiste de l'Espagne. Il est notamment l'auteur du* Dictionnaire politique de l'Espagne, 1965-2006 *(Atlantica, 2006).*

chacun se souvient des paroles de l'activiste Belén González, *Carmen*, lors de son procès : « Au moment où nous devrons engager des pourparlers, il faudra que nous mettions cent morts sur la table de négociation. » Ce jour est-il arrivé ?
Ouvertement, l'exécutif espagnol décide de jouer la transparence. Le jeune ministre de l'Intérieur, Ángel Acebes, est désigné pour comparaître devant la presse.
Une erreur fondamentale. Là où il aurait fallu un haut gradé de la police, en uniforme, toutes médailles dehors, pour dépolitiser l'affaire, on place devant les caméras un membre du gouvernement qui tient un discours assez convenu : « Oui, c'est ETA. Les investigations suivent leur cours » et révèle pratiquement heure par heure les évolutions de l'enquête. Cela fait pester les forces de l'ordre, elles n'apprécient guère les bavardages médiatiques qui les empêchent de travailler dans la sérénité et le secret.
Il faut dire qu'en ce 11 mars, tout le monde politique emboîte le pas au gouvernement. Depuis Juan José Ibarretxe, le chef du gouvernement basque, qui traite les *étarres* de « vermines », jusqu'au candidat à la présidence du gouvernement, le socialiste José Luis Rodríguez Zapatero, qui déclare : « ETA a essayé d'intervenir dans la campagne. [...] En réaction contre elle, il faut que dimanche, il y ait dans les urnes une participation massive. »

Décembre 1999, un commando de l'ETA était arrêté *in extremis* alors qu'il allait déposer 1,7 tonne de dynamite dans le parking souterrain de la tour Picasso, le seul gratte-ciel de la capitale, abritant cinq mille personnes.

UNE ENQUÊTE VRAIMENT TRÈS EXEMPLAIRE L'enquête avance très vite. À Alcalá de Henares, une camionnette volée a été découverte. On y trouve sept détonateurs, des restes de matériel explosif et une cassette audio d'initiation au Coran à destination des enfants. Rien de vraiment probant, mais le doute s'installe dans les esprits ; d'ailleurs, le ministre de l'Intérieur Acebes à 20 h 20 rend compte de la trouvaille, en ajoutant que cette piste ouvre de nouvelles possibilités. Mais il réaffirme suivre encore prioritairement celle d'ETA.
Plus probante semble être, dans la nuit du jeudi au vendredi 12, la découverte d'un sac, apporté au commissariat de Villa de Vallecas. Il contient des explosifs n'ayant pas explosé en gare. Mis à contribution, les artificiers désamorcent la charge et mettent au jour 10 kilos d'explosif, deux cents vis et surtout un téléphone portable de marque Mitsubishi Trium avec une carte à puce prépayée. Le dispositif est diabolique : quand le téléphone reçoit un appel, l'impulsion électrique, via un câble, va jusqu'au détonateur et active l'explosif. Ce sera le début du fil rouge menant aux terroristes. Le portable possède un numéro de série, qui conduit les enquêteurs jusqu'à une boutique du quartier d'Alcorcón où ils passent les menottes à deux ressortissants indiens, Suresh et Vinay Kholy, qui tombent des nues. Spontanément, ils avouent aux policiers qu'ils ont vendu treize portables (le même nombre que les bombes, puisque trois n'ont pas explosé) du même type, ainsi que cinquante-sept cartes à puce à la boutique Nuevo Siglo sise à Lavapiés, un quartier accueillant une forte communauté musulmane. Le patron est bien connu des services de renseignement pour ses liens avec la cellule espagnole d'Al Qaïda, démantelée en novembre 2001. Il s'agit d'un Marocain, Jamal Zougam. Nous sommes le samedi 13 mars. Il est 16 heures. Il en reste autant avant l'ouverture des bureaux de vote. À ce moment précis, la piste ETA s'effondre véritablement.
Jeudi 11, vendredi 12, samedi 13... Durant les trois jours séparant l'attentat des élections, les Espagnols ont suivi avec anxiété et rage l'évolution de l'enquête. La presse, dans sa diversité, rend compte de ce qu'elle sait ou de ce qu'elle ressent. Tout d'abord unanime le jeudi à condamner ETA, elle doute dès le vendredi, bien qu'Aznar ait confirmé personnellement par téléphone aux principaux directeurs des journaux la responsabilité des terroristes basques dans l'attentat. C'est une faute politique qui lui sera longtemps reprochée. Avec le recul et toute l'objectivité nécessaire, il apparaît que les électeurs espagnols ont été pris en otages par une double manipulation médiatique, de droite, puis de gauche.

LE DESSOUS DES CARTES Disséquons en premier lieu le rôle de la télévision d'État, TVE. L'étude des bandes enregistrées tout au long des soixante-douze heures qui ont suivi les explosions permet d'acquérir la certitude qu'elle n'a pas été à la hauteur de la situation. Ainsi ne diffuse-t-elle pas le jeudi la déclaration de l'ancien *étarre* Arnaldo Otegi exonérant ETA du forfait. Ainsi, après l'annonce par le ministre de l'Intérieur de l'existence de la cassette en arabe, TVE donne l'information en quelques secondes, sans conclure. Ainsi Alfredo Urdaci, présentateur du journal télévisé, attribue-t-il au seul gouvernement le succès de la manifestation contre le terrorisme, omettant de préciser que l'ensemble des partis avaient appelé à

« LA FAUTE À L'IRAK » ?
« C'est la faute à l'Irak » a-t-on répété dans le monde entier après les attentats du 11 mars 2004. Et chacun imagine encore qu'ils n'auraient pas eu lieu si José María Aznar avait adopté la même attitude pacifiste que le trio Chirac-Schröder-Poutine. Or, plusieurs mois après le retrait, en juin 2004, des troupes espagnoles d'Irak, l'Espagne a échappé à une série d'attentats terroristes bien plus terribles encore que celui du 11 mars.
L'information a peu été relevée. Elle ne cadre pas avec les certitudes majoritaires. Pourtant, le 19 octobre 2004, dix-sept islamistes ont été arrêtés lors de l'opération Nova à Almeria, Malaga, Valence et Madrid. Ils sont accusés d'avoir formé une cellule terroriste destinée à faire voler en éclats le palais de justice de Madrid (situé dans la même rue que le siège du PP, calle Genova) avec un camion chargé d'une tonne d'explosifs. Cette tentative « à la libanaise » aurait pu faire plus de quatre cents victimes !
Le groupe a pris forme, bien avant que l'on parle de guerre en Irak, à la fin 2001, à l'intérieur de plusieurs prisons espagnoles. Ses premiers membres sont des prisonniers de droit commun de culture musulmane qui, avec le temps, vont radicaliser leurs postures via des envois postaux d'islamistes, en particulier du GIA algérien. À sa tête, on trouve Mohamed Achraf dit « Émir du groupe salafiste ». Originaire des Émirats arabes, il est lié aux moudjahidin européens. L'idée de l'attentat contre le palais de justice vient de lui afin de « donner à l'Espagne le coup le plus dur qu'elle ait jamais reçu de toute son histoire. Et si elle perd trois ou quatre juges très importants, ce sera pire pour elle que de perdre le président du gouvernement ».
L'explosion aurait aussi anéanti les nombreuses archives concernant les fondamentalistes arabes, l'Espagne étant le pays européen ayant arrêté le plus d'activistes depuis les attentats de Manhattan.
La tentative échoue grâce à un mouchard marocain, connu sous le numéro 11304. Il informe simultanément les services espagnols et marocains de l'existence d'un groupe islamiste dénommé Martyrs pour le Maroc et composé d'Abdellah Hawari, Mohamed Hamid, Rachid Mohamed et Mohamed Boukiri.
Les investigations du juge Garzon en novembre 2004 débouchèrent sur d'autres révélations qui font froid dans le dos. Un deuxième commando, mené par Dibali Abdellah, *alias* Addila Mimon, s'apprêtait pour le début 2005 à faire exploser successivement les gares d'Atocha et Principe Pio, la tour Picasso, le siège du Parti populaire, le palais des expositions et le stade Santiago Barnabeu. Seule la célérité des forces de l'ordre empêcha les activistes de passer à l'acte et la totalité des islamistes composant le commando a été arrêtée. Sans le moindre prétexte lié à la guerre d'Irak, la haine de l'Occident, seule, suffisait à les motiver.
J. C.

y participer. Quant aux caméras, elles étaient braquées sur des pancartes impliquant ETA et non sur celles demandant « Qui sont les auteurs ? ». Ces images seront émises en boucle sur le canal d'informations en continu 24 horas pendant deux jours. Autre manipulation : TVE rediffuse un reportage de l'émission « Informe semanal » réalisé en février 1998 sur les victimes d'ETA. Mais elle n'en précise pas la date. Pour les esprits simples prenant le programme en cours, l'équation 11 mars + victimes = ETA est indubitable. D'ailleurs, immédiatement après cette émission présentée le vendredi, alors que l'arrestation de deux Indiens et de trois Marocains est annoncée officiellement et que la piste ETA est abandonnée, la chaîne n'hésite pas à diffuser le documentaire « Assassiné en octobre », racontant le meurtre par ETA de Fernando Buesa et de son garde du corps.
L'exemple de TVE n'est pas isolé : TVG, la télévision de Galice, va projeter dans la nuit du vendredi un vieux documentaire sur le commando Madrid d'ETA agissant dans la capitale espagnole. De son côté, la COPE, une radio d'obédience catholique, parle « d'intoxication » à propos de l'éventualité d'une piste islamiste. Quant à l'agence officielle EFE, elle se contente de diffuser des dépêches prudentes (certains syndicalistes invoquent même des actes de censure) et oublie de publier les communiqués en provenance des leaders du Parti socialiste, des communistes d'Izquierda Unida, des républicains catalans de l'ERC ou du Parti nationaliste basque.

LES MÉDIAS DE GAUCHE MANIPULENT EN TRUQUANT LES FAITS Braquons maintenant nos projecteurs sur une radio qui a tenu un rôle prépondérant dans le retournement de l'opinion : la Cadena SER, la plus importante de la péninsule, avec ses cent quatre-vingt-sept émetteurs. Elle appartient au Citizen Kane espagnol, Jesús de Polanco, patron du groupe Prisa qui possède aussi le quotidien sportif *As*, Canal + Espagne, et surtout le quotidien *El País*, pour les principaux. Un groupe fortement ancré à gauche.
Dès le jeudi à 22 heures, sa journaliste spécialiste des affaires judiciaires, Ana Terradillos, annonce que dans un wagon du train un kamikaze s'est fait sauter avec sa bombe. Le lendemain, le chroniqueur Carlos Carnicero déclare en direct : « Je crois que nous sommes devant une manœuvre ressemblant fort à une intoxication [de la part du gouvernement]. » Et le samedi, dans le programme « Hora catorce », Javier Álvarez déclare : « Le CNI [les services secrets, *N.d.l.R.*] croit que l'attentat est l'œuvre du terrorisme islamiste. Des sources de cet organisme ont confirmé à notre rédaction que tous ses agents travaillaient à 99 % sur la possibilité que nous nous trouvions devant un attentat commis par des radicaux islamistes. Ces sources affirment que depuis jeudi, on a averti le ministère de l'Intérieur que l'hypothèse *étarre* était très vague. » Cette information est répétée à de nombreuses reprises.

SMS TROTSKISTES

Le 13 mars, veille des élections législatives, aucune manifestation politique n'était autorisée en Espagne, comme il se doit dans toute démocratie afin de laisser à l'électeur un temps de réflexion sereine. Seule l'émotion extraordinaire provoquée par les attentats pouvait justifier que l'on déroge à cette règle. José María Aznar fut traité d'assassin par la foule. Mais contrairement à l'impression donnée par les médias du monde entier, les manifestations du 13 mars n'avaient rien de spontané. « Aznar s'acharne dans l'erreur ? Et ils appellent ça une journée de réflexion pendant qu'Urdaci, le patron de l'info de TVE, fait son travail de sape à l'antenne ? Aujourd'hui 13 mars à 18 heures, rendez-vous au siège du PP. Viens sans revendication de parti. En silence pour qu'éclate la vérité. Fais passer le message ! » C'est en ces termes que dans la journée du samedi, des milliers de SMS, ou textos, ces messages brefs de moins de cent soixante caractères, ont été envoyés à travers Madrid, et même beaucoup plus loin. C'est historiquement la première fois qu'une manifestation politique est initiée sous cette forme, dite de « flash-mob ». Le mérite en revient aux organisations trotskistes espagnoles. Elles ont joué un rôle décisif dans la préparation des défilés, ainsi que l'ont reconnu par la suite le PTR-Izquierda revolucionaria et les magazines *El Militante* et *En lucha*, qui écrit dans son numéro de mars 2004 : « Aujourd'hui, nous avons adapté les formes de protestation apprises. » Nul doute que les SMS sont appelés à jouer un rôle non négligeable dans les manifestations qui surviendront demain sur la planète, donnant l'apparence de la spontanéité à des rassemblements bien organisés.

J. C.

Et pour parachever le tout, dans l'émission « Carrousel sportif », donc *a priori* exclusivement consacrée au sport, le footballeur Paco González affirme : « Demain, il y a les élections et moi qui suis athée en politique, je vais aller voter. Pour la simple raison que tous les politiciens ne sont pas semblables. Il y en a de moins mauvais que d'autres et il existe des politiciens qui nous mentent. »
Les « révélations » de la SER sont fausses, les services secrets n'ont pas encore infirmé la piste d'ETA, et lorsque le patron du CNI, Jorge Dezcallar, s'accroche verbalement avec un journaliste, exigeant une rectification, on lui répond simplement de ne pas enquiquiner la station, sinon « on va te massacrer sur l'antenne ». Par ailleurs aucun corps de kamikaze n'a été identifié dans les décombres. Les appels indignés de l'institut médico-légal ne changent rien aux affirmations réitérées de la radio. La direction de la station raccroche au nez du légiste après lui avoir demandé pourquoi il mettait autant d'énergie à défendre le gouvernement.
Peu importent les faits ! Le maître mot a été lâché : mensonge. Il va devenir le leitmotiv des dernières heures précédant l'élection. D'autant que la Cadena SER en rajoute en tendant son micro à Alfredo Pérez Rubalcaba, député de Madrid et proche de Zapatero qui explique « éprouver une sensation négative, car le gouvernement nous a menti ». Le gouvernement a beau arguer de sa bonne foi, ses partisans surnommer la radio « Al Qaïda SER », rien n'y fait, le ver est dans le fruit. On apprendra par la suite que des consignes ont été passées par le directeur de l'information de la radio, Daniel Anido, afin de privilégier dès le premier jour, le jeudi, la thèse selon laquelle la provenance de l'attentat était « confuse » : « Si c'est ETA, le PP emporte tout. Si c'est Al Qaïda, on peut gagner les élections. » Bien vu.

UNE JOURNÉE DE RÉFLEXION TROUBLÉE

L'exaspération dans le pays est alors à son comble. L'opinion est déboussolée. Le gouvernement, droit dans ses bottes, affirme donner les informations dont il dispose en temps réel. Mais la morgue d'Aznar, le côté cauteleux d'Acebes, la rigidité de Rajoy, le candidat du PP au poste de Premier ministre, passent mal. Le peuple veut savoir et sent confusément que l'on joue avec lui. D'autant plus que la presse internationale, frappée de cécité, à moins qu'elle n'ait pris une position partisane, emboîte le pas. « Le mensonge d'État », titre un quotidien français.
Le pire est à venir : le samedi, veille du vote, normalement consacré à la réflexion et exempt de toute réunion politique, consigne a été donnée par des SMS *(voir ci-contre)* de se retrouver pacifiquement devant les sièges du PP, partout en Espagne, et de manifester « en silence afin qu'éclate la vérité ». Rapidement, la foule se rassemble ; deux cents personnes, puis mille, cinq mille, sept mille devant le siège madrilène du PP. Tout autour sont installés des cars relais des télévisions du monde entier, venus couvrir les élections du lendemain. Leurs images feront le tour du monde et seront relayées tant par les télévisions locales ou indépendantes que par Internet. Et Canal + Espagne (du même groupe que la SER) montre longuement les pancartes arborant : « Les morts sont à nous, la guerre est à vous », « Non à la guerre », « Paix », « C'est la faute du gouvernement fasciste », tandis que la SER rend fidèlement compte des manifestations à travers l'Espagne : Bilbao, Valence, Alicante, Grenade, Séville, Burgos, etc.

VA-T-ON VERS UN COUP D'ÉTAT ? Dans le même temps, une rumeur enfle. Le PP s'apprêterait à fomenter un coup d'État. C'est Internet, décidément peut-être la meilleure et la pire des choses, qui diffuse la nouvelle : selon des e-mails anonymes, et très largement répandus, le gouvernement d'Aznar a présenté au roi un décret instaurant l'État d'exception, repoussant *sine die* les élections. Juan Carlos se serait refusé à signer, considérant qu'il s'agissait là d'un coup d'État de fait.
Parachevant ce tissu d'inepties et de mensonges, le cinéaste Pedro Almodóvar affirmera, lors de la pré-

sentation à la presse de son film *La Mauvaise Éducation* : « Le PP a été sur le point de provoquer un coup d'État samedi soir. [...] Et je me suis mis à genoux devant l'inventeur du portable, parce que c'est cet instrument et les messages sur Internet qui ont permis de châtier le PP. » En fait, le seul coup d'État « light » constaté est arrivé grâce aux SMS, qui ont permis à sept mille manifestants de passer en direct et en boucle sur les petits écrans espagnols, une veille d'élection, faisant prévaloir l'impression d'un peuple révulsé devant les « mensonges » du gouvernement.

Face à ses sympathisants qui lui demandaient d'ajourner les élections, étant donné les circonstances, Aznar a hésité quelques instants, car il ne voulait pas reculer devant le terrorisme, d'où qu'il provienne. Il aurait pu tout dissimuler à l'opinion publique – elle n'en aurait rien su – jusqu'au lendemain du scrutin et assurer la victoire de son parti. Il en avait le pouvoir, mais sa conception du rôle de l'État l'en a empêché. Il reste que la suffisance de son gouvernement, qui n'a pas su gérer cette crise majeure et a donné l'impression de ne pas tout dire, a ouvert la voie à toutes les affabulations.

Face à ses sympathisants qui lui demandaient d'ajourner les élections, étant donné les circonstances, Aznar a hésité quelques instants, car il ne voulait pas reculer devant le terrorisme, d'où qu'il provienne.

LE PSOE MONTE AU CRÉNEAU Du côté du Parti socialiste ouvrier espagnol, on n'est pas resté inerte. Un personnage en particulier s'agite en coulisses. Il s'agit de Rafael Vera, un vieux guerrier du socialisme espagnol, ancien secrétaire d'État à la Sécurité sous Felipe González. Il prend l'initiative de relancer certains de ses anciens collaborateurs au ministère de l'Intérieur. Ses sources, certainement bien placées, lui permettent, presque en temps réel, d'accéder aux mêmes informations que le ministre en personne.

Il les fait passer directement au porte-parole du PSOE, ancien ministre de l'Éducation, Alfredo Pérez Rubalcaba, homme de confiance de Zapatero. Il s'est fait remarquer dans le passé en traitant le ministre des Travaux publics, Rafael Arias Salgado, de « menteur ». Déjà ! Grâce à cette manne providentielle, il peut répondre au fur et à mesure aux déclarations télévisuelles d'Acebes. Et surtout, il distille ses renseignements auprès de médias « amis ». L'ombre de la SER et du groupe Prisa se dessine. Et lorsque Rajoy, le nouveau leader de la droite, intervient pour condamner les manifestations devant les sièges du PP, Rubalcaba en personne rétorque en accusant le gouvernement de mentir. On connaît la suite.

LE DÉNOUEMENT Le dimanche 14 mars, trois jours après les attentats, José Luis Rodríguez Zapatero, chef de file du PSOE, remporte haut la main les élections générales par un score sans appel : 10 602 260 voix, soit 42,69 % et cent soixante-quatre sièges. Le Parti populaire ne récolte que 9 358 580 voix, soit 37,68 % et cent quarante-huit sièges. Des chiffres impensables soixante-douze heures auparavant, alors que le PP possédait d'après les sondages au moins six points d'avance. Selon une enquête postérieure, 13,5 % des Espagnols ont changé durant cette période leur intention de vote. Le scrutin se déroule dans une ambiance d'affrontement civil exacerbé, faisant de ces neuvièmes élections législatives depuis la mort de Franco en novembre 1975 la consultation la plus atypique de la jeune démocratie. Ces circonstances exceptionnelles ne rendent nullement illégitime l'élection à la présidence du gouvernement de José Luis Rodríguez Zapatero. Mais elles en font un « Premier ministre par accident ».

Incontestablement le PSOE l'a emporté grâce à la commotion due à l'attentat : remarquablement, il a utilisé les tragiques événements contre un gouvernement qui a envoyé en Irak des soldats espagnols, malgré la volonté du peuple exprimée dans des manifestations.

Car pour tous, électeurs, commentateurs, spécialistes, les attentats d'Atocha ont été commis par Al Qaïda pour punir l'Espagne de sa complicité avec les États-Unis.

Las, cette hypothèse s'avère simpliste : l'arrestation le 7 juin 2004 à Milan de Rabei Osman El Sayed, *alias* « Mohamed l'Égyptien », permet avec certitude de dater la décision des islamistes de châtier l'Espagne : octobre 2001. Soit deux ans et demi avant la décision d'Aznar de rejoindre « l'axe du mal » Bush-Blair. Le massacre de Madrid n'est donc pas la conséquence de l'envoi des soldats espagnols à Bagdad...

L'Espagne symbolise un État occidental décadent, « détenu » jusqu'en 1492 par l'Islam. Une terre, nommée Al Andalus, que les islamistes entendent reconquérir d'ici à 2025, ainsi que l'affirment certaines Écritures. C'est pour cela, au fond, qu'elle a servi de cible aux activistes musulmans. ■

11 MARS 2004 À MADRID
LA MÉMOIRE ÉCLATÉE

ANTONIO ELORZA

Le piège tendu à la démocratie en mars 2004 continue de porter ses fruits pourris. Une partie de la gauche espagnole reste bloquée sur une interprétation simpliste faisant de José María Aznar le principal responsable de la tragédie, et cela dans un climat de complaisance à l'égard de l'islamisme.

Le point culminant des sessions de la commission parlementaire sur le 11-Mars fut l'intervention, le 15 décembre 2004, de Pilar Manjón, porte-parole de l'Association des victimes. La fermeté de son geste et la douleur qu'il trahissait, les mots durs qu'elle a adressés à la classe politique, ses larmes ont impressionné les députés comme tous ceux qui ont vu les images de sa prestation. Ce fut aussi l'occasion de constater les profondes fractures que l'attentat avait provoquées au sein de la société espagnole. Pilar Manjón, quarante-six ans, ingénieur technique dans la fonction publique, militante depuis les années 70 au syndicat de gauche Commissions ouvrières, a perdu son fils Daniel, vingt ans, dont le train a explosé à la station Tío Raimundo, dans la banlieue de Madrid. Elle n'a retrouvé son cadavre que trois jours plus tard, sans l'aide de personne. Ensuite, il a fallu qu'elle passe devant quinze guichets différents pour s'acquitter des démarches administratives liées au décès. Pendant plus d'un an elle n'a pas repris le travail et a bénéficié d'un suivi psychologique. Au cours de précédentes interviews elle avait déjà affiché sa douleur de mère et sa volonté de faire la lumière sur les responsabilités politiques. Mais cette fois-ci, Pilar avait l'intention de faire partager à la commission, et à l'ensemble des Espagnols, le sentiment d'abandon ressenti par les victimes et leurs proches. Un sentiment ravivé lorsque les victimes avaient pris connaissance des sessions de la commission au cours desquelles les 191 morts et les plus de 1 400 blessés semblaient avoir été dépossédés de leur qualité d'êtres humains et réduits à la seule fonction d'arme de trait brandie par les deux principaux partis politiques. « Vous ne parlez que de vous-mêmes » reprocha vertement Pilar aux députés. Elle demanda aussi qu'on ne diffuse plus aucune image des victimes et proposa la création d'un programme d'assistance à long terme pour les personnes affectées.

* ANTONIO ELORZA *est professeur de science politique à l'université Complutense de Madrid. Il a dirigé l'ouvrage* ETA, une histoire *(Denoël, 2002).*

Elle exigea également que les responsabilités politiques – toutes clairement imputées au Parti populaire (conservateur) alors au pouvoir – soient assumées « concernant les éventuelles décisions qui nous auraient placés dans la ligne de mire des terroristes », comme elle l'expliquera quelques jours plus tard, fustigeant le ralliement du gouvernement Aznar à la politique de Bush, symbolisée par le cliché de Bush-Blair-Aznar pris lors du sommet des Açores.
Cette opinion, largement partagée, est relayée et cautionnée par les déclarations de terroristes incarcérés. Ils présentent leur crime comme une réponse à l'agression des alliés de Bush contre l'Irak et non comme un maillon supplémentaire de la chaîne d'attaques d'Al Qaïda contre l'Occident – même si leurs interventions en ce sens restent fort peu fiables. Les sondages montrent ainsi qu'un Espagnol sur cinq attribue l'entière responsabilité des attentats au gouvernement Aznar et à sa politique en Irak, oubliant que leurs préparatifs avaient commencé bien avant sa mise en place.
La bouleversante intervention de la porte-parole des victimes du 11-Mars a suscité un flot d'éloges parmi lesquels on retiendra les félicitations par téléphone du roi et la réponse du gouvernement qui désigna un haut-commissaire aux Victimes du terrorisme. Seul le Parti populaire (PP), sous le feu des critiques, préféra garder le silence. Au moment où l'ex-président Aznar témoignait pendant plusieurs heures devant la commission, la fracture était déjà consommée. À la sortie du Congrès, les victimes du 11-Mars, tenant Aznar pour responsable, brandissaient des pancartes à fond blanc sur lesquelles étaient peintes des mains couleur de sang. De leur côté, les militants du PP, venus soutenir l'ex-président, répliquèrent avec la même brutalité.
Dans cette même logique, les victimes du 11-Mars avaient refusé de s'allier à l'Association des victimes du terrorisme, constituée de proches de vic-

times d'ETA, dès lors qu'elle avait nommé Aznar président d'honneur. Les différentes grilles de lecture idéologiques des attentats ont ainsi généré une division insurmontable entre les victimes des deux types de terrorisme. En attribuant l'entière responsabilité des attaques au gouvernement Aznar, à sa politique extérieure et à son manque d'anticipation face à un risque dont l'avaient averti des sources policières, les déclarations de Pilar Manjón traduisent bien cette rupture. Des motifs endogènes qui poussèrent les terroristes à passer à l'acte, elle ne dit rien et, quand elle exprima sa solidarité aux victimes de situations comparables à celle du 11-Mars, elle ne mentionna ni le 11-Septembre, ni Bali, ni Casablanca mais... les morts irakiens de Fallloujah, les Palestiniens « écrasés par les tanks d'Israël », les victimes de la faim en Afrique. Il s'agit là d'un point de vue partagé par beaucoup de militants de gauche et largement relayé dans l'ensemble de la société espagnole.

DU 11-SEPTEMBRE AU 11-MARS La réaction de la société à la tuerie du 11-Mars a été conditionnée de façon décisive par la tenue, trois jours plus tard, d'élections générales à l'issue desquelles le Parti populaire essuyait une défaite inattendue face au Parti socialiste ouvrier espagnol (PSOE). La polémique se poursuit, mais au cours de la campagne, les intentions de vote pour le PSOE avaient augmenté jusqu'à talonner de très près, à la veille de la journée électorale, celles du PP. C'est là l'origine de l'erreur fatale du gouvernement Aznar qui attribua la paternité du crime à l'ETA alors même que d'incontestables indices penchaient en faveur de la piste islamiste, d'office écartée. Si l'ETA s'avérait coupable, le PP, véritable paladin de la lutte contre le terrorisme basque, serait plébiscité. Cela explique la pression intense exercée par le gouvernement à tous les niveaux dans l'espoir de consolider l'hypothèse erronée. Une fois l'implication du terrorisme islamiste clairement établie, dès le 13 mars, les délégations du PP ont été violemment prises à partie, lors de manifestations « spontanées » seulement en apparence. Les stigmates de cette bataille sont encore visibles. Contrairement à ce qui s'est passé aux États-Unis avec la Commission d'enquête nationale sur le 11-Septembre, l'important en Espagne n'a pas été de connaître exactement les faits et leurs causes, mais bien plutôt de jeter la faute sur l'adversaire politique.

Les deux grands partis, PP et PSOE, se rejoignent sur un point : leur peu de dispositions à s'interroger sur la genèse des attentats. Ainsi, que ce soit au sein de la commission ou ailleurs, il est finalement revenu au ministère de l'Intérieur et aux forces de sécurité de prendre seuls la situation à bras-le-corps. Le rythme régulier des menaces terroristes et des arrestations s'est maintenu jusqu'à aujourd'hui, démontrant que le désir de punir les engagements du gouvernement Aznar auprès de Bush n'est pas la seule motivation des commandos et que la situation géographique privilégiée de l'Espagne – facilitant à la fois l'accès au territoire et l'intégration des terroristes à des foyers de sociabilité maghrébine – pèse aussi dans leurs choix. Il ne faut certes pas écarter l'idée que les attentats du 11 mars aient été une réponse à l'adoption d'une nouvelle attitude, soutenue par l'augmentation des effectifs de police jugés insuffisants. Rappelons que, jusqu'au 11 septembre 2001, le territoire espagnol offrait un sanctuaire que les terroristes ont su exploiter pour préparer leurs attaques simultanées.

Contrairement à la fermeté du ministère de l'Intérieur, les principaux médias ont réagi avec tiédeur. Cette attitude s'est ressentie dans l'opinion publique. Elle continue dans sa grande majorité à croire que le 11-Mars a été un acte de représailles à la participation espagnole à l'invasion de l'Irak et à considérer comme secondaires les questions sur les causes endogènes de l'action du commando terroriste. Le commentaire publié le 18 mars 2004 dans *El País* sous la plume de Juan Goytisolo, l'intellectuel espagnol le plus engagé auprès du monde arabe, arborait ce titre révélateur : « Le retour à la raison ». Voilà la principale conséquence du 11-Mars : la fin de la politique proaméricaine d'Aznar. Goytisolo déplorait certes les attentats, mais ce « retour à la raison » de la politique espagnole, suite à la défaite du PP, prévalait sur tout le reste. Les responsabilités se trouvaient ainsi réparties entre excès des nationalismes d'un côté et excès des religions de l'autre – et pas seulement de la religion musulmane, était-il précisé. Puis, comme si cela ne suffisait pas, l'écrivain alertait ses lecteurs contre toute tentative visant à associer les actes terroristes avec la doctrine de l'islam. À compter de ce jour, le journal s'est conformé à cette ligne éditoriale. C'est ce que reflète l'exergue de l'article d'analyse proposé en annexe par *El País*, censé nous éclairer sur les fidèles musulmans, en affirmant que ceux-ci « professent une religion qui prêche la paix dans un monde assailli de terroristes qui se disent musulmans » (*sic*).

La réaction de la société au 11-Mars a été extraordinaire dans sa dimension humaine : une formidable démonstration de solidarité spontanée, exempte de toute manifestation xénophobe. Les trente années d'attentats d'ETA avaient habitué les Espagnols à garder leur sang-froid.

Mais au moment de se demander par qui et pourquoi avaient été commis ces attentats, le même mélange de confusion et de fragilité qu'on avait constaté après le 11-Septembre a prévalu. À la connaissance très parcellaire de l'islam et du monde arabe est venu s'ajouter l'antiaméricanisme farouche que les Espagnols affichent depuis des dizaines d'années. Une multitude de commentaires s'ensuivirent, en particulier dans les programmes interactifs de radio, propices à l'anonymat : on y sous-estimait la portée criminelle de l'action d'Al Qaïda, réponse indirectement justifiée à l'impérialisme nord-américain. « C'est comme ça qu'ils comprendront qu'eux aussi sont vulnérables », mar-

AZNAR PERSISTE ET SIGNE

Interrogé le 29 novembre 2004 durant dix heures et quarante minutes par la commission parlementaire d'enquête sur le 11-Mars, l'ancien Premier ministre n'a pas varié d'un iota dans ses déclarations. Florilège :

« En soixante heures, j'ai garanti la normalité de la vie citoyenne, mobilisé tous les moyens pour assurer les soins aux victimes et aux familles, lancé une investigation rapide qui, deux jours plus tard, a amené à l'arrestation des coupables, informé avec une célérité sans précédent et assuré la tenue des élections de façon normale. »

« Des partis de l'opposition et des médias connus pour leur délirante obsession contre le gouvernement du PP ont menti, ont joué à déstabiliser et à acculer un parti démocratique dans l'un des moments les plus difficiles. »

« Je ne crois pas que les auteurs intellectuels des attentats, ceux qui les ont planifiés, ceux qui ont décidé de ce jour, cheminent dans des déserts ou des montagnes très lointaines. »

« Dans les milieux de l'opposition, on a fabriqué la théorie selon laquelle le gouvernement cachait des informations. Nous avons transmis, avec une transparence sans précédent et de forme immédiate, toutes les informations provenant des services de sécurité. »

« Si l'on avait convoqué les élections pour le 7 mars, les attentats se seraient produits le 4, parce que l'on ne cherchait pas seulement des victimes, mais aussi à bouleverser le résultat des élections. »

« Aujourd'hui, on sait que ces attentats ont commencé à se préparer longtemps avant la guerre d'Irak, qu'ils ne sont pas la conséquence de ce conflit, malgré tout ce que beaucoup de gens ont dit. »

« Moi, je cherchais à obtenir la vérité et à arrêter les criminels, tandis que d'autres profitaient de l'occasion pour gagner les élections. »

« Aujourd'hui, j'agirais de la même manière. Je n'ai pas à demander pardon, car nous avons fait ce qu'il fallait. »

telaient nombre de participants. Le 17 septembre 2001, depuis sa tribune du quotidien *El Mundo*, le professeur Martínez Montávez, ex-recteur de l'Université autonome de Madrid (UAM) et patriarche espagnol des études arabes, donna le ton. Il qualifia alors ce « néfaste événement » d'« atrocité » et d'« erreur » préjudiciables au monde islamique mais sources, en revanche, d'« un énorme bénéfice » pour les États-Unis. Cet argument sera maintenu dans les mois qui suivront et restera d'actualité même après le 11 mars. Il consiste à énoncer d'office une condamnation sommaire des attentats, en une phrase la plus lapidaire possible, comme s'il n'y avait rien à ajouter, pour ensuite procéder, cette fois *in extenso*, à la condamnation de la politique extérieure des États-Unis. Pour parfaire le propos, on ajoute que l'islam est toujours perçu à travers un prisme eurocentrique, propice à l'« islamophobie », parole magique prohibant d'entrée toute attitude critique envers quelque groupe ou idée liés aux organisations musulmanes, quelles qu'elles soient.

Parmi les éditorialistes c'est la ligne que défend, avec une virulence toute particulière, dans les pages d'*El País*, la professeur Gema Martín Muñoz, de l'UAM, qui fit connaître en Espagne l'œuvre de Tariq Ramadan, infatigable publicitaire dont l'influence notable sur la politique du PSOE ne cesse de croître. En préfaçant en 2000 l'édition espagnole d'*Aux sources du renouveau musulman* de Tariq Ramadan, Martín Muñoz cautionne la farce intellectuelle selon laquelle ce que prône le célèbre propagandiste est un authentique réformisme, dont le fil rouge (ou vert) aurait pour origine, selon Tariq Ramadan, rien moins qu'Abd al-Wahhab en personne, le père spirituel de l'Islam saoudien. Tariq Ramadan, confirme-t-elle, « aide à comprendre comment ce courant de pensée essaie de répondre aux défis du monde contemporain ». L'auteur diffuse l'image édulcorée de mouvements islamistes « réformistes », héritiers des Frères musulmans, porteurs de modernité et démocratiques. Un exemple : le Fis algérien ! Un autre ? L'Iran, qui se modernise et se libéralise (*Claves*, 117, 28-31). Martín Muñoz est encore plus explicite quand, le 9 octobre 2001, elle commente le premier communiqué de Ben Laden, qui, à son avis, « a mis le doigt sur la plaie ouverte par les conflits et les tragédies qui dévastent la région ». À ses yeux, le seul fait d'utiliser l'expression « terrorisme islamique » revient à attiser l'islamophobie rampante. De son côté, lorsqu'on l'interrogeait sur Al Qaïda, Martínez Montávez – personnage déjà cité – s'ingéniait à donner de minuscules précisions terminologiques à seule fin d'insister sur l'ignorance occidentale concernant la langue et le monde arabes. Par conséquent, le mieux à faire est d'assumer cette condition d'ignorants occidentaux et, malgré la catastrophe, de respecter et se taire. Vu l'atmosphère qu'ont créée le cercle même des spécialistes du monde arabe les plus actifs dans les médias, il n'y a rien de surprenant à ce que la totalité des reportages diffusés sur les chaînes de télévision nationales à l'occasion du premier anniversaire du 11-Septembre ait négligé toute référence à la genèse politico-religieuse des attentats. Très récemment, dans un film-reportage consacré au 11-Mars, Ben Laden était absent.

La persistance de cette attitude au moment du 11 mars a été favorisée par la combinaison des attentats terroristes et des élections. Brandissant l'alibi de la menace d'une vague de racisme antiarabe qui n'advint ni avant ni après les attentats, le choix de la presse la plus influente fut on ne peut plus clair. L'article en trompe-l'œil de Goytisolo, « Le retour à la raison », trônait en ouverture des pages « Opinion » d'*El País* alors que le même jour un autre article intitulé « Djihad à Madrid », que j'ai écrit en tant que collaborateur permanent de la section « Opinion », se trouvait confiné dans un recoin des pages intérieures, avant d'être l'objet d'une véritable campagne de désaveu dans le journal. Parallèlement, le compte rendu du dernier livre de Gilles Kepel, *Fitna*, omettait consciencieusement de mentionner ce que l'auteur dit des idées salafistes d'Al-Zawahiri et de l'importance du mythe d'Al-Andalous dans la configuration de la pensée terroriste.

Pour leur part, les « disciples » de Tariq Ramadan insistèrent avec succès sur le fait que toute volonté de décryptage du terrorisme islamique relevait du racisme, de la xénophobie et, bien évidemment, de l'islamophobie. Si l'épisode tragique du suicide du commando encerclé à Leganés, près de Madrid, accompagné de l'assassinat d'un policier, avait eu lieu plus tôt, l'« exorcisme » dont a parlé André Glucksmann dans *Le Figaro*, avec les fidèles d'Al Qaïda dans le rôle des anges exterminateurs du Malin personnifié par Aznar, aurait été consommé. Mais même cette preuve retentissante ne provoqua aucun changement. Ainsi, pour cette militante arabiste dont nous avons déjà parlé, onze jours après l'attentat, le plus urgent était de développer « un énorme effort pédagogique afin d'éviter que n'adviennent les possibles dérives islamophobes ». Ne parlons jamais de « terrorisme islamiste ». À quoi bon s'interroger sur le fait que les terroristes se déplaçaient comme des poissons dans l'eau au sein de la communauté maghrébine de Madrid ? Pourquoi donc prêter attention aux plaintes émises par l'Association des travailleurs marocains en Espagne à l'encontre des prédications des imams wahhabites « qui ont utilisé les mosquées pour inciter à la violence » ? Pour quelle raison prendre en considération les multiples signes d'ultraorthodoxie islamiste dont témoignent les documents saisis chez les terroristes ? De l'avis de ces leaders d'opinion, mieux vaut fermer les yeux sur tout ça et continuer de dénoncer les erreurs de l'Occident. Le thème du djihad irrite particulièrement la porte-parole officielle de cet « islamisme analytique » au point qu'elle perçoit la France comme « le pays européen le moins apte à comprendre l'Islam ».

Pourquoi donc prêter attention aux plaintes émises par l'Association des travailleurs marocains en Espagne à l'encontre des prédications des imams wahhabites… ?

UN MOUVEMENT EN CISEAU La vision manichéenne propre à l'islamisme se trouve reproduite dans la façon dont l'Espagne envisage l'épisode tragique du 11 mars. Selon beaucoup de gens de gauche, l'Occident, sous l'égide des États-Unis, s'égare et reste par ailleurs coupable de complaisance envers les régimes autoritaires du monde arabe. De leur côté, les mouvements islamistes cherchent à établir la paix dans un cadre démocratique. Ils n'ont rien à voir avec un terrorisme sans nom – ou « terrorisme international » – qui prendrait racine dans la politique agressive des États-Unis ou d'Israël. Telle est l'explication mille fois répétée et qui, surtout dans les cercles de la gauche, fait souvent office de profession de foi.

Malgré cette confusion, les forces de sécurité ont poursuivi leur travail ; elles ont arrêté des personnes directement impliquées ou de simples relais, et établi une carte relativement précise du maillage terroriste. Pour les attentats de Madrid, on a désormais la preuve qu'il s'agissait de trois groupes liés entre eux, composés essentiellement de Marocains, dont le noyau central se trouvait dans la petite casbah du district de Lavapiés dans le vieux Madrid. Bien implantés dans la vie sociale musulmane de ce quartier et dans celle du district de Villaverde, à la périphérie, ils adhéraient, selon le juge d'instruction, à une rigoureuse idéologie « djihadiste salafiste » et se plaçaient sous la direction stratégique d'Al Qaïda. L'équation qui en résulte est claire : des groupes islamistes radicaux évoluant sans difficulté dans le pays occidental d'accueil et bénéficiant si ce n'est du soutien du moins du silence complice de coreligionnaires que les prédications d'imams intégristes, la plupart du temps liés au wahhabisme saoudien, embarquent sur la voie du fanatisme. En un mot, selon le juge d'instruction, les auteurs du 11-Mars étaient des groupes autonomes sous l'autorité d'Al Qaïda, « unis dans leur haine de l'Espagne et de l'Occident ».

Ces constatations n'ont en rien altéré le rejet exprimé par les tenants de l'« islamisme analytique » et par ceux qui continuent de refuser, comme la directrice générale aux Affaires religieuses, qu'on impute une quelconque responsabilité à la doctrine islamique dans la genèse des groupes de « terrorisme international » (*sic*).

Au ministère des Affaires étrangères, on s'orienta d'abord vers une intensification, à un niveau institutionnel, des activités culturelles en direction du monde arabe. Depuis quelques mois le relais a été pris avec force par l'initiative du président Zapatero, avec l'appui de Kofi Annan et la collaboration du Premier ministre turc Tayyip Erdogan, d'une alliance des civilisations en réponse aux thèses de Huntington. Il s'agit surtout de proposer une meilleure compréhension entre les cultures inspirées par l'islam et l'Occident, en appliquant le principe d'une fraternité réelle qui serait capable de surmonter les obstacles et de rendre inutile le recours à la violence. Sans mettre en question les possibilités ouvertes par cette approche, il est douteux que le terrorisme se voit affecté par ce déploiement de bonnes intentions. ■

(traduit de l'espagnol par Juliette Ponce)

BANLIEUES FRACTURÉES

CLAIRE BRIÈRE-BLANCHET

Les récentes émeutes ont reveillé chez Claire Brière-Blanchet des souvenirs de jeunesse. Elle raconte à sa manière la lente dérive des continents banlieusards.

J'ai grandi en banlieue, dans le « 9.3 ». Peuplée de « prolos », d'artisans, de petites gens, et des premiers Algériens venus travailler en France, La Courneuve vivait au rythme de son travail : entrées et sorties des usines et des ateliers, petits commerces, nombreux, qui ouvraient et fermaient chaque jour, marchés du dimanche. Temps des grèves gigantesques et dures, de piquets de combats qui défendaient les usines. Pourtant la banlieue travaillait. On entendait le bruit de ce travail au souffle des ateliers, au roulement des engins de transport, aux mouvements des hommes aux heures d'embauche. Milieu des années 60. Nous sommes gauchistes et travaillons dans ce qu'on appelle déjà « les quartiers », « les cités ». Nous voulons entraîner les jeunes qui vadrouillent par-ci, par-là, dans notre sillage, jusqu'aux portes des usines, pour soutenir les occupations d'ateliers, les révoltes de foyers immigrés, les manifs antiracistes. Années d'espoir et de fraternisation, naissance du Mouvement des travailleurs arabes, le MTA, puis plus tard, marche des « beurs » à travers la France avec le père Delorme.

Années 80, je retourne en banlieue. Devenue journaliste, je reviens d'Iran, après l'arrivée de Khomeyni à Téhéran et l'instauration de la république islamique ; d'Égypte, après l'assassinat d'Anouar el-Sadate au Caire en octobre 1981. Saisie par l'ampleur inouïe de ce maelström islamiste, je décide d'enquêter dans les banlieues où j'ai vécu et milité pendant sept ans. La cicatrice algérienne est encore récente et je pressens la séduction de ces appels lointains sur les hommes des « quartiers difficiles » comme on les appelle désormais. Déjà, à la faveur d'une grève chez Talbot à Poissy, on se prosterne, dans l'atelier du B3, cinq fois par jour. Syndicalisme et religion. À Mantes-la-Jolie, dans le quartier du Val-Fourré, une première mosquée, flambant neuve, sous le contrôle de la mosquée de Paris, rassemble les croyants. Les lieux de prière se multiplient, premiers appels au djihad.

À Grenoble, je retrouve d'anciens compagnons du gauchisme, des complices, avec lesquels nous avions partagé luttes et bagarres, des pique-niques et même la prison pour l'organisation de manifs interdites. Nous nous retrouvons dans la rue Très-Cloîtres, une rue ancienne du centre-ville où se sont appariés commerces et restaurants, lieux de réunion. Une rue Très-Cloîtres joliment restaurée, là où auparavant, à la fin des années 50, taudis et hôtels borgnes bordaient le passage. Hubert Dubedout, le maire socialiste de 1965 à 1983, avait conçu Grenoble comme une ville ouverte qui accueillerait les immigrants en son cœur. C'était chose faite et on entendait parfois qu'il « n'y en avait eu que pour eux ». Je retrouve donc mes copains des années 60 et 70, Ahmad et Kamal, Boualem et Ali. Nous sommes installés sur les marches de la chapelle Sainte-Marie-d'en-Bas et Boualem déroule sur le thème « moi j'emmerde la religion ». Ahmad et Kamal, plus conciliants, observent quand même : « Nous sommes la seconde religion de France. » Ils aimeraient approfondir le Coran, d'ailleurs, il n'y a pas assez de place dans la petite salle de prière aménagée à la hâte, il est question d'ouvrir Sainte-Marie-d'en-Bas, désaffectée, à la prière musulmane. Ali commence alors à déblatérer sur l'Occident : « Il n'y a rien de bon à en attendre : ce ne sont que mensonges et illusions. L'Occident a dominé et appauvri les musulmans, les a affaiblis. » « Désormais, nous serons forts, explique-t-il, et toi, tu ne pourras plus entrer dans cette église, c'est nous qui y entrerons. » Je m'insurge : « Et pourquoi ne pourrai-je pas entrer ? » « Parce que nous sommes supérieurs, l'islam est supérieur. » Peu importe ! « Ici, tu peux entrer librement dans une église ou dans un temple, la réciproque devrait être vraie ! » « Non ! » Il insiste : « Nous possédons la vérité et nous sommes supérieurs. Et d'ailleurs, chez nous, les femmes n'entrent pas. »

1990. J'enquête, cette fois-ci à Gennevilliers, cité des Grésillons, cité des Courtilles. Difficile de pénétrer, des groupes de jeunes Noirs, des beurs « gardent » les bâtiments, surveillent et « zonent » en groupe, la drogue circule. Tout un chemin qui passe par Gennevilliers pour arriver rue Myrha dans le 18e. L'économie de la cité s'abîme dans le trafic à l'image des héros de *La Haine*. Le travail a déserté la cité, place au deal. Les années chômage se sont installées dans la France de 1990-2000.

Certaines banlieues – pas toutes – ont le paysage délabré de la pauvreté et de l'abandon. Mais les émeutiers n'ont-ils pas aggravé la destruction de ce tissu urbain ? Écoles, bus, commerces, voitures. N'ont-ils pas détruit

* CLAIRE BRIÈRE-BLANCHET *est journaliste.*

ce qui fait le transport et le lien, l'échange, l'apprentissage de la langue et du parler ? Un parler qu'ils ont dur et tendu, à peine audible, comme un staccato de mitraillette. Fracture sociale seulement ? J'en veux pour preuve une banlieue tout à fait vivable, Savigny-sur-Orge : pas de tours, de petits immeubles de trois ou quatre étages, commerces et marchés, gymnase, centre culturel, constructions expérimentales d'architectes et, enfin, une école bâtie en lisière de la forêt, presque à la campagne. Les enfants y voient les biches sortir du bois. Cocktails Molotov jetés sur l'école avec début d'incendie suffisent à témoigner de la pauvreté, de l'indigence intellectuelle, je dirais même de la malhonnêteté de ceux qui invoquent jusqu'à l'écœurement « la fracture sociale » et l'échec de « l'intégration à la française ».

Plus en arrière – années 70 – je repense à la Villeneuve de Grenoble et à sa galerie de l'Arlequin. Habitat mixte, locatif, ILM et HLM. Bobos et ouvriers, Blancs et immigrés s'y côtoient. La galerie serpentine supportant les immeubles colorés nous faisait envie. Puis les villes nouvelles : Grigny, Cergy, Saint-Quentin-en-Yvelines, Marne-la-Vallée, pas toujours réussies, mais tentatives quand même de créer un habitat, un cadre conciliant le nombre croissant des résidents et l'agrément des édifices… Pour avoir vu comment on accueillait les étrangers de par le monde, je peux, sans avancer de vérité particulièrement audacieuse, affirmer que la France a fait des efforts considérables. Mais certains émeutiers ont crié « Nique la France ». Leurs mots d'ordre, les paroles de leur rap ne laissent aucun doute : « Nique ta mère ! », « Nique les flics ! », « Je pisse sur de Gaulle », la France est « une salope ». Toujours finir par « mec ! » : « La France est une salope, je vais la baiser, mec ! » Nihilisme ? Certes.

Et c'est là que j'en viendrai à un certain islam.

Ces mots sont ceux de la nouvelle culture des caïds de quartier, de ces jeunes hommes qui osent admonester leur mère pour qu'elle se couvre. Ces femmes quadragénaires ou quinquagénaires, qui les ont mis au monde et sont heureuses, installées en France, de sortir, de travailler, de faire leurs courses sans se soucier de la longueur de leur jupe et de la surveillance tatillonne des mâles. Elles ont même le droit, ô blasphème, de se maquiller et de teindre leurs cheveux ! J'en connais ! Mais la culture du caïd musulman déteste leur liberté. Je pense à ces gamins de douze ou treize ans chargés de surveiller leur grande sœur. Voilà une culture perpétuée, enseignée, renforcée par l'idéologie machiste de l'homme dominante en islam, de cet homme auquel les visages font horreur, visages bannis de la représentation religieuse, visages, corps, cheveux. Culture de l'homme irresponsable, car responsable seulement devant Dieu. On les plaint, ces garçons, on compatit. Mais ceux et celles qu'ils asservissent ? Je pense à ces jeunes femmes qui craignent de traverser leur cité, le soir. Je pense à celles qui demandent qu'on les raccompagne, car les garçons leur volent leurs cours et les jettent. Je pense à celles qui se font violer au fond des caves à treize ou quatorze ans. Que répondre à ceux qui ont connu Sohane, brûlée vive à seize ans, et qui demandent : « Vous voulez encore parler de cette pute ? » Je pense aux plaintes de ces gamines qui craignent les vacances au pays de peur d'un mariage forcé. Je pense aux professeurs qu'ils insultent. Je pense aux écoles qu'ils refusent de fréquenter. Pas assez « à leur écoute » ? Mais que doit faire la République ? Plus d'écoles ? La République n'en peut mais. Le mal est plus diffus : mœurs d'un autre âge, imams incultes, islamistes, pères (pas tous) coincés dans leurs traditions. Tant que la culture musulmane n'aura pas stigmatisé ces comportements et les valeurs qui les sous-tendent, je doute fort que plus d'écoles ou de subventions résolvent pareille fracture. On devrait soutenir plus encore certaines associations courageuses comme l'Association des musulmans laïcs de France, les associations berbères, et surtout Ni putes, ni soumises de Fadela Amara, ou Regards de femmes de Michèle Vianès. Il faudrait leur tendre plus souvent micros et caméras. Au lieu de cela, nous renvoyons aux « rebelles » le miroir flatteur de la « révolte ».

Que répondre à ceux qui ont connu Sohane, brûlée vive à seize ans, et qui demandent : « Vous voulez encore parler de cette pute ? »

En cela un certain islam a contribué à construire un langage à part, de la communauté musulmane et pour la communauté musulmane, un langage qui tourne le dos aux droits de l'homme et au statut identique des humains en démocratie. Cette séparation, comme une dérive des continents, éloigne désormais bien des immigrés de leur pays d'accueil.

Au début de la guerre en Irak, je me souviens d'une image étonnante. Une caméra de France Télévision filmait deux ou trois « jeunes » et les interviewait. « Nous sommes pour la paix » scandaient les gamins en se dandinant, « seulement pour la paix », derrière eux sur les murs l'image affichait de gigantesques « Mort aux Juifs ». N'a-t-on pas assisté, au début des années 2000, à l'augmentation des actes d'antisémitisme ? Des synagogues et des centres confessionnels juifs ont été visés. Des enfants juifs molestés dans les écoles. En comparaison, les gestes, tout aussi condamnables, perpétrés contre des mosquées restent minoritaires. Et lorsqu'on sait les liens toujours vifs avec le pays natal, on peut s'inquiéter de la dernière disposition du gouvernement algérien interdisant tout prosélytisme chrétien... Comment les enfants échapperont-ils à de tels discours d'intolérance ? Comment échapperont-ils à cette récente qualification, devenue officielle, de la guerre d'Algérie comme « génocide » ? Comment, travaillés par les discours religieux, nationalistes et antisémites, peuvent-ils faire la part entre le bien et le mal ? Le pays qui accorde le plus de liberté à ses citoyens, même à ceux qui se qualifient « de seconde zone », n'est pas l'Algérie ni la Tunisie, mais bien la France ! Cependant la propagande les a aveuglés.

Là encore, je me référerai à l'islam. Des émeutiers criaient : « À Jérusalem ! » L'islam radical a pris le relais du marxisme et des archaïsmes qui nous empêchent d'évoluer. À deux grands ados, on demandait : « En cas de guerre défendriez-vous la France ? » Réponse : « Non. » « Défendriez-vous l'Algérie ? » « Oui ! » Dans les banlieues de France, ne pas observer le ramadan vous met parfois en difficulté. Savez-vous ce que l'on diffuse en vidéo ces derniers mois ? L'égorgement de Daniel Pearl, « ce Juif », au Pakistan en février 2002.

Et il faudra bien rendre justice aux citoyens français qui ont consenti un effort budgétaire pour la politique d'immigration, citoyens qui vont ensuite, par l'impôt, participer à la reconstruction des sites dévastés.

Et puis, comme l'écrivait un ami récemment, le statut de colonisé ne peut être comparé à « celui de la fumée dans le ciel de Pologne ». Tous les jours en ce moment des Juifs de France rappellent que leurs parents ont reconstruit leur vie après que la France les a expédiés à Auschwitz. Qu'en France, ils ont vécu en citoyens, en votant, en contribuant au financement du pays. Que leurs enfants ont travaillé à l'école, et que beaucoup d'entre eux, arrivés du fin fond de la Pologne, d'Ukraine, de Moldavie, d'Allemagne, ont fait leurs études, sont devenus médecins, avocats, journalistes, enseignants, eux, les enfants de tailleurs du Sentier.

Ressentiment, haine, seuls mots capables de qualifier la nature exacte des gestes accomplis durant ces émeutes (et non pas « violences urbaines »). Meurtres. Celui d'un homme surveillant son immeuble, celui d'un gardien d'école se battant contre le feu. Meurtre d'un homme photographiant un réverbère. Blessures, mise à feu d'un autobus avec une femme handicapée à l'intérieur échappant de justesse à la mort, un enfant de treize mois atteint par des jets de pierre, des femmes traînées hors de leur voiture, tirées par les cheveux. Gestes de barbares en guerre. Pas un remords, pas un regret. Pas de honte ni d'excuses. La certitude qu'ils voudront recommencer. Sous une autre forme peut-être. Ce geste des émeutiers ne fut pas un cri de révolte mais bel et bien le « passage à l'acte » de jeunes gens peut-être sur la voie du terrorisme.

Pour recréer de la civilité entre nous, citoyens d'un même pays, il faudrait des dirigeants qui trouvent les mots justes. Il faudrait travailler et réfléchir. Au lieu de cela, un radotage désespérant autour de l'exclusion et l'impuissance à redonner le goût de la démocratie, du travail et de l'effort, non seulement aux jeunes, mais à l'ensemble des citoyens. « Un idéal », comme on disait parfois. Alors, désespoir et nihilisme reculeraient. ■

JEUX DE BALLONS ET BALLES
INTERDITS

KOESTLER, NOTRE CONTEMPORAIN

MICHEL LAVAL

Pour tous les militants de l'antitotalitarisme, Arthur Koestler demeure une référence. Nul sans doute mieux que lui n'aura su dénoncer avec autant d'intelligence et de clairvoyance les mensonges et les horreurs du fascisme, du communisme et du nazisme.

Écrire sur Arthur Koestler dans le premier numéro d'une revue qui revendique l'héritage politique, intellectuel et moral du courant antitotalitaire dont il fut, dans la tourmente du dernier siècle, l'un des protagonistes, n'est pas une coïncidence. Les temps où nous vivons ne sont pas sans rappeler ceux qu'il traversa et tout semble désormais aller comme si nous étions promis aux mêmes épreuves. À nouveau les démocraties occidentales se trouvent la proie d'une multitude de périls qui ébranlent leurs fondements, bousculent leur légitimité et menacent leur existence même. La montée planétaire du fondamentalisme islamiste, la généralisation du terrorisme de masse, la résurgence des vieilles idéologies au vocabulaire travesti avec leur cortège de mensonges et de surenchères démagogiques, tout paraît converger désormais vers de nouveaux séismes. L'ombre d'une crise majeure, d'une crise de systèmes et de valeurs, d'une crise de civilisation, plane à nouveau sur la scène de l'histoire dont, après la chute du mur de Berlin et la désintégration du système totalitaire soviétique, la fin avait été imprudemment annoncée. La haine et le fanatisme se sont emparés à nouveau d'une partie de l'esprit du monde. À l'équilibre de la terreur qui fit régner sur l'humanité pendant un demi-siècle la hantise d'une nouvelle apocalypse a succédé la terreur du déséquilibre, la perspective d'un nouveau chaos, d'un chaos général, d'une nouvelle barbarie au visage cagoulé immolant ses victimes dans des mises en scène macabres au nom d'une nouvelle guerre sainte. Plus que jamais nous nous trouvons confrontés aux mêmes impératifs, aux mêmes exigences que ceux qui guidèrent l'action et l'engagement d'Arthur Koestler, notre contemporain.

La postérité témoigne à l'égard d'Arthur Koestler de beaucoup d'ingratitude. Auteur avec *Le Zéro et l'Infini* d'un des plus grands livres de la littérature politique du XXᵉ siècle, écrivain mondialement célèbre dont George Steiner, qui le fréquenta à la fin de sa vie, écrit qu'il caressait le rêve secret mais toujours déçu de recevoir le prix Nobel, Arthur Koestler a sombré après sa mort dans un demi-oubli qui ressemble à bien des égards à une forme de purgatoire. Cette pénitence posthume, cette disgrâce outre-tombe, Arthur Koestler les doit sans doute au courage, à la lucidité et à la clairvoyance dont il fit preuve de son vivant, à cette capacité de penser à contre-courant sans rien concéder aux modes et aux conformismes, et surtout, avant tout, à cette volonté intransigeante qu'il manifesta sans relâche, sa foi communiste abjurée, de résister avec « une impitoyable honnêteté » au mensonge totalitaire et aux utopies criminelles qui ensanglantèrent son temps et emportèrent dans leurs flots boueux d'illusions nombre de ses contemporains.

Arthur Koestler entretint avec l'histoire une relation tumultueuse et passionnée. Né à Budapest en 1905 dans une famille juive de la *Mitteleuropa*, mort à Londres en 1983, sujet britannique, insulaire et déjà presque relégué, il se retrouva pendant près d'un demi-siècle sur toutes les lignes de front où l'histoire battait ses tambours : à Budapest, encore enfant, à l'heure de la Première Guerre mondiale et de l'éphémère commune de Béla Kun ; dans la Vienne crépusculaire du début des années 20, étudiant sioniste croisant le fer avec les bandes pangermanistes sous l'aula de l'université ; à Tel-Aviv et Jérusalem, engagé dans la reconquête juive de la Palestine ; à Berlin au bord de l'abîme, journaliste prodige converti au communisme pour lutter contre les nazis ; en Union soviétique prise dans la tourmente de la collectivisation forcée des terres et de la grande famine provoquée de l'hiver 1932-1933 ; à Moscou, la veille de la Grande Terreur, apercevant Boukharine qui marchait vers son destin ; à Paris, au milieu des années 30, propagandiste de la grande croisade antifasciste ; dans l'Espagne de la guerre civile, condamné à mort par les franquistes ; dans la France de la « drôle de guerre », « étranger indésirable » interné dans un camp ; à Lisbonne, « le dernier port où l'Europe vomissait le contenu de son estomac empoisonné », où il s'était réfugié après une fuite éperdue et songea

* MICHEL LAVAL *est avocat. Il est notamment l'auteur d'une biographie d'Arthur Koestler,* L'Homme sans concessions *(Calmann-Lévy, 2005).*

Arthur Koestler, 1955. © Erich Hartmann/Magnum Photos.

« quitter sa vie à la dérobée » ; à Londres, sous le Blitz, parmi les premiers à alerter l'opinion mondiale sur l'extermination des Juifs d'Europe ; en Israël à peine né et déjà assailli ; à Paris, encore, au temps de la guerre froide, où il fut injurié et calomnié par les communistes et leurs compagnons de route parce qu'il avait préféré « trahir son parti plutôt que l'humanité » ; à Berlin, au milieu du « cercle totalitaire », exhortant, du haut de la tribune du Congrès pour la défense de la culture en juin 1950, les hommes libres à « dire non » ; dans l'Amérique du maccarthysme naissant où il éprouva une nouvelle fois l'irrésistible attraction de l'Europe ; à Londres, enfin, où en 1955 il posa sa besace d'Européen errant et, après un dernier combat contre la peine de mort, décida de quitter la scène de l'histoire avec cette conviction qu'il exprimera des années plus tard que l'*Homo sapiens* était un prédateur impitoyable capable, à l'inverse de toutes les autres espèces animales, de pratiquer le meurtre de ses congénères à l'échelle individuelle et collective, que le tueur véritable n'était pas l'individu mais le groupe, que « les crimes individuels commis par cupidité ou égoïsme jouaient un rôle insignifiant par rapport aux massacres perpétrés au nom du loyalisme le plus altruiste à l'égard de la tribu, de la nation, de la religion ou de l'idéologie politique », que la tragédie de la condition humaine résidait dans le dévouement collectif aveugle à des causes ou des idéaux et que « Prométhée avançait vers les astres, la face tordue par un rictus dément, en brandissant un mât totem ».

Tel fut le destin hors du commun d'Arthur Koestler, de cet « intellectuel d'Europe centrale à l'Âge totalitaire », ce « chroniqueur du temps du mépris », dernier des Mohicans d'un monde à jamais disparu dont il vit l'inexorable naufrage, dernier représentant d'une humanité européenne à jamais anéantie, exilé perpétuel, éternel fugitif, ni yogi ni commissaire, souvent imprévisible, parfois paradoxal, mais toujours cohérent, allant de rupture en rupture, arpentant le monde, changeant de pays et de langue, brûlant sans cesse ses vaisseaux…

Tel fut le destin hors du commun d'Arthur Koestler, de cet « intellectuel d'Europe centrale à l'Âge totalitaire », ce « chroniqueur du temps du mépris », dernier des Mohicans d'un monde à jamais disparu dont il vit l'inexorable naufrage, dernier représentant d'une humanité européenne à jamais anéantie, exilé perpétuel, éternel fugitif, ni yogi ni commissaire, souvent imprévisible, parfois paradoxal, mais toujours cohérent, allant de rupture en rupture, arpentant le monde, changeant de pays et de langue, brûlant sans cesse ses vaisseaux, ne sacrifiant rien à ce qu'il croyait juste, n'admettant rien qui ne lui fût démontré, ayant fait sa devise que, comme l'écrit Robert Musil, « ce n'est pas le doute, mais les certitudes qui rendent fou », qui ne redoutait pas les tyrans et méprisait les imposteurs, qui se disait « partout chez lui en Europe », qui préférait vivre « sous un vieil imbécile de colonel anglais » que « sous un commissaire politique » et qui, comme l'écrit Raymond Aron dans l'article qu'il lui consacra après sa mort tragique, avait parmi les premiers compris « l'essence, diabolique et fascinante, d'une foi historique et globale ».

Au cours d'une conférence qu'il prononça sur la guerre d'Espagne devant l'Association des écrivains allemands à Paris au début du printemps 1938, Arthur Koestler livra à un public stupéfait et hostile les trois grands principes qui allaient désormais dicter sa conduite et dont il avait reçu la révélation quelques mois auparavant alors qu'il attendait la mort dans une cellule de la prison de Séville : « Nul mouvement, parti ou personne ne peut revendiquer le privilège de l'infaillibilité »… « Il est aussi fou d'apaiser l'ennemi que de persécuter l'ami qui poursuit les mêmes fins que vous par des moyens différents »… « À la longue, une vérité nuisible vaut mieux qu'un mensonge utile. »

Rien ne fit par la suite dévier Arthur Koestler de la voie étroite qu'il s'était tracée entre les blocs d'intolérance et de fanatisme et qui le mena vers les grandes solitudes où errent, abandonnés par leurs contemporains et souvent même persécutés par eux, les hommes qui ont le redoutable privilège d'avoir raison trop tôt. Douze années plus tard, prenant la parole à Berlin devant les membres du Congrès pour la défense de la culture, il donna lecture d'un « Manifeste des hommes libres » qui se voulait une sorte de Charte antitotalitaire et qui réaffirmait les grands principes sans lesquels il n'est pas de démocratie véritable : « [...] L'homme qui n'a pas le droit de dire non est un esclave » ; « [...] le danger de guerre grandit dès qu'un gouvernement supprime les institutions représentatives et dépossède la majorité des moyens qu'elle a d'imposer sa volonté de paix » ; « [...] les responsables de l'actuel risque de guerre sont les gouvernements qui, tout en parlant de paix, refusent de reconnaître le contrôle populaire et l'autorité internationale » ; « [...] des croisades pour la paix qui ne confirment aucune action réelle en faveur de la paix ne sont que fausse monnaie » ; « [...] il est de la nature même de la liberté de respecter la diversité des opinions. Mais le principe de tolérance n'implique pas logiquement le respect de l'intolérance » ; « [...] aucune doctrine politique ou économique ne saurait prétendre déterminer seule le sens de la liberté » ; « [...] aucune race, aucune nation, aucune classe, aucune religion ne saurait prétendre au droit exclusif de représenter la liberté, encore moins de la refuser à d'autres groupes ou à d'autres croyances, au nom d'une fin ultime quelle qu'elle soit » ; « [...] dans les États totalitaires, les entraves à la liberté ne sont plus présentées comme des sacrifices imposés au peuple. Au contraire, on les exalte comme le triomphe du progrès et comme l'apogée de la civilisation nouvelle » ; « [...] en droit et en fait, les régimes totalitaires signifient la mort des droits fondamentaux de l'individu et des aspirations essentielles de l'humanité » ; « [...] la défense des libertés existantes, la reconquête des libertés perdues, la reconnaissance des libertés nouvelles sont le prix d'un seul et même combat » ; « [...] le danger des régimes totalitaires est d'autant plus grand que les moyens de contrainte dont il dispose dépassent de beaucoup ceux auxquels eurent jamais recours, dans le passé, les despotismes » ; « [...] la théorie et la pratique des États totalitaires sont la plus grande menace que l'humanité ait dû affronter au cours de son histoire » ; « [...] l'indifférence et la neutralité envers une pareille menace constituent une trahison à l'égard des valeurs essentielles de l'humanité et une abdication de l'esprit libre ».

Le grand combat d'Arthur Koestler fut contre le totalitarisme. Il appartint au petit nombre de ceux qui, le siècle dernier, osèrent défier ensemble les deux grandes tyrannies qui tentaient d'asservir le monde, des tyrannies d'un genre inédit dont, l'un des premiers, il pressentit la « similitude foncière », l'identité profonde et pour tout dire la consanguinité. « Le péché de pratiquement tous les gens de gauche à partir de 1933, écrit George Orwell, est d'avoir voulu être antifasciste sans être antitotalitaire. » Arthur Koestler sut en définitive s'affranchir de cette alternative diabolique qui, sur ses deux versants, commandait de s'engager au service d'un État criminel pour combattre un autre État criminel, sans comprendre, sans vouloir voir et admettre qu'ils étaient de même essence. Très tôt, il comprit que dans Berlin la brune et Moscou la rouge un même modèle politique était né, un régime qui n'avait aucun précédent, qui ne se réduisait à aucune catégorie et aucune forme connues, qui n'était ni le despotisme ni la dictature classiques, mais une forme singulière de gouvernement, un régime mutant et unique qui, comme l'écrit Hannah Arendt, avait la terreur pour « substance réelle » et la « domination totale » pour fin ultime. Cette vérité terrible et iconoclaste, Arthur Koestler la porta sa vie durant, au risque d'une double persécution qui ne lui fut pas épargnée. Le nazisme écrasé, il poursuivit son combat contre le système soviétique dont dès 1944 il décrivit dans son recueil d'essais *Le Yogi et le Commissaire* les rouages infernaux et n'eut par la suite de cesse de dénoncer la terrible menace.

Arthur Koestler nous parle au présent. Il nous parle de liberté de pensée, de liberté de critique, de résistance à l'oppression. Il nous parle d'Europe, d'une Europe libre, ouverte, multiple et unique, qui a pour noms Schnitzler, Zweig, Kafka, Freud, Husserl, Arendt, Milosz et Patocka. Il nous parle aussi de la vulnérabilité de la civilisation occidentale face aux « mouvements fanatiques de masse », parmi lesquels il rangeait, dans l'ordre, « les hordes des grandes invasions, les Huns, l'islam, le fascisme, le nazisme, le communisme stalinien ». Il nous parle de la crise du monde helléno-romano-judéo-chrétien, de « l'unité spirituelle » qu'Edmund Husserl appelait « l'humanité européenne » dans la dernière conférence qu'il donna le 7 mai 1935 au Kulturbund de Vienne, d'une humanité dévorée par la « raison froide », vidée de sa spiritualité, prise dans « les spasmes d'une longue agonie » et qui lui paraissait marcher vers son « irrévocable fin ».

« Pessimistes du monde entier, unissez-vous. Construisons des oasis ! » En novembre 1943, Arthur Koestler écrivait que nous étions entrés dans une nouvelle ère, une « période de détresse et de grincements de dents », un « nouvel âge des ténèbres » semblable à celui qui alla de la chute de Rome au début de la Renaissance, un « interrègne », un temps intermédiaire et obscur, sans durée certaine, sans issue prévisible, une sorte de désert moral et spirituel hanté par les barbares et les fanatiques où, dans les refuges qu'ils auraient construits en forme d'oasis, les hommes les plus lucides devraient se tenir dans la nuit et garder les yeux grands ouverts pour guetter les signes d'une nouvelle aurore. Arthur Koestler, notre contemporain, appelait cela « la fraternité active des pessimistes ». Ce message est son legs : ne pas désespérer des hommes, ne rien sacrifier à la liberté de pensée, rester honnête, refuser d'abdiquer. Le temps paraît venu de gagner les oasis. ■

D'UN TOTALITARISME L'AUTRE...

LES LIAISONS DANGEREUSES DE LA LIGUE DES DROITS DE L'HOMME

MAX LAGARRIGUE

Désormais privée de perspectives révolutionnaires, une partie de la gauche et de l'extrême gauche voit dans l'islamisme la nouvelle expression politique des « damnés de la terre ». Ces liaisons dangereuses s'incarnent dans l'obstination tranquille de la Ligue des droits de l'homme à prôner une tolérance surprenante à l'égard des islamistes. Retour sur l'histoire méconnue d'une certaine gauche qui, selon le mot de George Orwell, fut « antifasciste mais pas antitotalitaire ».

Initiée dans la foulée du fameux « J'accuse » d'Émile Zola paru dans *l'Aurore* – le journal de Clemenceau – la Ligue française pour la défense des droits de l'homme et du citoyen (LDH) fut créée officiellement le 4 juin 1898 autour d'un petit noyau d'intellectuels protestants libéraux refusant la condamnation du capitaine Dreyfus. Après la révision du procès, les dirigeants de la LDH devinrent d'ardents défenseurs de la loi de séparation des Églises et de l'État, pilier de la laïcité française. À lire son histoire, la LDH apparaît comme le « sanctuaire de la République et des républicains[1] ». Pourtant ses dirigeants adoptèrent très tôt une attitude complaisante à l'égard du totalitarisme bolchevik.

LA LDH ET LA FASCINATION RÉVOLUTIONNAIRE Depuis fin octobre 1917, une partie de l'opinion française et de l'intelligentsia de gauche était en proie à une admiration non contenue pour le régime dictatorial instauré par Lénine à la faveur d'un coup d'État contre le gouvernement du socialiste Kerenski. Par ignorance ? Certainement pas. Pour savoir, il suffisait de vouloir savoir. L'horreur bolchevik s'étalait en effet quotidiennement dans les colonnes de *L'Humanité* – organe de la SFIO, le Parti socialiste français – qui, le 4 juillet 1918, titrait sans équivoque : « La terreur règne en Russie ». Des extraits d'articles publiés du 9 juillet au 18 août sont tout aussi explicites : « Les casernes de gardes rouges regorgent de vivres volés. Les orgies succèdent aux orgies [...] la misère augmente » et « La vie des ouvriers devient intolérable. Les usines sont fermées ; il n'y a plus de pain ; aux affamés on ne donne que des balles ; la liberté d'écrire et de parler est étouffée ; les organisations ouvrières sont persécutées ; il n'y a plus de tribunaux. [...] Nous sommes gouvernés par des gens qui sont des autocrates, qui n'ont ni foi ni loi [...] qui sont animés seulement d'une terrible soif de pouvoir[2] ». Pourtant ces faits n'allaient pas ébranler l'enthousiasme révolutionnaire de la majorité des socialistes français. Leur empathie reposait, selon le grand historien François Furet, principalement sur le fait que la révolution russe incarnait un « cri contre la guerre » plutôt que le renversement du tsar ou la distribution des terres aux moujiks[3]. Avec pour leitmotiv « la révolution soviétique, c'est la paix », Lénine obtient des soutiens inattendus tel celui de l'écrivain dreyfusard Anatole France, membre du comité central de la LDH, qui s'exclame : « Ils veulent la paix et cela excuse tout. »

Dans ce contexte, marqué par la décision du président du Conseil, Georges Clemenceau, de poursuivre la guerre en Russie pour « provoquer la chute du bolchevisme » – qui a conclu une paix séparée avec l'Allemagne – et fixer des forces allemandes à l'Est, le comité central de la

* MAX LAGARRIGUE *est historien. Il est notamment l'auteur de* Renaud Jean, carnets d'un paysan député communiste *(Atlantica, 2001).*

LDH se lance dans l'examen de la jeune révolution soviétique.
Une commission d'enquête de la LDH « sur la situation en Russie » entend durant sept séances, du 28 novembre 1918 au 28 mars 1919, des Français spécialistes de ce pays et des Russes, ex-responsables de l'Assemblée constituante[4] dissoute par les bolcheviks.
Composée du nec plus ultra de l'intelligentsia française dont Anatole France, l'historien Paul Aulard, le physicien Paul Langevin, l'économiste Charles Gide, le sociologue Victor Basch, le journaliste Émile Kahn, la commission de la LDH est présidée par le pédagogue et futur Prix Nobel de la paix Ferdinand Buisson. Elle a l'insigne privilège de pouvoir interroger des témoins oculaires et des acteurs de la révolution russe. Le constat du premier témoin, Fernand Grenard, consul général de France à Moscou, est sans appel : « C'est fort simple ; aucune liberté n'existe plus : suppression des libertés d'association, de réunion et d'opinion ; suppression absolue de la presse non gouvernementale ; suppression de toute liberté électorale[5]. » Situation qui contraste profondément avec l'extrême liberté des mois précédents, de février à octobre. Les propos du diplomate sont corroborés par le témoignage du journaliste socialiste Charles Dumas, ancien chef de cabinet de Jules Guesde, et chargé de mission en Russie entre décembre 1917 et mars 1918. Cet homme de gauche signale à la commission qu'il « ne peut pas être considéré comme suspect d'antipathie à l'égard des bolcheviks. [...] Je suis moi-même marxiste. J'ai compté nombre d'amis personnels parmi les chefs du bolchevisme, et j'ai longtemps entretenu des relations cordiales avec Lénine ». Il confirme la dérive antidémocratique du régime : « J'ai été le témoin des manifestations sanglantes de la rue ; j'ai vu sous mes fenêtres les janissaires du régime tirer sur la manifestation des ouvriers de l'usine Oboukoff. Manifestation composée de femmes et d'enfants, d'hommes sans armes [...] ; j'ai vu les victimes agoniser sur les trottoirs, repoussées à coups de crosse de fusil et de baïonnette[6]. » Favorable à une intervention des démocraties occidentales pour soutenir le soulèvement des partis démocratiques russes, Dumas souligne les ressorts de la realpolitik léniniste : « Le gouvernement bolcheviste, devant cette opposition grandissante, a eu recours à la guerre civile [...] et a fait appel à l'Allemagne. Les bolcheviks acceptèrent l'envoi d'officiers allemands afin de former des cadres. En compensation, la Russie fut appelée à fournir à l'Allemagne des matières premières. » La majorité des Russes entendus par la commission en appelle à la « France, pays de la Révolution, pays démocratique pour prendre la tête de l'intervention pour les intérêts communs présents et à venir[7] ».
Intervenant lors de la deuxième séance de la commission, Jacques Delevsky, confirme par ailleurs que les bolcheviks ont abrogé toutes les libertés et « exercent des massacres en masse, même sans jugements et sans condamnations formelles[8] ».
Cependant, une voix discorde dans ce cénacle, celle de Boris Souvarine, envoyé des bolcheviks, qui légitime la terreur communiste : « La révolution prolétarienne s'est trouvée en 1918 dans la situation de la révolution bourgeoise en 1793. Contre elle, à l'extérieur une coalition mondiale, et à l'intérieur la contre-révolution et plusieurs Vendée. » Souvarine a frappé juste en renvoyant la LDH au passé révolutionnaire nourrissant l'idéologie républicaine et socialiste. Il trouve dès lors un allié de poids dans la commission de la LDH en la personne d'Alphonse Aulard, demeuré muet jusqu'à la dernière séance. Républicain radical-socialiste, Aulard est aussi un franc-maçon. Société de réflexion philanthropique, la maçonnerie des Lumières, véritable laboratoire *ex nihilo* des utopies naissantes, demeure au cœur du dispositif de pensée de générations d'intellectuels et de notables en quête d'une société plus juste. Elle influence considérablement la LDH dont beaucoup de responsables possèdent la double appartenance. Titulaire à la Sorbonne de la première chaire universitaire sur la Révolution française, Aulard est, à cette époque, le plus éminent spécialiste du sujet. Procédant par analogie entre les deux révolutions, l'universitaire conclut ainsi sa déclaration : « Je suis frappé de voir que, dans notre Révolution française, nous avons eu comme vous à repousser une intervention armée, nous avons eu des émigrés comme vous. [...] Si, dans l'Europe de ce temps-là, la réaction n'avait pas décidé et pratiqué l'intervention, nous n'aurions pas eu la Terreur. » Le dispositif favorable à l'aveuglement d'une partie de la gauche française est installé. Ainsi, les conclusions de la commission de la Ligue sont ambiguës. Tout en condamnant les bolcheviks pour la mise en place d'une dictature, la LDH s'oppose à « toute intervention militaire qui prétendrait imposer au peuple russe d'autres institutions que celles qu'il aura librement adoptées », reléguant toute action éventuelle de la jeune Société des Nations – visant à « permettre au peuple russe de choisir lui-même son gouvernement » – à une opération favorable aux contre-révolutionnaires.

Lénine obtient des soutiens inattendus tel celui d'Anatole France, membre du comité central de la LDH, qui s'exclame : « Ils veulent la paix et cela excuse tout. »

L'AVEUGLEMENT FACE AU STALINISME À partir des années 20, la prise en main de la LDH par Victor Basch accentue la politisation de l'association. Proche des mouvements pacifistes téléguidés par le jeune PCF, la LDH participe à tous les combats pour la défense des militants communistes emprisonnés par la « justice bourgeoise[9] ».
Épousant la ligne du Komintern dictée aux partis communistes européens, l'aveuglement des dirigeants de la Ligue atteint son point d'orgue lors des procès de Moscou. Entre le 19 et le 23 août 1936, Staline ouvre une série de procès en sorcellerie, visant à l'élimination de la vieille garde bolchevik. Le premier d'entre eux se déroule à Moscou dans la salle Octobre de la Maison des syndicats. Moins de vingt-quatre heures après avoir été reconnus coupables, les seize accusés, dont les leaders historiques Zinoviev et Kamenev, sont exécutés sans avoir pu faire appel de leur sentence. Face à la pression exercée par un petit groupe de pacifistes antistaliniens de la LDH (Magdeleine Paz, Félicien Challaye, Georges Michon entre autres), la Ligue constitua une commission d'enquête composée de son président Victor Basch, du juriste de la Ligue russe Boris Mirkine-Guetzévitch et de maître Raymond Rosenmark, avocat de la LDH. Ce dernier, présent durant tout le procès, fut désigné comme secrétaire de la commission spéciale consacrée au procès de Moscou[10]. À ce titre, il publia le rapport de la commission dans *Les Cahiers des droits de l'homme*, la prestigieuse revue de la LDH dirigée par Émile Kahn alors secrétaire général. Après un bref récapitulatif de l'acte d'accusation, tout en démontrant que le procès respecte les règles communes de la justice, Rosenmark en vient à considérer que les seize accusés sont coupables... puisqu'ils ont avoué : « Douter de la spontanéité de pareils aveux, les attribuer à je ne sais quelle mystérieuse invention scientifique, c'est entrer dans le domaine des hypothèses les plus fantaisistes[11]. » Et il insiste plus loin : « Supposer que les aveux ont été extorqués sous la menace de tortures n'est pas acceptable. [...] Non, il s'agit d'aveux faits en audience publique par des accusés qui ont parlé librement, d'aveux réitérés, pendant cinq jours. » Comparant la législation soviétique à celle de la France, le rapporteur se permet même de justifier la peine de mort pour les accusés ayant participé « à un complot » contre Staline. La fin justifiant les moyens, il ajoute : « Une révolution ne peut être sauvée que par des mesures extrêmes et on ne saurait à certaines périodes se dispenser de recourir à des moyens exceptionnels. » Reprenant encore le parallèle avec la Révolution française, il conclut : « C'est renier la Révolution française que de refuser à un peuple le droit de sévir contre les fauteurs de guerre civile, contre des conspirateurs en liaison avec l'étranger. [...] En présence de menées terroristes, il faut non pas blâmer mais louer les peuples et les régimes qui ont le courage d'instituer un tribunal révolutionnaire[12]. » Tout a été fait pour « aider » les observateurs français. En effet, selon Rosenmark, le compte rendu des débats du procès est traduit dans notre langue. Le rapporteur de la LDH se pose en défenseur des autorités soviétiques et justifie en conclusion l'assassinat des compagnons de Lénine. Ce plaidoyer en faveur des procès staliniens, d'un avocat niant les plus élémentaires droits de la défense, provoque la stupeur de nombreux liguards. Le président de la LDH, Victor Basch, lui-même, est gêné. Il affirme toutefois « que toute atteinte à la République soviétique serait un coup grave porté à la démocratie[13] ». Devant cet inébranlable soutien à l'URSS de Staline, Magdeleine Paz, membre du comité central de la Ligue, réclame un article-réponse au rapport de la commission dans *Les Cahiers des droits de l'homme*. Elle sera seulement autorisée à publier son papier dans un petit journal de gauche, *La Flèche*, malgré les protestations de dix membres du comité central de la LDH[14]. La commission consacrée au procès est finalement élargie à Albert Bayet et à Maurice Paz. Rien ne semble toutefois aboutir, à lire la lettre de démission de ce dernier : « Je suis arrivé à la conviction que la commission – privée de tous moyens sérieux d'investigation, et qui a cessé de se réunir depuis bientôt trois mois – ne remplira pas sa mission : il est vain, dans ces conditions, de prolonger un simulacre d'enquête[15]. » À la veille du congrès de la Ligue en juillet 1937, le constat est également amer pour Félicien Challaye, Michel Alexandre, Léon Emery et Georges Michon. Ils publient un tract – « La Ligue de l'affaire Dreyfus devant les procès de Moscou » – qui se conclut ainsi : « Comment ne pas constater avec douleur que jamais peut-être, autant qu'en cette affaire des procès de Moscou, la Ligue des droits de l'homme n'a aussi complètement, aussi manifestement trahi son devoir ? » À une large majorité, le congrès rejette la position de la minorité antistalinienne et provoque la démission de ce groupe du comité central de la LDH ainsi que celles de Gaston Bergery et Georges Pioch. La complaisance de la LDH à l'égard du stalinisme ne s'explique pas seulement par son attachement au mythe révolutionnaire. Trait d'union entre les partis socialiste, communiste et radical engagés dans le Front populaire et, à ce titre,

Avant la guerre d'Algérie, en effet, ses responsables, comme la plupart des militants de gauche, croient en la mission « civilisatrice » de la colonisation.

fer de lance des campagnes antifascistes, la LDH a adopté la conception stalinienne de l'antifascisme – qui accusait toute critique du communisme de faire le jeu du nazisme. Cet antifascisme continuera de la guider bien après la disparition du régime d'Hitler et de tout réel danger fasciste en France.

LE REMORDS COLONIAL Après la Deuxième Guerre mondiale, durant laquelle nombre des siens ont lutté et sont morts courageusement, victimes du nazisme et du régime de Vichy, la LDH épouse toutes les campagnes de mobilisation orchestrées par le PCF, alors premier parti de France, et ses multiples organisations satellites. Prenant le relais de « l'antifascisme », la dénonciation de l'Amérique comme source de tous les maux s'inscrit dans la guerre froide opposant le camp occidental et les « militants pour la Paix » – c'est-à-dire favorables à une *pax sovietica*[16].

Ce pacifisme unilatéral ne surprendra pas. Il se situe dans la continuité des liaisons dangereuses, initiées en 1918, entre la Ligue des droits de l'homme et le totalitarisme communiste. En revanche, les positions de la LDH à l'égard de l'empire colonial français pourraient scandaliser ses militants actuels. Avant la guerre d'Algérie, en effet, ses responsables, comme la plupart des militants de gauche, croient en la mission « civilisatrice » de la colonisation. Ainsi, l'éminent anthropologue et liguard Paul Rivet, chantre de l'appel du Comité de vigilance des intellectuels antifascistes en février 1934, et fondateur du musée de l'Homme, défend-il cette orientation dans un rapport adopté par le congrès de la LDH en 1952. C'est au nom de cette « mission civilisatrice » qu'il adhère, en 1956, à l'Union pour le salut et le renouveau de l'Algérie française (USRAF)[17]. Ce choix en faveur de l'Algérie française est partagé par l'ethnologue Albert Bayet, président de la Ligue de l'enseignement et compagnon de route du PCF – il est un des fondateurs de l'association France-URSS. Il affirme que « l'indépendance algérienne constituerait un renoncement à l'œuvre civilisatrice de la France qui a implanté en Algérie le progrès, la laïcité, les droits de l'homme et qui abandonnerait la population algérienne à un islam réactionnaire, clérical et rétrograde ». Durant les premières années de la guerre d'Algérie, Émile Kahn, président de la Ligue de 1953 à 1958, incarne une ligne favorable à un « colonialisme de progrès ». À partir de 1958, la prise en main de la Ligue par le socialiste Daniel Mayer insuffle un nouveau virage à l'association. Condamnant la torture et la répression de l'armée française en Algérie, elle rejoint le camp de l'anticolonialisme.

Après la Révolution française et l'antifascisme, l'anticolonialisme va devenir le troisième pilier d'une Ligue des droits de l'homme idéologiquement hémiplégique. Discrète sur la répression de l'insurrection de Budapest en 1956, sur les crimes du FLN algérien ou des Nord-Vietnamiens, indifférente aux dissidents soviétiques, elle dénonce sans relâche (et parfois à juste titre) mais toujours sans nuances les crimes ou atteintes aux libertés commis par les puissances « impérialistes » au premier rang desquelles elle place bien évidemment les États-Unis. Cette vision d'un monde divisé entre dominants – toujours coupables – et dominés – toujours innocents – est transposée à l'intérieur même du territoire français.

Elle explique sans doute aujourd'hui le militantisme sans réserves de l'association en faveur des sans-papiers[18] et plus récemment le soutien à la thèse d'une « fracture coloniale » contribuant à maintenir les enfants et petits-enfants d'immigrés dans une situation d'éternelles victimes d'une République française présentée comme raciste. Une orientation que la présidence de Michel Tubiana a menée de front aux côtés du Mouvement contre le racisme et pour l'amitié entre les peuples (Mrap) dirigé par le conseiller régional PCF d'Île-de-France, Mouloud Aounit[19].

Les deux hommes s'affichent sans complexe aux côtés du prédicateur fondamentaliste Tariq Ramadan. Ils lui ont permis de prendre pied au sein de la commission « islam et laïcité ». Cette structure créée en 1997 par la Ligue de l'enseignement – incarnation par excellence de l'éducation populaire laïque – s'était fixée pour mission d'établir un dialogue interreligieux avec l'islam. Progressivement désertée par les musulmans modérés et laïcs – Soheib Bencheikh et Leïla Babès notamment – et malgré le désaveu de la présidente de la Ligue de l'enseignement, Jacqueline Costa-Lascoux, chercheuse au Cevipof et éminente spécialiste des questions musulmanes, la commission a été prise en main par la LDH, soutenue par le *Monde diplomatique*. Elle a contribué à légitimer Tariq Ramadan parti à l'assaut des plateaux de télévision, des colloques et des conférences internationales pour défendre sa conception rétrograde de l'islam.

Ainsi lorsqu'il publie, en octobre 2003, un texte désignant comme juifs quelques grands intellectuels français, la commission « islam et laïcité » prend ardemment sa défense.

Véritable passerelle entre islamistes et contingents de la gauche tiers-mondiste et laïque, la commission ouvre la voie à la défense commune de prérogatives communautaires et religieuses. Côte à côte, la LDH, le Mrap et cette commission se manifestent comme les opposants les plus ardents à la loi interdisant les signes religieux à l'école. Pour justifier le port du voile, Michel Tubiana introduit l'idée d'une laïcité « ouverte » respectant les traditions communautaires : « Ainsi, on s'interdit de regarder la polysémie que recouvre le port du voile : de la soumission la plus achevée à un ordre patriarcal et religieux à la simple habitude culturelle, cette diversité n'appelle pas, à l'évidence, les mêmes questions et les mêmes réponses. Il n'existe pas une seule grille d'analyse pour comprendre ces situations et y réagir[20]. » Cette interprétation, formulée lors d'un débat organisé par le journal *L'Humanité*, laissa dubitative Zazi Sadou, représentante du Rassemblement algérien des femmes démocrates : « Si, en France, les jeunes filles voilées aujourd'hui mettent plutôt un bandana, est-ce du domaine de l'acceptable, alors que le sens profond du voile est de faire de la femme un objet sexuel, et qu'il est devenu un uniforme codifié par une internationale islamiste ? » Attention, prévient-elle, « à ne pas être amenés à reconnaître des

Le temps où les militants de la LDH organisaient, en 1929, un débat contre le voile islamique dans les colonies françaises semble bien

particularismes qui ne sont pas acceptables. Dire que la lapidation ou le voile est une question de culture, c'est une grave régression[21] ».

Le temps où les militants de la LDH organisaient, en 1929, un débat contre le voile islamique dans les colonies françaises semble bien loin ! Désignant d'abord l'interdiction du voile à l'école comme discriminatoire, la LDH qualifiait la loi votée le 15 mars 2004 « d'islamophobe » pour ne pas dire raciste. Le nouveau président de la LDH, Jean-Pierre Dubois, qui a remplacé Michel Tubiana en juin 2005, confirme cette tendance dans sa perception d'une laïcité ouverte : « Être laïc aujourd'hui, c'est d'abord lutter contre les atteintes à la liberté de conscience — et en particulier à la liberté religieuse — et à l'égalité dans l'exercice de cette liberté[22]. »

Employée à tout bout de champ pour qualifier des positions opposées aux islamistes ou critiques à l'égard de l'islam, l'expression « islamophobie » est également caractéristique de ce glissement des deux associations. Usant des mêmes procédés qui permettaient aux communistes d'exclure leurs détracteurs par l'épithète de « fasciste », l'islamophobie renvoie vers l'anathème de « raciste ». Thierry Meyssan, le journaliste qui a fait fortune en mettant en doute la réalité des attentats du 11 septembre 2001, va jusqu'à donner une notion de classe au néologisme : « L'islamophobie est d'abord une arme idéologique de la haute bourgeoisie pour la préservation de ses privilèges[23]. » Parmi les islamophobes, on retrouve, dès lors, tous les militants antiracistes favorables à la loi contre les signes religieux à l'école : Malek Boutih, ancien président de SOS Racisme, ou Fadela Amara de Ni putes, ni soumises.

Manifestant sa filiation avec la Révolution française, la LDH a symbolisé tout au long de son histoire les deux faces, la vertueuse et l'obscure, de cette période historique. Luttant contre l'injustice et l'antisémitisme lors du procès intenté au capitaine Dreyfus, elle s'enlisa, ensuite, dans un soutien inconditionnel à la révolution russe. Durant l'entre-deux-guerres, pour maintenir à tout prix l'unité du Front populaire, elle s'est compromise dans une sourde myopie face au totalitarisme communiste. Faute d'un regard critique sur son passé, elle reproduit aujourd'hui les mêmes erreurs en soutenant au nom de l'antiracisme les islamistes et les filles voilées dans leurs revendications religieuses et communautaires. Depuis 1918, le totalitarisme a changé de visage. Mais il fascine toujours la Ligue des droits de l'homme. ■

---

1. François Furet, *Le Passé d'une illusion. Essai sur l'idée communiste au XXe siècle*, Robert Laffont/Calman-Lévy, 1995, p. 277.
2. Christian Jelen, *L'Aveuglement. Les socialistes et la naissance du mythe soviétique*, Flammarion, 1984, p. 33-40.
3. François Furet, *op. cit.*, p. 77.
4. *Bulletin de la LDH*, 3 (1er février 1919), 4 (15 février 1919) et 5-6 (1er-15 mars 1919).
5. *Bulletin de la LDH*, 3 (1er février 1919), p. 102.
6. *Ibid.*, p. 104.
7. M. Eck, officier interprète à la mission russe. *Ibid.*, p. 110.
8. *Ibid.*, p. 112-113.
9. *Cf.* Yves Santamaria, *L'Enfant du malheur. Le Parti communiste français dans la lutte pour la paix, 1914-1947*, Seli Arsan, 2002.
10. De son vrai patronyme Herman Rosenmark (1885-1950), il fut avocat à la cour d'appel de Paris et collaborateur de l'ancien socialiste René Viviani. Proche des milieux maçonniques, il adhéra à la LDH en 1902 et en devint le juriste.
11. *Les Cahiers des droits de l'homme*, 31, 15 novembre 1936, p. 748.
12. *Ibid.*, p. 750.
13. *Ibid.*, p. 755.
14. « En marge des procès de Moscou », *La Flèche*, 26 janvier 1937.
15. Lettre de Maurice Paz à Émile Khan, 27 juin 1937.
16. *Cf.* Stéphane Courtois, Marc Lazar, *Communisme*, MA Éditions, 1987.
17. *Cf.* Claude Liauzu, « La LDH et la colonisation » dans Gilles Manceron, Madeleine Rebérioux (sld), *Droits de l'homme. Combats du siècle*, Seuil, 2004. Fondée en 1956 par le gaulliste Jacques Soustelle, l'USRAF voue une haine farouche « aux traîtres bradeurs de l'empire colonial ».
18. Au moment de conclure cet article, l'émission de Thierry Ardisson « Tout le Monde en parle » sur France 2 (8 octobre 2005) donnait la parole aux hérauts de la LDH, Guy Bedos et Muriel Robin, se faisant l'écho d'une « chasse aux étrangers » orchestrée par le gouvernement français.
19. Fondé en 1949 et initialement baptisé Mouvement contre le racisme, l'antisémitisme et pour la paix, le Mrap a pour ancêtre le Mouvement national contre le racisme (MNCR) créé clandestinement en 1942 par le PCF pour réunir les Juifs communistes ou sympathisants. En 1977, l'association a décidé de gommer la référence à l'antisémitisme et à la paix dans son appellation.
20. Michel Tubiana, « Une loi ne résoudra rien », octobre 2003.
21. Lionel Venturini, « Des futurs plus humains, un enjeu fortement politique », *L'Humanité*, 16 décembre 2003.
22. Jean-Pierre Dubois, « La laïcité au défi du pluralisme culturel », *Hommes et Libertés*, 113-114, mars-juin 2001.
23. « L'islamophobie, idéologie de domination sociale », voltairenet.org, 30 octobre 2003.

Pourquoi
me faire souffrir
ainsi ?

1913.

ICH HABE EINEN TRAUM

YASMINA REZA

J'ai un rêve. ***À première vue, quoi de plus naturel et de plus partagé ? Et cependant je vois dans cette invitation à m'exprimer à travers cette page une sorte d'ironie...***

On m'informait, il y a quelques mois, que le journal *Die Zeit* me consacrait une page. Je devais donner un texte inédit dont le thème, récurrent depuis des années dans cette feuille hebdomadaire, et inconnu de moi au moment où j'acceptais la proposition, était : *Ich habe einen Traum* (« J'ai un rêve »).
J'alertai mon agent allemand sur l'ironie de cette formulation me concernant. Il me répondit : « Écrivez ce que vous pouvez. » J'envoyai ceci :

J'ai un rêve. À première vue, quoi de plus naturel et de plus partagé ? Et cependant je vois dans cette invitation à m'exprimer à travers cette page une sorte d'ironie, m'étant toujours, du moins je le crois, efforcée de travailler sur la « désillusion », entendue comme inévitable rencontre avec le fait. Ainsi, je me trouve face à la déconcertante impossibilité de répondre à cet exercice avec simplicité.
J'ai un rêve ? Le rêve qui consiste à vouloir n'importe quel travestissement de la réalité, soutenu par l'imagination, ne m'évoque aucune image sincère. Le rêve est associé à la nuit, à l'indicible. On ne peut pas raconter un rêve, on raconte aussitôt autre chose. Dès lors qu'on raconte un rêve, il ne tient plus lieu de rêve mais de souvenir. Dire « j'ai un rêve » suppose un rêve pour l'avenir. Un rêve à rêver en quelque sorte. Je l'entends comme *une espérance*. Quelque chose qui n'est pas du domaine de l'illusion ou de l'impossible, mais du domaine du temps. Quelque chose d'heureux, d'improbable, ou de presque irréalisable, qui appartient à l'avenir.
Je pense aussitôt à ces vers de Borges : *Défendez-moi Seigneur... Non de l'épée ou de la rouge lance, défendez-moi Seigneur, de l'espérance.*
Je suis d'accord avec Borges. Il faut se défendre de l'espérance. Dans un avenir où tout est encore possible, il y a la possibilité que mon rêve advienne ou non. On ne peut pas vivre en attente de son rêve. La position d'attendre est terrible. Ou alors qu'on me donne la sagesse d'espérer sans attendre. Voilà un rêve possible ! Tout espérer et ne rien attendre. Il paraît que cette formule fait partie de la sagesse juive.
Les Juifs, pas seulement eux d'ailleurs, mais eux particulièrement, ont toujours sous la main de ces recettes séduisantes et inapplicables.
À moins que la formule ne signifie autre chose : que seuls les grands pessimistes peuvent espérer ?
J'aime assez ce paradoxe de l'espoir qui n'appartiendrait qu'à ceux qui n'en ont pas. Je m'y reconnais. Une espérance profonde, violente et qui ne croirait pas en elle-même. C'est dans cette ambivalence qu'il y a toujours une petite place pour la chance.
Les seuls rêves que je peux avoir sont sous forme de vœux. C'est-à-dire un recours à l'enfantin ou au primitif. Et j'ajoute sous forme de secret. Vœu secret. Car nommer les choses que nous souhaitons les fait disparaître.
J'espère qu'on me saura gré de cette irruption de l'irrationnel dans un développement parti pour être un hymne au principe de réalité ! Mais l'irrationnel est aussi une figure de la réalité, non ? Les choses non énoncées conservent une puissance, je ne sais pas comment l'exprimer, une liberté spéciale. Ce qui est dit s'égare aussitôt dans le réel car les mots sont partie prenante du réel. Qu'ils s'y engluent ou le manipulent, ils perdent en avenir. On le voit bien dans la littérature, les discours, dans la vie publique, et au fond dans toute forme de relation humaine, l'enchantement ne réside que dans l'espace vide que les mots créent. Il faut toujours qu'il y ait un espace de silence. À vrai dire, c'est exactement là que prennent forme le rêve, l'espoir, l'espérance, ce qu'on voudra. Dans un enclos privé de lumière, de son, dans le noir, dans le secret.
Formuler un rêve, c'est ne lui accorder aucune importance. Je veux dire en tant que rêve. Ça devient un désir comme un autre. Plus ou moins extravagant, plus ou moins sérieux. Formuler un rêve, c'est lui faire perdre sa dimension de rêve. Car au fond, il y a quelque chose de sacré à vouloir une chose intensément. ■

* YASMINA REZA *est écrivain et dramaturge, elle est notamment l'auteur de* Dans la luge d'Arthur Schopenhauer *(Albin Michel, 2005) et de* Nulle part *(Albin Michel, 2005).*

MUSIQUES D'AUJOURD'HUI : L'INJONCTION AU MÉTISSAGE

PHILIPPE GUMPLOWICZ

La musique touche à la sphère de l'intime, du goût, elle exprime une vision du monde qui s'inscrit dans les consciences, en deçà de la pensée et des discours. Mais les musiques actuelles sont aussi un marqueur idéologique. Écoutons-les. Elles racontent une époque écartelée : invocation proclamée à un métissage généralisé et goût revendiqué pour la « pureté » des musiques lointaines et identitaires.

Qu'est-ce que l'on aime quand on dit « j'aime » ? La question vaut pour tous les types d'amour. Elle vaut aussi pour le plaisir musical. Son ressort est la *reconnaissance* – on aime ce que l'on retrouve – puis la surprise, l'aventure et l'inconnu. Chacun d'entre nous possède une musique en laquelle il se reconnaît, se retrouve et revit, une musique qui lui fait un cadeau inespéré : être transporté dans un monde à ses mesures. Je m'interroge. Je vois mes amis mettre des CD sur la console, passer de l'un à l'autre, puis encore à un autre. Zapping... Attirance vers des musiques lointaines perçues comme pures de toute contamination occidentale, attirance vers les mélanges musicaux les plus improbables – une pincée de chant grégorien épicée de musique iranienne et de jazz planant. Mes amis et les autres, ces millions de consommateurs, que reconnaissent-ils là dedans ?
Métissage. C'est le vocable couramment utilisé pour désigner cet amour du lointain (il n'y a pas que les adolescents qui soient mordus de deejayridoo ou de djembé), ce besoin paradoxal de pureté musicale et de mélanges variés à l'infini. Rapprochement saisissant : appétit pour l'authentique et gloutonnerie de croisements. Recherche de la couleur locale, moins pour elle-même que pour la délocaliser avec ce qui tombe sous la main, et tout fait l'affaire, Mozart ou musique de quartier en passant par telle musique de terroir. Métissage : le slogan et le mantra absolus. Artiste, producteur, commentateur de la vie musicale, invoquez le métissage et vous serez inscrit dans le cercle de famille. Tolérant, curieux et ouvert, opposé aux étiquettes et aux frontières, vous êtes moderne.
Damny Baluteau chant, claviers et programmation ; DJ Mouf, platines. Le premier album du groupe La Phaze a suscité l'intérêt du *GenevaPunkSka*. « La Phaze a gagné le pari du métissage jungle/ragga/dub/jazz/rock. » Pour qui l'ignorerait, la jungle est un style proche du drum'n bass, apparu chez des DJ anglais des années 90, un courant musical issu du breakbeat, de la techno, du ragga et du hip-hop.

* PHILIPPE GUMPLOWICZ *est musicologue. Il est notamment l'auteur du* Roman du jazz *(Fayard, 2000).*

Quelque dix-sept mille sites web recensent les vertus et les avatars du métissage musical. Sans compter la marée verbale qui entoure la « rencontre » (ah ! la rencontre !), d'autant plus « forte » que les musiciens viennent d'« horizons vraiment différents ». « Rencontre entre un joueur d'oud syrien et un guitariste de rock français », titre *Le Monde 2*. « À Damas, Khaled Al Jarramani est considéré comme un maître. Serge Teyssot-Gay est membre de Noir Désir. (...) Ils ont su inventer un idiome commun à base d'entrelacs, de ressassements [*sic*] et d'improvisations. » Pour RFI, « la rencontre entre polyphonies corses et chœurs zoulous dans *Alma*, quinzième album d'I Muvrini, est si subtile qu'elle n'est pas forcément perceptible à la première écoute. Pourtant, elle irradie réellement cet opus, enrichit cette âme d'un instant de partage rare ». Ah oui ! Il y a également le « partage » !
Le monde universitaire n'est pas en reste. François Laplantine, professeur de sociologie à Lyon-II et auteur avec Alexis Nouss d'un *Dictionnaire du métissage*, chez Pauvert, affirme que le métissage est « le contraire de l'autisme, ainsi que de l'individu repu,

satisfait, autosuffisant ». Cette définition par défaut vaut pour tous les types de métissage. « Métis », la chanson de Yannick Noah, fut un des grands succès de l'été 2005.
On peut s'étonner que l'injonction idéologique au métissage généralisé des musiques aille de pair avec une aspiration à l'authenticité, à la production locale, à l'expression surgie du terroir, au bout de roseau exfiltré de la toundra ou de l'Inde du Sud. Le Théâtre de la Ville s'est fait une spécialité de l'exhumation saisonnière de tel joueur de tar arménien ou de l'exhibition d'un flûtiste mongol. Valeur ajoutée d'une résistance à la mondialisation ? C'est en Afrique, en Asie ou en Amérique du Sud que les musiciens occidentaux cherchent les épices indispensables au chaudron de la world music. En 1979, le producteur indépendant Gilbert Castro lance la musique africaine à la conquête de l'Occident avec les Touré Kunda et Cesaria Evora. En 1984, Paul Simon fait débuter *Graceland* par un accordéon diatonique sud-africain suivi d'une batterie électronique impressionnante... À l'image du succès de l'album. Apparue vers 1986 en Grande-Bretagne autour de Peter Gabriel, la world music enrobe les voix des chanteurs « du monde » de tout le confort moderne. Le consommateur occidental suivra. Il a la particularité d'être solvable. En vingt ans d'existence, les chiffres de vente de disques de world music se situent juste en dessous du jazz et de la musique classique. Pour la France, c'est le premier genre musical à avoir la faveur des petites salles et des festivals.

DÉCRYPTAGES Même si le consommateur occidental l'oublie ou ne veut pas le savoir, cet appétit pour la culture de l'autre appartient en propre à la culture... occidentale dont la caractéristique, comme l'écrit Leo Strauss, est précisément d'être ouverte à toutes les autres. Saisissante, cette irruption inattendue, au cœur du XVIIIe siècle, d'une mélodie hébraïque dans un psaume baroque du compositeur vénitien Benedetto Marcello – en y prêtant l'oreille, on y entendrait à l'avance les réussites et les drames de l'entrée des Juifs dans la culture européenne. Bouleversante, l'harmonisation de ces chants populaires gallois ou irlandais par Beethoven. Révolutionnaire, l'usage que fait Debussy de la musique de Bali. Prodigieuse, cette arrivée du jazz ; cette fois, ce sont des Noirs de La Nouvelle-Orléans qui aspirent en leurs fourneaux des ingrédients de la musique occidentale et des musiques africaines.
Public vieillissant, ventes de disques qui plafonnent à 5 % du chiffre global pour l'année 2004 (avec, il est vrai, une progression sensible pour le premier semestre 2005), la musique « classique » est en déclin. J'y vois une indifférence – un mépris ? – pour une culture occidentale dont l'intérêt se résumerait désormais à ses réalisations technologiques. La musique « classique » pécherait par le mépris du « corps », on jurerait qu'elle suinte l'ennui distingué, l'enfermement esthétique, le regard surplombant au-dessus des autres cultures. À l'inverse, le métissage musical unirait sur fond de danse chaloupée et multicolore. Il prouverait qu'« un autre monde » est non seulement possible mais qu'il est déjà là. Les musiciens métisseurs en sont les annonciateurs. Croyance en une langue musicale obscurément commune à tous les peuples, ensevelie sous la musique occidentale dominante que le métissage musical exhumerait. C'est le message de Jean-François Bernardini, chanteur d'I Muvrini. Ils se sont de suite reconnus, Zoulous et Corses, les uns et les autres venus d'une « culture minoritaire ou minorée ». Ils portent les qualités de l'humanité antérieures aux « enfermements » : capitalisme, État-nation, impérialisme. On sourit. Quelle différence, entre I Muvrini et Paul Simon ? À vingt ans d'écart, ils ont procédé de la même manière, en studio. Ils ont enregistré du « son » zoulou qu'ils ont remixé en conservant la couleur adaptée au goût du consommateur occidental. Mais l'Américain Paul Simon est un agent de la mondialisation honnie tandis qu'I Muvrini, fort d'une identité musicale corse virginale et inaltérable, concourt à une manière de fraternité primitive des multitudes face à l'Empire. « Est-ce qu'on a le droit d'être un artiste contemporain quand on vient d'une culture minoritaire ou minorée ? Notre confiance dans notre identité, dans notre vérité artistique, fait que nous ne risquons pas de nous perdre au contact de l'autre, mais plutôt de nous trouver, de nous retrouver ensemble. »
Ce fantasme mêlé de virginité populaire et d'appariement généralisé est le pendant culturel des croyances altermondialistes. Il est à l'unisson des foules pacifistes descendues en masse dans les rues des capitales européennes en février 2003, rassemblées par la même aspiration à un monde irénique et la même haine d'une Amérique incarnant la domination occidentale sur le monde.
Et pourtant... La musique « classique » est-elle occidentale ou universelle ? Qui a remarqué que lorsque Daniel Barenboïm réunit à l'été 2005 des jeunes musiciens arabes et israéliens à Ramallah, la rencontre ne s'est pas faite sur des particularités du terroir local – musiques folkloriques israéliennes ou palestiniennes – mais sur la musique classique occidentale ? Seule musique, avec le jazz, à être réellement universelle, c'est-à-dire apte à donner sa place à chacun, quelle que soit son origine.

FRATERNITÉ, VRAIMENT ? Si intime à chacun, le plaisir musical. Si socialisé dans une culture. Propre aussi à attiser la curiosité pour l'autre, le lointain. Et constater que l'autre n'est pas tout à fait autre. Ce parcours a été celui de l'Occident, cette démarche lui appartient en propre. En son centre, la réalisation d'une langue musicale universelle (la musique « classique » mais aussi le jazz) à même d'accueillir chacun ; en ses marges, une curiosité pour l'autre. Il est dans la logique de l'ouverture à l'universel de faire place aux particularités locales. Les dérapages

© Sempé.

racistes ou suprématistes surgirent de l'hypertrophie du « local ». Le nationalisme mixophobe s'est exprimé dans le registre musical durant le premier XXe siècle en privilégiant la « musique nationale ». La musique selon Barrès renvoyait à « une patrie originaire ». Cette survalorisation mythique de l'origine et de l'enracinement, on la retrouve démultipliée chez Céline et ses hommages délirants au folklore dans ses textes écrits durant l'Occupation : « Une offensive énorme menée par les Juifs contre notre folklore et nos traditions émotions – notre rythme – avec l'aide du bougnoulisme instrumental. [...] Dégueulis tropicaux, pas avachis américano-youtre. [...] Dose branleuse de mélancolie slavo-chinoise et le complot sera complet[1] »...

...ût d'une certaine gauche pour ces ... peuple prolonge cette ... la droite extrême qui, sur les pas de G.F. Herder, premier collecteur de chants populaires allemands, privilégia toujours l'ancrage national contre la cour cosmopolite, la poésie populaire contre la poésie de l'élite, le local contre l'universel. Cet hymne au *Volk* donnera ainsi naissance au folklore, au fantasme du génie anonyme des humbles.

Rien n'est moins nouveau que le métissage (rappelons tout de même que le métissage est un processus au long terme dans lequel les éléments de départ se fondent les uns aux autres en un tout indifférencié ; voir le jazz, la musique cubaine ou celle du Cap-Vert). Ce qui est neuf, c'est l'injonction – déclamatoire et incantatoire – à la mixophilie musicale. Invoquée à grands cris à la mesure proportionnelle de l'absence fondamentale de vraies rencontres et d'un authentique métissage. « Les cœurs sont bien près de s'entendre/Quand les voix ont fraternisé. » Ces vers de mirliton du poète Béranger nous disent combien est tenace le désir de communion attendu de la musique. Tout se passe comme si dans un monde crevassé par les conflits ethniques, la musique représentait un territoire préservé, un rêve. Mais dans la vérité des choses ? Dans la musique jouée, produite ?

House, jungle, drum'n bass, trip-hop, experimental, goa/trance, world, hip-hop, reggae, funk/soul. À refus déclamé des étiquettes, multiplication constatée des frontières, des tribus, des couloirs d'incommunication. Plus se tressent les odes au métissage, plus s'éloigne la possibilité d'une musique partagée par tous, si on excepte ce RMI musical : la techno.

I Muvrini a-t-il vraiment rencontré des musiciens zoulous ? On peut en douter en écoutant *Alma*. Un album entièrement chanté en corse, avec des chœurs homéopathiques, peut-être zoulous mais ils pourraient être chinois ou parisiens, tant ils sont lointains, décoratifs. Les Zoulous font de la figuration, la rencontre n'est constatable que dans le clip et dans les propos vendeurs de Jean-François Bernardini. Pure alliance du politiquement correct et du commercialement efficace. Des rencontres il en est de belles, de mauvaises, il en est surtout de fausses, de plates ou d'insignifiantes. Les belles rencontres reposent sur un échange peu ou prou égal. Non sur une juxtaposition d'univers musicaux avec l'un des partenaires qui « fait son truc » – le musicien traditionnel ou « classique » – pendant que l'autre s'ajuste, invente et se débrouille. Encore moins sur le chapardage de sons locaux, « samplés » (musicalement scannés), injectés, recyclés par un producteur ingénieux en studio. ■

1. Lettre non datée (vraisemblablement écrite en 1942) de Céline à André Cœuroy, déposée au département de la musique de la Bibliothèque nationale de France, fonds André Cœuroy.

DIEU EST DANGEREUX, SON ABSENCE AUSSI

Florence Taubmann

Il n'est pas besoin de refaire l'histoire des siècles passés pour constater que le mot « Dieu » est dangereux. Se mêlant à des considérations géopolitiques ou économiques, les religions ont été facteurs de violence, d'intolérance, de guerres.

Aujourd'hui nous sommes dans un contexte où l'islamisme radical, depuis une vingtaine d'années, génère un terrorisme aveugle et meurtrier dans de nombreux pays, tuant des Juifs, des chrétiens ou autres, mais surtout des musulmans et particulièrement des musulmanes.

Cette violence, exercée au nom de Dieu, renvoie à une vieille question, déjà posée au siècle des Lumières : celle des dangers inhérents à toute religion. Elle conduit beaucoup d'esprits éclairés de notre temps à déclarer toute religion forcément obscurantiste, intolérante et génératrice de violence entre les hommes. À l'opposé, ceux qui restent croyants et plus ou moins pratiquants de leur religion s'étonnent de cet amalgame. Ils se réclament d'un Dieu d'amour et de tolérance qui ne saurait donc être confondu avec ce Dieu au nom duquel on prêche la violence.

Pourtant, c'est vrai, la question de Dieu, qu'on le veuille ou non, est intrinsèquement dangereuse. Car elle touche à des domaines humains très sensibles : la vérité, le sens de la vie et de la mort, l'identité, la culture, les racines… Tout cela est donc susceptible de générer des réactions passionnelles.

Mais en même temps, et c'est là le paradoxe, rien ne peut empêcher l'homme de se poser cette question qui réapparaît alors même que telle ou telle époque semblait l'avoir oubliée ou effacée. De plus, chacun lui reconnaît des impacts éminemment positifs dans les sociétés et les cultures, sur les plans symbolique, esthétique ou éthique tandis qu'au XXe siècle des sociétés athées, devenues totalitaires, ont pu se révéler terriblement meurtrières.

Face au Dieu dangereux du terrorisme islamiste, le principal problème théologique et culturel de l'Europe en ce début du XXIe siècle est celui de la mort de Dieu.

Le mouvement de sécularisation apparu au temps de la Renaissance et des Réformes protestantes a d'abord généré une séparation progressive du théologique et du politique. Mais il semble aujourd'hui s'achever par la disparition de Dieu de l'horizon commun social et culturel. Bien sûr il existe des personnes croyantes ou pratiquant tel ou tel culte, et les œuvres religieuses du passé sont très visitées, mais le Dieu de notre imaginaire de chrétienté, le Dieu qui occupait notre ciel social européen, ce Dieu-là n'est plus vivant. La sécularisation du christianisme a abouti à une déchristianisation spirituelle, en même temps que les valeurs chrétiennes jugées les plus positives, telles la charité et la compassion, étaient absorbées par la société civile. Toutefois sur un plan plus philosophique et théologique, cette déchristianisation a été aggravée par les effets dévastateurs des grandes tragédies du XXe siècle sur la conscience européenne. Après l'hécatombe de la Première Guerre mondiale, après les horreurs de la Seconde, la découverte des camps d'extermination, la bombe atomique sur Hiroshima et Nagasaki, le Dieu providence de la grande tradition chrétienne et judéo-chrétienne n'a pu sortir indemne de ce champ de ruines. Il a fallu totalement repenser « le concept de Dieu après Auschwitz » selon le titre d'un livre du philosophe Hans Jonas. « Nous affirmons en effet, pour notre image de Dieu comme pour notre entière relation au divin, que nous ne sommes pas en mesure de maintenir la doctrine traditionnelle médiévale d'une puissance divine absolue, sans limites », écrivait-il en 1984. Le Dieu tout-puissant, le Dieu de l'histoire n'est plus défendable, et c'est sous l'image du Dieu souffrant, du Dieu en devenir, du Dieu proche de l'homme et soucieux de la création qu'il apparaît désormais. Il s'agit chez Jonas d'une approche juive, mais on en trouve l'écho dans le christianisme également, car le Dieu qu'on entend prêcher aujourd'hui dans les Églises est moins souvent le Dieu puissant de la morale et de la justice que le Dieu faible de l'amour et de la compassion. D'autant plus que la connaissance qu'a le christianisme contemporain des périodes sombres de son histoire – croisades, inquisition, antijudaïsme – génère une profonde mauvaise conscience dans les sociétés chrétiennes, ou imprégnées de christianisme.

* FLORENCE TAUBMANN *est pasteur de l'Église réformée de France.*

La doctrine fondamentale du christianisme n'a pas changé, mais dans son interprétation une théologie basse a remplacé une théologie haute.
Cette orientation théologique explique en partie le clivage profond qui s'est révélé, au moment de la guerre d'Irak, entre le Dieu européen et le Dieu américain. Si l'on se fie aux journaux, on pourrait croire à une guerre de religion à l'intérieur du christianisme. En effet la critique du gouvernement américain a débordé sur le champ théologique : de nombreux chrétiens ont participé à la dénonciation du Dieu de Bush et des Américains, les accusant de fondamentalisme, de fanatisme, et de vouloir mener une guerre sainte.
C'est ignorer totalement la complexité du christianisme protestant américain, qui se traduit par une multiplicité d'Églises et par des tendances théologiques et politiques extrêmement diversifiées. C'est ignorer encore le poids et le caractère de la religion civile aux États-Unis, qui font que le langage religieux peut être utilisé dans l'espace laïc car la sécularisation n'a pas conduit à un cantonnement culturel du religieux comme en Europe. Autrement dit, Dieu habite encore le ciel social américain, que les citoyens soient ou non croyants, et l'histoire de l'Amérique s'exprime encore dans des catégories marquées par l'univers et la pensée bibliques : née de l'Exode comme un nouvel Israël, l'Amérique s'attribue dans le monde une mission salutaire pour laquelle elle reçoit la bénédiction de Dieu, et cela lui donne la force de faire face à des ennemis. Le Dieu américain est présent dans l'histoire, non seulement pour des fondamentalistes persuadés de recevoir directement ses ordres, mais pour les chrétiens tirant de leur foi force et inspiration pour décider de leurs actions et de leur engagement et plus largement pour les citoyens des États-Unis en tant que fondement culturel, conscient ou inconscient.
Au regard du Dieu américain le Dieu invoqué en Europe apparaît davantage comme un Dieu de la posthistoire, un Dieu de l'éthique eschatologique où la seule valeur est la paix. Par rapport aux Américains, pour qui le système binaire bien/mal, amis/ennemis est encore structurant et dynamisant, les Européens sont déjà passés à un système multipolaire où la notion d'ennemi ne semble plus recevable et où le relativisme apparaît comme une mesure de sagesse. Les réactions devant les manifestations violentes de l'islamisme radical montrent cette différence. Là où un discours américain évoquera facilement l'axe du mal et la nécessité d'une croisade pour la démocratie, un discours européen aura tendance à se retenir de stigmatiser trop fortement l'islamisme par peur de provoquer l'amalgame entre islamisme et islam, et il en dénoncera les causes dans la misère et l'injustice dues à la domination des pays riches. Et s'il accuse l'extrémisme de Ben Laden et de ses sbires, il le comparera à celui du président américain George Bush.
On peut penser qu'après l'actuelle crise de forte intensité, cette collusion violente entre Dieu et l'histoire s'apaisera dans l'avenir, laissant finalement le Dieu de la posthistoire, le Dieu de la paix avoir le dernier mot.
On peut aussi imaginer que rien n'arrêtera ni la sécularisation ni la mondialisation et qu'à terme la conjugaison des deux pourrait entraîner l'affaiblissement du religieux.
Pourtant, la fin du religieux ne semble pas pour demain, et les élites de l'islamisme radical fournissent l'exemple du mariage entre modernité, mondialisation et intégrisme religieux. Par ailleurs les périodes d'angoisse sociale, propices à la quête religieuse, pourraient favoriser le retour de Dieu. Entre un retour à la religion des pères, un syncrétisme débridé et les nouvelles tentations intégristes ou fondamentalistes, il est difficile de savoir de quoi le Dieu de demain sera fait – ce que ce mot suscitera ou provoquera en termes de progrès, de retours en arrière, de paix ou de violence.
Les enjeux pour l'avenir sont d'ordre philosophique et théologique autant qu'éthique.
Aujourd'hui dans nos pays les personnes de bonne volonté prêchent la tolérance, le dialogue, le pluralisme religieux, le multiculturalisme. Mais cette ouverture ne suffit pas toujours à apaiser les passions. Car elle est souvent entachée d'une illusion : celle que les vertus si évidentes de l'universalisme l'emporteront sur les particularismes, et que les hommes se reconnaîtront donc tous un jour dans un même Dieu : le Dieu de la paix, fondement d'une éthique universelle. Mais il s'agit d'une utopie dangereuse car un tel Dieu est forcément abstrait, virtuel et sans racines. Ce n'est pas un Dieu dans l'histoire et les hommes semblent avoir besoin d'un Dieu dans leur histoire. Comme ils ont besoin d'une identité historique et d'un ancrage géographique.
Dans le contexte de la mondialisation et des sociétés ouvertes de l'Occident, nous devrons apprendre à penser les différences afin de conjuguer identité religieuse et altérité religieuse. Pas seulement d'un point de vue social et politique, ou dans l'esprit d'une éthique de tolérance, mais aussi d'un point de vue théologique. Comment conjuguer entre elles les histoires singulières de Dieu, et comment articuler chacune de ces histoires avec sa perspective universaliste ? Un exemple très concret nous est fourni par le judaïsme qui, seul des trois monothéismes, n'a jamais eu l'ambition de convertir la terre entière à son Dieu. Il pose comme principe fondamental la différence acceptée entre vocation singulière du peuple juif et portée universelle de la révélation adressée à ce peuple. Si l'on reste dans le cadre des trois monothéismes, ils pourraient dans l'avenir articuler ensemble leurs vocations et leurs charismes respectifs pour apporter le meilleur d'eux-mêmes dans la construction de l'humanisme de demain. Mais la condition première est de renoncer non pas à la quête de la vérité, mais à une vision exclusive de la vérité, qui est la tentation la plus forte des religions révélées. ■

– Du 17 au 23, je serai chez mes cousins, dans l'Yonne.

400TX
5

KANT À BAGDAD

ANDRÉ GLUCKSMANN

Est-ce l'Europe des Lumières contre une Amérique dévote et obscurantiste qui s'est exprimée en 2003 à travers le mouvement massif d'opposition à l'intervention américaine en Irak ? Beaucoup d'intellectuels, notamment en France et en Allemagne, ont accrédité cette thèse en se référant au philosophe Emmanuel Kant, mort en 1804. Qu'en penserait l'auteur de* Critique de la raison pure *? Nul ne le sait évidemment. Mais André Glucksmann, qui ne voit aucunement dans l'axe Paris-Berlin-Moscou-Pékin l'esquisse d'une meilleure régulation des relations internationales voulue par Kant, a endossé le costume du journaliste pour interviewer le père de la philosophie moderne.

Un masque à gaz abandonné par les troupes irakiennes dans leur fuite, Bagdad, 2003. © Abbas/Magnum Photos.

INTERVIEW D'EMMANUEL KANT PAR ANDRÉ GLUCKSMANN

Monsieur le philosophe, pourquoi réclamer un visa pour Bagdad ?
Vous n'ignorez pas que les « grands hommes » trépassés séjournent éternellement dans les Îles Bienheureuses, où parfois ils s'ennuient. J'ai eu droit, pour le 200e anniversaire de ma mort, à une année sabbatique. Quel plaisir de revenir sur terre pour assister anonymement à cet étrange départ de millénaire ! Comme mes collègues, les philosophes grecs, j'aime me sentir dépaysé. L'étonnement n'est-il pas notre péché originel ?

Mais pourquoi atterrir en Irak ? Je ne vous connaissais pas ce goût pour les situations troubles, le sang et la mort. Les penseurs et les poètes ne préfèrent-ils pas les sociétés heureuses et pacifiques, le luxe et la sérénité ? Un polémiste français a dit de vous : « Kant se voulant "pur" et immaculé a les mains tellement propres qu'il n'a pas de mains. » Ne craignez-vous pas de vous salir ?
Méfiez-vous, monsieur le journaliste, du qu'en-dira-t-on ! En me sacrant grande conscience allemande, on a tout mélangé, me confondant avec mon illustre prédécesseur Leibniz ou mes infidèles héritiers, Hegel et sa joyeuse progéniture. Tous ces gens sont des penseurs systématiques. Ils en savent plus long que moi sur la Providence et la justice divine. Ils jugent le cours du monde du point de vue de l'éternel, pré ou posthistorique. Comme j'ai rigolé, juché sur mon nuage, en écoutant un penseur nippo-américain prêcher « la fin de l'Histoire » quand l'Empire soviétique s'effondra. Il empruntait cette songerie (*Schwärmerei*) au philosophe Kojève qui, en 1937, croyait dur comme fer que Staline incarnait ce terminus magnifique de l'aventure humaine. En 1806, Hegel, son maître à penser, avait chanté la même ritournelle et crut voir le point final de l'Histoire dans Napoléon à cheval, pacificateur de l'Europe éclairée pour les siècles des siècles. J'ai toujours redouté ces rêves d'harmonie. Ne l'oubliez pas : mes œuvres principales s'intitulent

---

* ANDRÉ GLUCKSMANN *est philosophe et écrivain. Il est notamment l'auteur du* Discours de la haine *(Plon, 2004).*

Critiques... Ce sont des ouvrages de combat. Impossible d'être plus clair : dès le deuxième paragraphe de ma préface à la *Critique de la raison pure*, je définis la métaphysique comme un champ de bataille (*Kampfplatz*), un « combat sans fin ». Comprenez que, pour moi, la condition humaine tout entière est *agôn*, au sens grec de la lutte permanente de soi avec soi, la bataille d'une Raison fragile relevant le défi de diverses bêtises, enthousiasmes et folies.

Ce n'est pas l'image qu'on se fait de vous. Un essayiste américain, Kagan, vient juste de vous reprocher d'incarner l'esprit pacifiste et même capitulard d'une vieille Europe, préférant Vénus à Mars, la volupté à la guerre.

Épargnez-moi les références analphabètes. M'instituer épicurien, apôtre de la jouissance et de la consommation, il fallait l'oser ! N'importe quel étudiant débutant énonçant pareille absurdité mérite un zéro pointé. D'ordinaire on ne m'estime pas libertin, mais plutôt coincé. Également à tort, du reste.

Pourtant des professeurs allemands, dûment diplômés, vous adoptent aussi dans le « camp de la paix » : les participants aux manifestations de masse en Allemagne, au printemps 2003, « auraient plus facilement emprunté leurs slogans et leurs arguments aux écrits du penseur de Königsberg », écrit le Spiegel *dans un article qui se veut sérieux et cultivé.*

Une fois de plus, me voilà joliment mobilisé ! En 1914, Thomas Mann m'a couronné chef d'état-major de l'Esprit allemand, tandis que du côté français on se réclamait de moi pour mener « la guerre du droit ». Permettez un sourire devant vos sinistres folies.

Vous vous défilez ! N'avez-vous pas écrit Vers la paix perpétuelle *? Ne vous réclamez-vous pas d'un esprit « cosmopolite » qui vise à régler sans guerre le commerce des nations ?*

Décidément, jeune homme, votre siècle a perdu le sens et le goût de l'ironie. N'oubliez jamais que je suis un contemporain de Voltaire ! Lorsque j'intitule mon essai sur la politique internationale *Vers la paix perpétuelle*, j'évoque, dès les premières lignes, l'enseigne d'une auberge arborant un cimetière – seul lieu qui puisse garantir une « paix perpétuelle ». La plaisanterie est empruntée au vieux Leibniz. La paix perpétuelle et la paix à tout prix, n'en déplaise à vos pacifistes, c'est la mort. Veuillez m'étudier plus attentivement, je ne crois pas que ma lecture rende quiconque ne triche pas inconditionnellement « antiguerre ». Je hais plus le despotisme que l'état de guerre. Je prône une alliance d'États « républicains » (fussent-ils des monarchies « constitutionnelles », comme l'Angleterre), c'est-à-dire d'États respectueux des libertés publiques. En revanche, j'ai toujours condamné la « fusion des États » sous la botte d'un autocrate qui garantirait une paix despotique, cette paix des cimetières « qui repose sur le tombeau de ma liberté ».

Préférez-vous le chaos irakien actuel, avec ses attentats, à l'ordre de Saddam Hussein et sa paix des charniers ?

C'est bien probable, mais je ne trancherai qu'après m'être informé sur place. Dans les Îles Bienheureuses, nous ne disposons pas de la télévision et vos journaux parviennent avec un immense retard.

N'oubliez pas que vous passez pour un penseur moral et vertueux, nos pacifistes se réclament de vous pour crier l'horreur que leur inspirent les guerriers et leur inévitable brutalité.

Comme ces bien-pensants me lisent derechef de travers ! C'est tout de même moi qui écris : « L'homme veut la concorde, mais la nature sait mieux que lui ce qui est bon pour son espèce : elle veut la discorde. » J'ai loué « l'insociable sociabilité » des hommes qui les rend jaloux et rivaux pour les arracher à leur indolence nocive et les civiliser : « Sans ces qualités, certes en elles-mêmes peu sympathiques, d'insociabilité, d'où provient la résistance que chacun doit nécessairement rencontrer dans ses prétentions égoïstes, tous les talents resteraient à jamais enfouis dans leurs germes au milieu d'une existence de bergers d'Arcadie, dans un amour mutuel, une frugalité et une concorde parfaits : les hommes, doux comme les agneaux qu'ils font paître, n'accorderaient guère plus de valeur à leur existence que n'en a leur bétail ; ils ne combleraient pas le vide de la création. »

Vos pacifistes ressemblent à ces bergers d'Arcadie qui fuient la condition humaine au lieu de l'assumer, ils me paraissent mériter leur nom d'« altermondialistes ». Ils vivent dans un autre monde, comme la colombe qui s'imagine voler plus vite et plus haut une fois la résistance de l'air supprimée, quitte à se précipiter, les ailes déployées, dans le grand vide.

Trouveront-ils davantage grâce à vos yeux, ceux qui invoquent votre autorité pour se réclamer de la « légitimité internationale des organisations mondiales » afin de condamner sans appel l'interventionnisme « illégal » et « arbitraire » de la coalition anti-Saddam. L'Onu n'est-elle pas le digne enfant de votre droit « cosmopolite » ?

Enfant bâtard, plutôt ! Déjà l'impuissante Société des Nations d'avant 1940 passa outrageusement pour « kantienne ». *Bis repetita non placent !* Parmi la double centaine d'États composant votre Onu, plus de la moitié sont autocrates, despotiques et corrompus. Ils ne répondent d'aucune façon à la définition que je donne d'un État républicain ou, dans votre langage, démocratique. Peu importe l'adjectif dont on les coiffe, seuls les gouvernements contrôlés par une opinion publique libre me semblent dignes de s'associer pour assurer, autant que possible, la concorde internationale. Or la liberté d'expression, les droits des minorités, le respect du citoyen et de l'individu ne sont pas, *de facto*, exigés pour obtenir son billet d'entrée à l'Onu. Cette assemblée planétaire n'est en rien comparable à ma « fédération d'États républicains ». Votre « communauté atlantique » paraît plus proche de mon projet : un ensemble d'États démocratiques et libres qui excluent le recours aux armes entre eux et tentent autour d'eux d'instaurer la paix, voire de la défendre militairement. Berlin et Paris ont brisé cette solidarité atlantique en invoquant une supposée légitimité supérieure – le Conseil de sécurité de l'Onu –, en aucun cas je ne peux leur servir de caution. L'axe de la paix Paris-Berlin-Moscou-Pékin fut à mes yeux une imposture, Moscou et Pékin répondant peu aux règles républicaines.

Avant de vous souhaiter un bon séjour à Bagdad, permettez, monsieur le philosophe, une remarque toute personnelle qui porte non plus sur vos idées mais sur votre ton. Vous paraissez perdre ce calme distancié qui, dit-on, signait vos prises de position. N'est-ce pas un autre qui parle par votre bouche ? Pourquoi cette agressivité ? Que craignez-vous ?

De mon temps, il est vrai, les débats décisifs étaient davantage feutrés, ils n'étaient pas, comme vous dites, « médiatiques », le grand public ne s'en préoccupait pas, le peuple se résignait et supposait, ai-je écrit, « que penser n'était pas son affaire ». Depuis, révolutions et guerres mondiales aidant, les conflits idéologiques ont franchi le mur des universités pour éclater sur la place publique. « Au fond, il n'y avait pas d'actualité avant notre époque », remarque Thomas Mann en pleine guerre de 1914, soulignant que la manière de lire, donc d'écrire, en était chamboulée. « On lisait souvent avec passion autrefois, mais avec une passion plus abstraite… Aujourd'hui il est possible de se convulser de haine et de révolte en lisant. » Admettez que mon ton, bien que plus vif, n'est pas encore convulsif.

N'empêche que l'Université allemande vous trouverait plus tranchant que de coutume.

Dites que je supporte mal ma caricature. À Paris et Berlin, les chancelleries me prêtent des pensées qui vont à l'exact opposé de tout ce que je tiens pour important : la distinction entre l'âge adulte des Lumières et la tutelle obscurantiste des despotismes. Le prétendu « camp de la paix » acceptait Saddam Hussein en place plutôt que de voir transgresser les frontières de l'Irak. Ce principe de souveraineté absolue, c'est l'affaire de mon contraire philosophique, Carl Schmitt. Pas la mienne.

Selon lui, l'État *décide* souverainement du Bien et du Mal, de l'Ami et de l'Ennemi, du Tolérable et de l'Intolérable, et ce décideur absolu, qui juge de tout, ne saurait être jugé par rien ni personne. Carl Schmitt approuva ainsi la prise de pouvoir de Mussolini et Hitler et je gage que Poutine n'est pas insensible aux charmes de son « État totalitaire ». Il ne voit pas de crimes contre l'humanité, il n'existe que des crimes contre l'État définis par l'État. Ainsi le tribunal de Nuremberg ne se motive pas des forfaits nazis, il n'est, dit Carl Schmitt, que le diktat arbitraire des vainqueurs.

Affirmer au nom du respect humain qu'il faille s'ingérer dans les affaires d'un État assassin pour interrompre un massacre, une escalade génocidaire, c'est statuer – et j'approuve – que la liberté et la survie des populations civiles importent davantage que l'absolue souveraineté des États. Le droit d'ingérence constitue un péché capital aux yeux d'un Carl Schmitt, mais reste un devoir indépassable (oublié trop souvent) selon votre Déclaration universelle des droits de l'homme signée à Genève en 1948.

Carl Schmitt n'est plus, vous êtes mort, de votre ciel étoilé accordez-lui un cessez-le-feu académique !

Pas question. Ou lui ou moi. L'Europe hésite devant ce choix. Ou bien elle s'érige pôle de puissance et, s'appuyant sur une Russie autocratique, se pose en s'opposant aux États-Unis. Ou bien l'Union européenne, associant des nations habitées par le souvenir récent du despotisme, donc soucieuses des libertés individuelles, poursuit la construction d'un ensemble démocratique en espérant qu'un jour la Russie, la Turquie, d'autres sauront le rejoindre en respectant les règles de l'État de droit. Tel est mon programme, Kant contre Schmitt. ■

Pour copie conforme,
André Glucksmann.

Abonnements

(5 numéros, frais de port inclus)

France et Dom-Tom : 65,00 €
Étranger : 69,00 €

Étudiants (sur justificatif) :
France et Dom-Tom : 50,00 €
Étranger : 54,00 €

Abonnement de soutien : à partir de 100 €

Règlement par chèque libellé à l'ordre de la société Le Meilleur des mondes
et à envoyer à l'adresse suivante :

Le Meilleur des mondes
C/o Éditions Denoël
9, rue du Cherche-Midi
75278 Paris cedex 06

Cette revue est éditée par la SAS Le Meilleur des mondes
détenue à parité par les Éditions Denoël et l'association Les Amis du *Meilleur des mondes*
présidée par André Glucksmann.

Pour toute information sur *Le Meilleur des mondes*, consultez le site www.denoel.fr

Pour toute correspondance : *Le Meilleur des mondes*, C/o les Éditions Denoël ou
lemeilleurdesmondes@denoel.fr

Merci à Serge Bloch, Richard Bonnet, Luc Delahaye, Myriam Huth, Éric Préau et Sempé.

En couverture :
Footlight Parade de Lloyd Bacon,
un ballet d'Esther Williams réalisé par Busby Berkeley. D.R.

Commission paritaire en cours.
ISSN en cours.

Achevé d'imprimer en mars 2006
par KAPP à Évreux
Dépôt légal : mars 2006
Numéro d'imprimeur : 9486

ISBN 2-207-25813-0/ Imprimé en France